D1416792

Wariwulf, Les enfants de Börte Tchinö

De la même série
Wariwulf, Le premier des Râjâ, roman, 2008.

Du même auteur chez le même éditeur
Mon frère de la planète des fruits, roman, 2008 [2001].
Marmotte, roman, 2008 [2001].
Pourquoi j'ai tué mon père, roman, 2008 [2002].
Créatures fantastiques du Québec, tome 1 et 2, ouvrage de référence, 2009.

Dans la série jeunesse Amos Daragon
Amos Daragon, porteur de masques, roman, 2003.
Amos Daragon, la clé de Braha, roman, 2003.
Amos Daragon, le crépuscule des dieux, roman, 2003.
Amos Daragon, la malédiction de Freyja, roman, 2003.
Amos Daragon, la tour d'El-Bab, roman, 2003.
Amos Daragon, la colère d'Enki, roman, 2004.
Amos Daragon, voyage aux Enfers, roman, 2004.
Amos Daragon, Al-Qatrum, hors série, 2004.
Amos Daragon, la cité de Pégase, roman, 2005.
Amos Daragon, la toison d'or, roman, 2005.
Amos Daragon, la grande croisade, roman, 2005.
Amos Daragon, porteur de masques, manga, 2005.
Amos Daragon, la fin des dieux, roman, 2006.
Amos Daragon, la clé de Braha, manga, 2006.
Amos Daragon, le crépuscule des dieux, manga, 2007.
Le guide du porteur de masques, hors-série, 2008.

Aux Éditions des Glanures
Horresco referens, théâtre, 1995.
Contes Cornus, légendes fourchues, théâtre, 1997.
Louis Cyr, théâtre, 1997.
Marmotte, roman, 1998.

Aux éditions Michel Brûlé
Fortia Nominat Louis Cyr, théâtre, 2008 [1997].

Aux éditions De la Bagnole
En mer, roman, 2007.

BRYAN PERRO

2. Les enfants de Börte Tchinö
WARIWULF

Les Éditions des Intouchables bénéficient du soutien financier du gouvernement du Québec – Programme de crédit d'impôt pour l'édition de livres – Gestion SODEC et sont inscrites au Programme de subvention globale du Conseil des Arts du Canada.

Nous reconnaissons l'aide financière du gouvernement du Canada par l'entremise du Programme d'aide au développement de l'industrie de l'édition (PADIÉ) pour nos activités d'édition.

 Membre de l'Association nationale des éditeurs de livres.

LES ÉDITIONS DES INTOUCHABLES
512, boulevard Saint-Joseph Est, app. 1
Montréal, Québec
H2J 1J9
Téléphone : 514-526-0770
Télécopieur : 514-529-7780
www.lesintouchables.com

DISTRIBUTION : PROLOGUE
1650, boulevard Lionel-Bertrand
Boisbriand, Québec
J7H 1N7
Téléphone : 450-434-0306
Télécopieur : 450-434-2627

Impression : Transcontinental
Illustration de la couverture : JEIK
Conception de la carte : Pascal Barriault
Maquette de la couverture et logo : Geneviève Nadeau
Infographie : Mathieu Giguère
Révision, correction : Élyse-Andrée Héroux, Corinne De Vailly, Élaine Parisien

Dépôt légal : 2009
Bibliothèque et Archives nationales du Québec
Bibliothèque nationale du Canada

ISBN : 978-2-89549-387-7

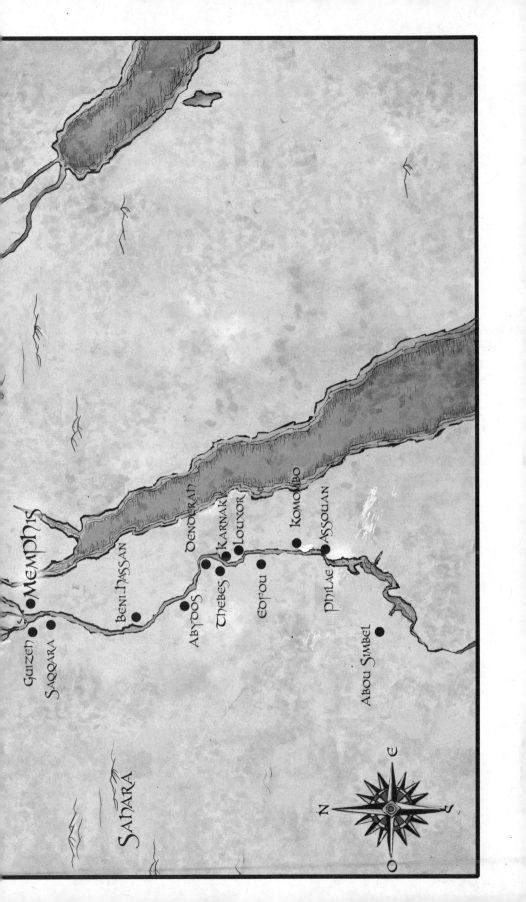

Première partie

Osiris et Misis

I

Ils étaient trois marchands, un père et ses deux fils, qui tous les mois empruntaient la longue route qui les menait de leur village, situé près de Troie, à la grande cité de Byzance. Ils s'y rendaient pour faire le commerce de leurs pots, car ces hommes étaient d'une lignée de potiers. L'expérience des générations d'artisans qui les avaient précédés avait raffiné leur technique et leur art. Cette famille était connue et reconnue à Byzance. À chacun des voyages qu'effectuaient ces hommes, les clients se pressaient devant leur étal du marché afin d'admirer les nouveautés qu'ils avaient à offrir. Des simples tajines en terre cuite aux lourdes amphores pour conserver le vin, ils offraient toujours les meilleurs produits à des prix compétitifs.

Ces fréquents voyages étaient pour eux une façon de prendre des vacances et de voir du pays. Pour honorer toutes leurs commandes, ils prenaient rarement le temps de respirer. Un séjour à Byzance sonnait alors à leurs oreilles comme l'obligation de s'arrêter et de prendre un peu de temps pour discuter entre eux.

— Nous y serons bientôt, mes fils ! s'exclama le père dont la barbe et les cheveux blancs trahissaient son âge avancé. Je sens que nous ferons des affaires d'or ! Avec les profits que nous empocherons, je rapporterai de la soie et des bijoux pour votre mère.

— J'admire la jeunesse de votre cœur et votre générosité, père… mais vous êtes un dépensier ! dit le cadet de ses fils pour le taquiner. Mon frère et moi sommes les joyaux de cette famille, nul besoin d'offrir des bijoux à notre mère puisque, avec nous, elle est déjà la plus riche des femmes !

– Ah! mon fils! Quel avare tu fais! s'amusa le vieux potier. Tu philosophes pour épargner quelques sous? Eh bien, tu me déçois! C'est en effet une excellente façon de devenir riche, mais malheureusement, c'est aussi comme cela que l'on termine sa vie seul avec son argent. Rappelle-toi toujours que l'amour est comme un feu, il faut entretenir sa flamme pour en recevoir un peu de chaleur. Demande à ton frère qui se morfond depuis que nous avons quitté le village! N'est-ce pas que j'ai raison?

– Ne me taquinez pas, père, répondit l'aîné qui rongeait son frein depuis un bon moment. J'aimerais mieux être dans les bras de mon aimée qu'avec vous deux sur cette route interminable. Sans vouloir vous offenser, j'aime mieux dormir contre son corps que contre celui de mon frère qui, en passant, pue l'urine de jument!

– Voilà qui confirme mes dires! rigola le père. L'argent ne remplacera jamais le corps chaud d'une femme. Je suis bien content de te l'entendre dire! Mais rassure-toi, mon garçon, plus la séparation sera longue, plus ton aimée sera chaude à ton retour… La vie est ainsi faite, tu peux me croire!

– Eh bien, moi, rouspéta le cadet, je trouve que les femmes coûtent bien cher et que, finalement, elles ne servent pas à grand-chose. De plus, elles rendent les hommes misérables et les transforment rapidement en esclaves. Quand on m'enterrera, ce sera sur un lit d'or, comme un roi!

– Ça ne devrait plus être long, car tu sens si mauvais qu'on dirait que tu es déjà mort! fit l'aîné, moqueur.

– Quand je t'écraserai mon poing sur le nez, tu verras bien si je suis mort!

– Nous en reparlerons quand tu auras du poil au menton… Pour l'instant, laisse les hommes discuter entre eux!

– Tu veux que je t'assomme, cocu?

– Qui traites-tu de…

– Toi! Car tout le monde sait que ta petite amie a beaucoup de courtisans et que tu n'es pas le premier à qui elle offre ses faveurs. À ta place, je la surveillerais de plus près. À moins que tu ne sois pas assez puissant pour la satisfaire tout seul?

– Petit morveux! Retire tes paroles ou je te fracasse la tête contre le…

– ÇA SUFFIT, LES GARÇONS! intervint le potier d'un ton faussement autoritaire. Vous vous chamaillerez plus tard! Dans quelques heures, nous serons à Byzance, et je veux vous voir en forme pour les clients. Comme d'habitude, nous ferons des rotations à la table de vente. Vous aurez tout le temps voulu pour régler vos comptes à ce moment...

La grande charrette tirée par quatre puissants bœufs traversa un petit pont de bois, puis s'engagea dans une longue courbe à l'issue de laquelle on pouvait voir au loin la ville de Byzance. Pour la famille de potiers, ce passage obligé représentait la dernière étape à franchir avant d'atteindre la grande cité. De là, on pouvait voir le détroit du Bosphore ainsi que les passeurs qui attendaient patiemment des clients. Certains d'entre eux transportaient des attelages complets de chevaux sur d'énormes barques à voiles, alors que d'autres, à bord d'embarcations plus petites, s'occupaient uniquement des passagers à pied. Dans la lumière du soleil de midi, le spectacle de ces bateaux se découpant sur un fond bleu azur était enchanteur.

Chaque fois, les potiers profitaient de ce moment de contemplation pour casser la croûte en admirant le paysage.

– Nous y voici, les garçons! Sortez le vin, le pain et le fromage, j'ai l'estomac dans les talons! s'exclama le père en se tapant sur le ventre. Votre mère nous a préparé un pain aux fruits si doux qu'on dirait qu'il vient tout droit du ciel!

Une fois le chariot immobilisé, les trois potiers posèrent les yeux sur Byzance, mais au lieu de l'image de vie et de prospérité que renvoyait la ville, il n'y avait plus maintenant qu'un vaste champ de ruines. Toutes les fermes qui côtoyaient les murs d'enceinte avaient été brûlées. Les immenses champs qui alimentaient inépuisablement le grenier des Byzantins ressemblaient à des terrains vagues laissés en friche. Au loin, le port qui regorgeait jadis de bateaux de marchandises semblait maintenant abandonné. Seul un bateau à moitié coulé battait encore pavillon près des quais, ses voiles déchirées par le vent. Même les embarcations des passeurs avaient déserté la rive.

– Mais que s'est-il passé là-bas?! s'exclama le vieil homme, complètement bouleversé. On dirait que les dieux ont décidé de châtier Byzance et qu'ils ont envoyé leurs armées célestes pour tout détruire. Je n'arrive pas à le croire! Non, ce sont mes yeux qui me jouent des tours… c'est impossible! Voyez-vous la même chose que moi?!

– Non, père, vos yeux ne vous trompent pas! Cette ville n'existe plus…

– Regardez, père, regardez près des quais des passeurs, il y a des drapeaux perses un peu partout…, remarqua le cadet. La ville serait tombée aux mains de ces chiens? Ce sont donc les Perses qui ont attaqué cette ville?! Ils sont peut-être encore là…

– Ne t'inquiète pas au sujet des Perses. S'ils étaient ici, ils sont maintenant repartis…, dit le vieux potier.

– Comment en êtes-vous certain, père? demanda l'aîné, inquiet.

– Nous aurions vu des Byzantins empalés des lieues avant notre arrivée, répondit le père. J'ai déjà eu affaire aux Perses dans ma jeunesse, alors que je faisais partie des armées de Troie. Ils ont essayé pendant des mois de prendre la ville, mais ils se sont fatigués, puis ils sont retournés chez eux. Comme j'étais discret et doué pour me déplacer furtivement, mon commandant m'a demandé de les suivre afin de m'assurer qu'ils avaient bien quitté nos terres. C'est là que j'ai été témoin pour la première fois de leur barbarisme… Sur la route menant aux villes et aux villages conquis, il y avait des hommes, des femmes, mais aussi des enfants transpercés d'un pal. Il y en avait partout… dans les champs et près des maisons, mais aussi dans les arbres, puis aux portes des villes. J'en ai rapidement déduit que les troupes d'Assurbanipal marquaient de cette manière leurs nouveaux territoires après une conquête. Il s'agit d'une façon bien à eux de dissuader les curieux… Si les Perses étaient encore là, nous aurions croisé leurs malheureuses victimes bien avant d'arriver jusqu'ici.

– Mais alors, que s'est-il passé? C'est à n'y rien comprendre!

– Je ne sais pas, mon fils, mais nous devons en avoir le cœur net… Laissons là notre chariot et notre cargaison, et allons jeter un coup d'œil. Ton jeune frère restera ici pour faire le guet.

– Ah non, je veux y aller aussi! protesta le cadet. Je veux absolument vous accompagner…

– Toi, tu restes ici ! insista le vieux potier. Si nous ne sommes pas revenus à la tombée du soleil, tu repartiras au village avec le chariot. Si un malheur nous arrivait, il faudrait que tu te rendes vite au grand conseil de Troie pour les informer de ce qui se passe ici. Tu diras que c'est moi qui t'envoie, et on t'ouvrira les portes de la salle des sages. Mes faits d'armes sont encore présents dans l'esprit de plusieurs haut gradés qui se trouvent maintenant à ce conseil. Si ton frère et moi ne devions pas revenir de notre expédition à Byzance, c'est toi qui devras t'occuper de ta mère et de tes sœurs ! Tu comprends maintenant ? Pour l'avenir de ma famille, je ne peux pas me permettre de perdre mes deux fils en même temps…

– Très bien, père, j'ai compris… Je resterai ici pour vous attendre.

– Parfait ! Allez, cachons les bœufs et la cargaison dans la broussaille !

Une fois le travail accompli, le père et son fils aîné quittèrent la route et se dirigèrent prudemment vers les quais des passeurs. Parmi les décombres et les restes humains, ils dénichèrent une petite embarcation allongée à voile, mais également munie de solides avirons. Une fois à bord, ils la libérèrent de ses amarres et naviguèrent sans problème jusqu'à l'autre rive. Le fort vent d'ouest les porta en un temps record sur les plages de sable fin où, anciennement, des familles byzantines se regroupaient pour pique-niquer.

Une fois sur la terre ferme, le potier et son fils marchèrent à travers les champs en direction de Byzance. Rapidement, ils croisèrent des cadavres, tant de fermiers et de guerriers byzantins que de soldats perses. En plus de gigantesques carcasses d'éléphants, ils trouvèrent aussi un troupeau de chameaux massacré. Par endroits, la terre était couverte de milliers d'empreintes de loups, bien visibles dans la boue séchée.

– Voilà les responsables de ce carnage, dit l'aîné du potier en montrant du doigt les traces. On dirait bien qu'une meute de loups gigantesques est venue se repaître ici…

– Non, mon fils, ils ne sont pas venus ici pour manger, mais uniquement pour tuer… Regarde comme les corps de ces pauvres victimes ont été mutilés ! Je t'assure que les animaux qui tuent de cette façon n'ont pas l'estomac vide, ils ont la rage au ventre...

– Mais pourquoi une meute de loups aurait-elle décidé de s'attaquer à une ville? C'est tout à fait farfelu! Je ne connais pas grand-chose à ces animaux, mais on m'a déjà raconté que les loups se promènent toujours en petits groupes et qu'ils n'attaquent pas les villages... encore moins une cité fortifiée!

– Moi non plus, je ne comprends pas... mais avançons un peu plus vers la porte de la ville, nous verrons s'il reste des survivants à l'intérieur des murs.

Prudemment, le père et le fils se dirigèrent vers l'entrée de la cité. Près de la gigantesque porte, là où un garde les attendait habituellement, il n'y avait personne. Pas l'ombre d'un soldat pour protéger le passage.

– C'est curieux, fit le père. On dirait une ville fantôme...

– Heureusement qu'il fait encore jour, dit le fils en déglutissant. Je n'aurais jamais osé passer cette porte durant la nuit... Le silence est si lourd... si impressionnant qu'il en donne le vertige.

– Avançons avec vigilance et voyons ce qu'il y a à l'intérieur...

Perchés en haut d'une tour de garde, seuls quelques grosses corneilles et trois vautours repus regardèrent les deux potiers franchir les fortifications de Byzance. Les yeux des rapaces suivirent leur lente et vigilante progression jusqu'à une petite place où, jadis, aux jours heureux de la ville, des marchands de fleurs avaient établi leur quartier.

– Byzance est complètement morte, constata l'aîné avec stupéfaction. J'en ai des frissons dans le dos... C'est terrible, ce qui est arrivé... Il y avait tant de vie ici que... je... je n'arrive tout simplement pas à le croire.

Le vieux potier, quant à lui, demeura muet, incapable qu'il était de prononcer un seul mot devant le spectacle qui se présentait à ses yeux. La cité qui était autrefois une fourmilière débordante d'activité se trouvait maintenant remplie de cadavres! Femmes et enfants gisaient par terre et servaient désormais de pitance aux charognards. Tués dans l'exercice de leurs fonctions, plusieurs soldats n'avaient plus de tête et leurs épaisses armures de cuir ou de métal avaient été déchirées comme s'il s'était agi de simples vêtements de lin. Les rues étaient pleines de mares de sang qui caillait au soleil, de jambes et de bras arrachés, ainsi que de défécations animales. Une odeur âcre de pourriture accompagnée d'émanations repoussantes de faisandage donnait envie de vomir. Dans les puits et les fontaines flottaient des corps boursouflés dont se nourrissaient avec bonheur d'innocents petits poissons rouges.

— Ne remarques-tu pas quelque chose d'étrange, mon fils, dans cette atroce scène de carnage? demanda le vieil homme, au bord des larmes.

— J'ai sous les yeux le plus terrible des massacres qu'il m'ait été donné de voir, père! Je ne vois rien d'autre... J'ai déjà croisé les ruines de petits villages attaqués par des voleurs où les cadavres d'innocents gisaient sur le sol, mais comme cela, jamais...

— Dirige ton attention sur l'état des lieux et tu verras que toutes les femmes portent encore leurs bijoux et que les commerces n'ont pas été pillés. En temps de guerre, les villes qui ne sont pas occupées sont systématiquement dévalisées, mais pas celle-ci!

— C'est bien vrai, père...

— J'en déduis que ceux qui ont perpétré ce crime n'avaient qu'une chose en tête: tuer le plus de gens possible! Comme des bêtes sauvages, sans foi ni loi, ils sont entrés dans Byzance et ils ont éliminé tous les habitants. Ces monstres sont ensuite repartis comme ils étaient venus...

— Ce sont les Perses?!

— Non, ils sont trop avares pour laisser derrière eux autant de richesses. D'ailleurs, ce cadavre, juste ici, est celui d'un sol-dat d'Assurbanipal, le roi de Babylone. Cela me laisse supposer qu'ils étaient dans la ville et qu'ils en assuraient le contrôle bien avant l'attaque.

— Mais quel peuple barbare peut attaquer une ville uni-quement pour le plaisir? On ne fait pas de telles choses pour s'amuser?! Les dieux sont assurément responsables d'un tel... Un bruit! J'ai entendu un bruit, là, derrière cette charrette ren-versée.

— Cache-toi et prends une épée, nous devons rester prudents...

Les deux potiers attrapèrent rapidement chacun une arme et trouvèrent refuge près d'un abreuvoir à chevaux. L'un près de l'autre, ils attendirent quelques minutes dans l'angoisse.

– Je crois qu'il n'y a rien, père... Désolé, c'est probablement mon imagination qui m'a joué un tour.

– J'ai aussi entendu ce bruit, mon garçon...

Par un accord tacite, le potier et son fils décidèrent de sortir de leur cachette et de s'avancer vers la source du bruit. Si la menace était réelle, il valait mieux que les deux hommes prennent les choses en main et attaquent en premier. Ils bénéficieraient au moins de l'effet de surprise.

– C'est peut-être un survivant, père ! suggéra le fils à voix basse. Ne vaudrait-il pas mieux baisser nos armes pour éviter de l'effrayer ?

– Demeure sur tes gardes, c'est notre meilleure défense..., murmura le père. J'aime mieux effrayer un innocent qu'être surpris par un ennemi. Il sera toujours temps de baisser nos épées et de nous excuser...

À quelques pas de la charrette renversée, une petite plainte se fit soudainement entendre, semblable à un gémissement de chien blessé. Le son paralysa les deux potiers.

– Un animal, père ?

– Non... c'est... c'est un monstre.

Au moment où l'homme prononçait cette dernière phrase, son fils et lui virent un gigantesque loup sortir de sa cachette et les fixer directement dans les yeux. Tout droit sortie d'un cauchemar, la bête énorme et menaçante était couverte de sang. Une patte en moins, les oreilles arrachées et une flèche lui traversant une hanche, le loup semblait encore posséder la force de terrasser les nouveaux arrivants. Malgré ses nombreuses blessures, l'animal montrait les dents et invitait, par son attitude arrogante, les deux hommes au combat.

– Tu as vu cette bête, mon fils ? Elle est...

– ... abominable ! termina le jeune homme qui n'en croyait pas ses yeux. Je n'ai jamais vu un loup aussi gros et aussi...

– ... redoutable, conclut le vieil homme en serrant le pommeau de son glaive. Je crois que nous allons devoir défendre notre vie. Si tu suis mes directives, nous aurons une chance de nous en tirer... Je m'avance en premier pour attirer son attention... Pendant ce temps, tu te positionnes à droite... Une fois qu'il bondira sur moi, transperce-lui le flanc avec ton épée. Je m'occupe du reste, compris ?

– Non, père, laissez-moi l'affronter…

– Tais-toi et fais ce que je te dis! Nous n'avons pas le loisir de discuter.

Suivant le plan de son père, l'aîné se retira.

– Allez, mon gros! lança le vieux potier à l'animal. Approche un peu que je voie si j'ai perdu mon adresse à l'épée. Viens!

Le loup évalua la situation et comprit rapidement que les deux hommes lui tendaient un piège. S'il attaquait le vieil homme, son flanc allait être exposé. Ce fut alors que, bien décidé à survivre, il fit face au fils du potier et bondit sur lui à la vitesse de l'éclair.

Alors que la gueule béante de la créature allait se refermer sur le cou du jeune homme, une flèche fendit l'air et vint se loger directement dans la tête de l'animal. La bête tomba lourdement sur le sol en poussant un petit hurlement de douleur, puis ferma les yeux pour de bon.

Le fils du potier tomba à genoux et régurgita son petit-déjeuner.

Son père leva les yeux au ciel et remercia les dieux de ce miracle.

– Je savais que je pourrais être utile! lança fièrement le cadet de la famille, un arc à la main. On a toujours besoin d'un plus jeune que soi!

– On pourra dire que tu as la tête dure, toi! Mais pour une fois, je suis bien content que tu m'aies désobéi! s'exclama le vieux potier dans un long soupir de soulagement. Je ne me sentais pas de taille devant cette bête… et ton frère… tu lui as sauvé la vie… Quelle peur, mais quelle peur, lorsque j'ai vu cette créature bondir sur lui! J'espère seulement que le monstre aura eu son compte.

– De rien, père! fit le cadet, trop fier de lui.

En observant le loup qui gisait dans son sang, l'aîné, qui reprenait lentement ses esprits, aperçut le poil de l'animal qui, tombant par plaques, révélait le corps d'un homme nu.

– Venez voir! cria-t-il pour attirer l'attention de son frère et de son père. L'animal se transforme… On dirait qu'il prend l'aspect d'un… d'un humain!

– Mais voyons, ce n'est pas possible…, répondit le vieil homme en s'approchant de la dépouille.

Sous les yeux médusés du potier et de ses fils, le loup perdit peu à peu ses caractéristiques animales et, bientôt, le cadavre d'un homme de grande taille aux cheveux longs et à la barbe hirsute devint très clairement visible. Mutilé à plusieurs endroits, il avait un bras arraché et la flèche qui lui traversait le bassin était toujours en place. D'une oreille à l'autre, le projectile du cadet était bien fixé à travers son crâne.

— C'était un homme ou une bête? demanda l'aîné en se pinçant pour être certain qu'il ne rêvait pas.

— Ce n'était ni l'un ni l'autre..., répondit son père. Il s'agit d'un... d'un hyrcanoï!

— D'un quoi?! fit le cadet.

— Je croyais qu'ils n'existaient que dans les légendes anciennes, répondit l'homme, visiblement ébranlé. Il faut vite quitter cette ville et informer le grand conseil de Troie de cette découverte.

— Père, expliquez-vous!

— Les hyrcanoï font partie d'un peuple très ancien qui possédait le secret de la transformation en loup... On raconte qu'ils ont été sauvages et brutaux... et qu'ils ne pensaient qu'à répandre la mort autour d'eux... Ces barbares sans foi ni loi ne priaient qu'un seul et unique dieu archaïque et primaire. Les hyrcanoï sont des animaux avides de sang et de mort. Ils tuent uniquement par plaisir...

En écoutant le récit de leur père, les deux fils échangèrent un regard angoissé. La métamorphose qui venait de se produire confirmait bien que le vieux potier n'était pas devenu fou. Si cette histoire était fondée et qu'un peuple aussi abominable avait réduit en cendres la grande Byzance, d'autres hyrcanoï étaient peut-être encore cachés dans les ruines de la ville. Il valait mieux ne pas trop traîner dans les décombres.

— Fuyons, père..., dit l'aîné. Nous devons quitter le plus rapidement possible ce lieu maudit.

— Oui! Ne perdons pas de temps! enchaîna le cadet, d'accord, pour une fois, avec son frère. Nous irons directement à Troie pour en informer le conseil...

— Bien parlé, mes fils, conclut le potier. Fuyons tout de suite...

Toujours sous le regard intrigué des charognards, les trois hommes quittèrent promptement Byzance et marchèrent d'un pas rapide vers les embarcations des passeurs. En chemin, l'aîné s'arrêta pour découper dans la boue séchée quelques plaques de terre sur lesquelles de gigantesques empreintes de loups étaient bien visibles.

– Cela nous servira de preuve pour le conseil ! dit-il à son père qui le pressait d'accélérer le pas.

Au loin, le hurlement déchirant d'une bête sauvage se fit entendre.

Les potiers bondirent dans une embarcation et naviguèrent facilement jusqu'à l'autre rive. De là, ils rejoignirent sans problème leur chariot, abandonnèrent leurs pots sur le bord de la route pour alléger leur véhicule et filèrent vers Troie.

II

Quatorze ans plus tard…

Le tragédien s'avança sur la scène. L'homme, monté sur ses cothurnes et portant un masque de bois à tête de loup, avait la taille d'un géant. Son costume de fourrure et ses fausses griffes faites de longues tiges de bois placées un peu grossièrement sur ses doigts lui conféraient une apparence de marionnette en bois mal dégrossi. L'acteur s'avança devant la foule des habitants de Veliko Tarnovo et commença, d'une voix de stentor, le monologue d'introduction de la pièce de théâtre.

– Muses ! s'écria-t-il à pleins poumons pour surprendre l'auditoire. Muses, belles muses, qui volez au-dessus de cette assistance, racontez-moi encore une fois l'histoire de la naissance du roi des rois !

Devant autant de charisme, les spectateurs retinrent leur souffle de peur de rater une syllabe de la tirade.

– Muses ! Je vous appelle ! lança-t-il dans un mouvement théâtral. Filles de Mnémosyne, redites-moi encore le récit grandiose d'Électra de Byzance qui, courageusement, vengea la mort des siens en éliminant tous les Perses de sa ville natale et en donnant naissance, sur le sang encore chaud de ses ennemis, à notre nouveau roi.

Depuis dix ans, cette pièce de théâtre écrite par Sénosiris d'Égypte, le conseiller spirituel et militaire de la reine Électra, était présentée sur la grande place, devant le palais. Chaque représentation connaissait un succès retentissant, car l'activité commençait à animer la ville des mois avant sa présentation. Les femmes qui composaient le chœur préparaient leur costume pendant que leur mari entamait la construction du décor. Plus grandiose d'année en année, le spectacle ne devait décevoir personne. Dans les rues, dans les échoppes et chez les artisans, on ne parlait que de l'événement. Certains y allaient de prédictions quant au choix des comédiens, alors que d'autres donnaient leur avis sur les différentes versions qu'ils avaient vues au fil des années.

Puis, la journée du spectacle arrivait enfin !

En ce jour tant attendu, les résidants de la ville commençaient à s'installer très tôt sur de hautes estrades de bois autour de la place, puis pique-niquaient en famille en attendant la représentation du soir. Pour l'occasion, Électra ordonnait que l'on tue une dizaine de gros taureaux afin de les faire griller sur place, tournant sur de longues broches au-dessus de brasiers de charbons ardents. Le peuple pouvait ainsi manger à sa guise aux frais de la reine et célébrer le ventre plein. Dans la fumée du gras de viande qui embaumait toute la ville, on chantait et dansait sa fierté d'appartenir à une aussi belle cité que Veliko Tarnovo.

– Inspirez-moi, muses, afin que mes mots soient précis, car les grandes histoires méritent de grands orateurs pour les raconter. Mon récit débute dans les lointaines contrées de sable et de soleil, très loin d'ici, au pays des rois pharaons immortels et des sages érudits capables d'interpréter, dans le ciel, le langage des dieux.

En fait, l'histoire de la naissance du Râjâ commençait bien autrement, mais l'auteur du spectacle, Sénosiris d'Égypte, n'avait pas pu écrire sur ce qu'il n'avait pas connu. Pour lui, l'aventure commençait avec son propre départ des vertes contrées du Nil, et c'était cette version qui était représentée d'année en année.

– Il existe dans ce monde des hommes d'exception qui peuvent voir l'invisible et décoder le langage des dieux, continua le comédien, maintenant à l'aise dans son rôle. Celui dont je vous parle était un puits de science et de savoir !

Dans l'assistance, l'Égyptien sourit en se rappelant l'homme qui lui avait inspiré ces mots. C'était bien grâce à ce vieux savant égyptien qu'il avait entrepris un long périple sur le continent et qu'il habitait aujourd'hui à Veliko Tarnovo, parmi le peuple thrace. La pièce de théâtre racontait l'histoire de ce voyage, bien sûr, mais aussi celle des événements cosmiques qui les avaient motivés, son maître et lui, à entamer cette périlleuse expédition. Le vieil homme était mort en chemin et l'apprenti avait réussi, non sans peine, à atteindre le pays des loups. Beaucoup d'eau avait coulé sous les ponts depuis que Sénosiris avait, pour la première fois, rencontré Électra, la femme qui allait devenir la reine de Veliko Tarnovo.

Aujourd'hui âgé de vingt-huit ans, Sénosiris était un bel homme au teint foncé et aux cheveux très noirs. Il était aussi brillant que plaisant à regarder, et disposait d'un immense pouvoir dans la cité. Toutes les filles le désiraient pour mari, mais il était plus intéressé par la science que par les plaisirs de la chair. Grâce, entre autres, à la physique et à la chimie, Sénosiris essayait de décortiquer la vie autour de lui afin de mieux la comprendre. Il avait établi ses quartiers dans l'ancien temple dédié à Orphée, dont il avait fait un gigantesque laboratoire de recherche. Il y avait aussi dans ces murs un grand atelier de sculpture et de poterie, ainsi qu'une large bibliothèque de papyrus. Pour le jeune érudit, l'art et la science ne faisaient qu'un et ne pouvaient être dissociés.

— Voici le maître égyptien qui arrive! s'exclama le comédien. Il est suivi de son jeune apprenti. Portons notre attention sur les sages paroles de cet homme!

Le public, encore une fois plongé dans cette histoire qu'il avait maintes fois entendue, se concentra afin de ne rien manquer du passionnant récit.

— Regarde le ciel, jeune Sénosiris…, fit l'acteur qui incarnait le maître égyptien.

Fébrile, le public applaudit. Content de son effet, le comédien sourit et recommença sa phrase.

— Regarde le ciel, jeune Sénosiris…, répéta-t-il derrière sa fausse barbe en poil de mouton. On dirait que les étoiles nous parlent!

— Mais que disent-elles, maître? répondit un jeune interprète qui incarnait l'auteur pubère. J'aimerais tellement pouvoir décoder le ciel comme vous le faites… Il y a là tant de mystères, tant d'énigmes qui se cachent derrière ces points de lumière!

— Rappelle-toi, mon apprenti, que les étoiles forment des symboles par lesquels les dieux communiquent avec les humains.

Je t'enseignerai cette langue et je parie qu'un jour tu seras encore plus érudit que moi.

– Jamais, maître, personne ne sera jamais plus éclairé que vous dans ce monde…

Placé juste à côté de la reine, Sénosiris essuya une larme au coin de son œil. L'émotion qu'il ressentait n'était pas causée par le texte qu'il avait écrit, non plus que par le jeu des comédiens dont le talent était somme toute assez limité, mais plutôt par le souvenir de son vieux maître. Cet homme pour qui il avait toujours eu une admiration sans commune mesure serait sûrement fier de lui s'il le voyait aujourd'hui. Il avait été un vrai père pour Sénosiris. Un mentor dont les enseignements avaient ouvert les yeux du jeune garçon sur les grands mystères du monde, mais aussi sur ses merveilles. De le voir ainsi représenté, vivant et bougeant grâce à la mise en scène, lui faisait chaud au cœur. Combien d'heures avaient-ils passées ensemble, sous le ciel scintillant d'Égypte, à décoder le langage des dieux ? Des centaines, des milliers peut-être. Tout ce temps sans que jamais le vieux sage ne s'impatiente devant les questions parfois naïves de son élève. Jusqu'à sa mort, il avait été un homme admirable.

– Oh ! lança théâtralement le comédien barbu. Je vois dans le ciel la naissance d'un grand roi ! Voilà qui est merveilleux ! Dépêche-toi de faire tes bagages, nous partons tout de suite vers le nord. Regarde cette carte. C'est là que nous nous rendons, dans le grand pays des loups, où vivent les valeureux Thraces…

Le public, ravi par le compliment, applaudit chaleureusement.

Motivé, le comédien ajouta quelques compliments de son cru au texte original.

– Ces incroyables Thraces dont la force et le courage n'ont d'égales que leur finesse et leur intelligence !

Autre salve d'applaudissements.

Sénosiris toussota dans l'espoir d'attirer l'attention de son interprète.

Électra, la reine de Veliko Tarnovo, se tourna vers Sénosiris et lui adressa un sourire complice. Il y avait manifestement trop d'éloges dans la tirade pour qu'elle fût issue de la plume de l'auteur. En guise de réponse, Sénosiris haussa les épaules et lui adressa une grimace. Électra éclata d'un rire bien sonore, ce qui refroidit les ardeurs de l'improvisateur.

— Donc, je disais…, enchaîna le comédien, quand même ravi de son effet, je disais que les dieux nous enverront bientôt un grand roi qui saura conquérir le monde et unir tous les hommes sous son commandement. Il sera la lumière dans les ténèbres…

— Mais maître, intervint le Sénosiris en scène, vous êtes trop vieux pour entreprendre un tel voyage. Jamais vous ne réussirez à atteindre ces lointaines contrées ! De plus, vous savez comme moi que les routes sont terriblement dangereuses, et que les voleurs y sont nombreux…

— Nous voyagerons comme des mendiants, l'interrompit le maître. Les voleurs n'attaquent pas les vieillards et les enfants ! Et puis, je sais, jeune Sénosiris, que je ne verrai probablement jamais les infinies beautés de ce pays enchanteur, mais le devoir m'y appelle ! C'est toi qui prendras ma relève si un malheur devait survenir ! Tu seras celui qui continuera mon œuvre et qui témoignera, pour l'humanité entière, de la naissance du plus grand des rois !

— J'obéirai à mon destin et je ferai ce que vous attendez de moi…, répondit le garçon sur l'estrade. Je témoignerai de ce que j'ai vu et écrirai la grande histoire de ce roi !

Ce premier acte terminé, quelques musiciens bondirent des deux côtés de la tribune et entamèrent un air connu. La chanson à répondre aux accents grivois enchanta le public. Pendant cette pause, on installa sur la scène une grande charrette en guise de décor. Électra en profita pour se pencher vers son conseiller.

— C'est une belle pièce, Sénosiris, le félicita-t-elle. Mais aussi une très belle façon d'éduquer le peuple et de faire en sorte qu'il n'oublie pas son histoire. Sans toi, ce royaume ne serait pas la moitié de ce qu'il est aujourd'hui…

Le compliment bouleversa le jeune homme. D'une dizaine d'années son aînée, la femme avait un magnétisme hors du commun et chaque fois qu'elle le louangeait, l'Égyptien ressentait des papillons dans l'estomac.

— Merci, répondit-il modestement. Je suis très content de la pièce, moi aussi… L'an prochain, nous travaillerons davantage le jeu des comédiens…

– Perfectionniste et dévoué…, continua la reine en posant sa main sur la sienne. Voilà tes deux principales qualités, mon jeune ami. Chaque jour, tu améliores un peu plus la vie des gens de cette cité sans attendre quoi que ce soit en retour.

– Votre seul bonheur me suffit…

– Vois comme tu es craquant! s'exclama la reine. Et tu réussis si bien à me rendre heureuse! Prends par exemple le système d'irrigation de la ville. C'est une pure merveille! Je ne sais comment tu as fait, ni où tu es allé chercher cette idée, mais utiliser le vent pour faire remonter l'eau jusqu'en haut de la forteresse, c'est presque de la magie.

– En réalité, c'est tout simple! Il s'agit d'une…

– Ah non, ne recommence pas! rigola Électra. Cesseras-tu un jour de m'expliquer des choses auxquelles je ne comprends rien? L'important pour moi et pour cette ville est que tes inventions fonctionnent et que nous puissions bénéficier de ton génie…

– C'est pourtant si simple, ma reine, tenta de nouveau d'expliquer l'Égyptien. Je dévie la force du vent pour insuffler à une…

– Mais tais-toi, grand génie! l'interrompit la femme avec amusement. Le deuxième acte va bientôt commencer. J'adore ce bout de l'histoire…

– Normal, il parle de vous…

– Chut, Sénosiris!

L'invention en question était un assemblage ressemblant vaguement à un moulin à vent, à la différence que les pales étaient horizontales et non verticales. Le mouvement rotatif provoqué par le vent faisait alors tourner une vis cylindrique sans fin. À l'aide de seaux fixés à la gigantesque tige, l'eau de la rivière pouvait ainsi être pompée jusqu'à la ville et déversée dans de grands réservoirs. De là, elle suivait d'étroites canalisations surélevées pour se déverser ensuite dans les fontaines publiques de la ville et du palais, ainsi que dans les cuisines, les écuries, les forges et les jardins autour de la tour. Grâce à cette géniale invention, terminé le métier de porteur d'eau qui obligeait des charretiers à remplir de gigantesques tonneaux afin de donner quotidiennement à boire à Veliko Tarnovo.

Cet aqueduc, qui faisait la fierté des habitants de la ville, était le premier projet d'envergure auquel s'était attaqué Sénosiris à l'âge de seize ans. Comme deuxième défi, il avait ensuite redessiné complètement les forges souterraines de la ville afin d'en récupérer la chaleur, pour chauffer le palais en hiver. Puis, au fil de ses inspirations et de ses nombreuses expériences, il avait aussi trouvé quelque temps plus tard le moyen de renforcer considérablement les fortifications de la cité en utilisant un mortier de sa conception. Par son ingéniosité intarissable, Sénosiris était un créateur exceptionnel.

Mais, encore une fois, l'Égyptien se tut, même s'il brûlait d'envie d'exposer les détails de son aqueduc à la magnifique Électra. Depuis des années, il gardait pour lui le fruit de ses réflexions ainsi que les résultats de ses recherches, car, à Veliko Tarnovo, il n'y avait pas un seul érudit à part lui. Les choses auraient été bien différentes s'il avait vécu en Égypte où les mages, les inventeurs, les astrologues et les sages se comptaient par dizaines. Il aurait pu discuter de ses inventions avec des maîtres-penseurs qui l'auraient encouragé à aller plus loin encore et à dépasser ses propres limites. Il aurait même pu travailler de concert avec les conseillers du pharaon, développer ses talents en métallurgie et étudier les arts de la guerre. Mais au pays des Thraces, il y avait encore beaucoup trop à faire pour espérer rencontrer une personne ayant les mêmes champs d'intérêt que lui.

Les comédiens se remirent en position et la pièce de théâtre reprit. Sénosiris baissa la tête et pensa à ce qu'aurait pu être sa vie en Égypte.

– Oh! que vois-je qui flotte sur la rivière, là-bas? lança le jeune comédien qui incarnait l'Égyptien. C'est une femme! Je dois absolument la sauver. Je la vois, prisonnière des vagues ardentes de la rivière. Si je ne le fais, la pauvre dévalera son cours et ira se noyer dans la grande mer. Vite!

Le texte de la pièce était certes un peu naïf, mais dans la bouche d'un enfant, il était d'une agréable candeur.

Sur scène, le jeune acteur fit mine de lancer une corde et d'attraper la femme en difficulté. Avec une gestuelle théâtrale, il tourna la charrette du décor vers le public et une comédienne détrempée prit aussitôt la parole. Celle-ci incarnait Électra, la future reine de Veliko Tarnovo.

— Artémis, la grande chasseresse, m'a envoyé son gardien, et celui-ci est devenu mon amant, lança la comédienne que la nervosité faisait jouer un peu faux. Et me voilà aujourd'hui, marchant dans les plaines obscures de la mort, avec en mon sein le fruit de cet amour sacré. Que les dieux m'en soient témoins, si je meurs aujourd'hui, l'enfant roi ne verra jamais le jour !

— Ce fut alors que le jeune Sénosiris du lointain pays des sables consacra son énergie à sauver notre reine, continua le narrateur vêtu de peaux de loup. Il invoqua avec passion ses propres dieux, mais se rappela surtout des enseignements de son maître et prépara des boissons fortifiantes.

La pièce se poursuivit ainsi. On expliqua aux spectateurs attentifs comment Électra de Byzance était revenue à Veliko Tarnovo accompagnée du jeune Égyptien. Puis les comédiens jouèrent le mystérieux décès d'Hitovo le Chien, souverain de la cité, et le début du règne de sa femme Électra. De scène en scène, on dévoila les pouvoirs du lac de la montagne, dans lequel une simple baignade transformait à tout coup un homme en loup, puis, finalement, on mima l'attaque massive sur Byzance d'une meute composée de centaines de lycanthropes. On fit longuement état du massacre des envahisseurs perses et de la naissance, dans le feu et sur le sang des ennemis, du premier des Râjâ, le fils d'Électra.

La théâtralisation de ce dernier événement fit pleurer bon nombre d'hommes et de femmes de l'assistance. La plupart d'entre eux avaient participé à la bataille de Byzance et, transformés en loups, ils avaient hurlé à la lune lors de la naissance de leur futur souverain. Les années avaient passé, mais le souvenir de ce jour béni était gravé dans leur mémoire à jamais. Il faut dire que cet événement extraordinaire avait lié les habitants de Veliko Tarnovo par une solidarité inégalée parmi les Thraces. Même si la vie dans la cité avait toujours été généreuse, les bienfaits de ce rapprochement avaient décuplé l'attention que se portaient les familles et les différents corps de métiers entre eux. Plus personne ne semblait travailler pour de l'argent, mais davantage pour le bien-être de la communauté. Les charpentiers et les maçons, que des frictions opposaient autrefois, travaillaient maintenant de pair au bénéfice des plus pauvres de la cité. Ils érigeaient bénévolement les nouveaux murs des maisons et reconstruisaient des toits abîmés sans demander à être payés.

Malgré cette nouvelle solidarité qui unissait ses habitants, Veliko Tarnovo s'était depuis dix ans repliée sur elle-même et n'entretenait plus aucun lien diplomatique avec les royaumes tout autour. Les Thraces avaient été, jadis, de grands fabricants d'armes, mais les forges de la ville, désormais, ne rougissaient plus le métal que pour de rares clients qui payaient des fortunes pour mettre la main sur une épée trempée à Veliko Tarnovo. Les créations de ces forgerons, qui étaient au sommet de leur art, étaient plus légères et plus solides que les armes traditionnelles. Même chose pour les tanneurs de cuir dont les cuirasses, souvent aussi rigides que le métal, demeuraient souples et légères.

– Enfants du Râjâ, fils de la lune, nous sommes les nouveaux maîtres de ce pays! Grâce à la puissance du lac, lança le tragédien en pâmoison, les générations qui nous suivront auront aussi la chance de goûter aux bienfaits de cette eau extraordinaire! Entre l'animal et l'homme, nous sommes unis dans un même destin… dans une même chaîne de…

À ce moment de la tirade, Phoebe, la grosse servante qui travaillait au service personnel de la reine Électra, sinua avec maladresse entre les rangées de spectateurs pour atteindre sa maîtresse. Son passage sema derrière elle de bruyants soupirs d'exaspération.

– Désolée, pardon… c'est important… Je dois parler à la reine, désolée… c'est important, je suis désolée de vous déranger, mais… c'est une affaire d'État.

En scène, l'acteur, déconcentré, toussota un peu pour essayer de retrouver son texte, puis continua son monologue. Des yeux, il fusilla la grosse femme.

Phoebe se pencha vers sa maîtresse :

– Je suis désolée de vous déranger, mais il… il est parti, encore une fois…, chuchota-t-elle à l'oreille de la reine. J'ai perdu le Râjâ…

– Comment, il est parti? Tu veux dire qu'il s'est sauvé? la questionna discrètement Électra.

– Je jouais avec lui dans la chambre, expliqua Phoebe, toute bouleversée, et puis, le temps que je me retourne pour lui tendre un nouvel os… eh bien, il n'était plus là !

– Mais comment a-t-il bien pu s'évader de cette chambre ? grogna la reine. La porte était bien fermée ?

– Oui… et verrouillée en plus ! dit Phoebe en haussant les épaules en signe d'incompréhension. Je crois qu'il a sauté par la fenêtre… Je suis vraiment désolée, j'aurais dû y penser… Je l'avais laissée ouverte et…

– Mon fils ne serait pas capable de survivre à une chute de plusieurs étages, pauvre Phoebe, c'est complètement ridicule! maugréa Électra, inquiète. Il ne s'est sûrement pas lancé dans le vide…

– Dans ce cas, il s'est volatilisé… On dit qu'il y a des magiciens capables de tels prodiges !

Dépassée par l'événement, Électra se retourna vers son conseiller. Sénosiris comprit que la reine avait besoin de son aide et il demanda à Phoebe de s'approcher un peu de lui. La pièce de théâtre ne s'était pas arrêtée pour autant, il se devait de faire preuve d'un peu de discrétion.

– Avez-vous fouillé sa chambre de fond en comble, Phoebe ? murmura Sénosiris qui avait tout entendu de la conversation. Avez-vous regardé dans les moindres recoins de la pièce et également au plafond ?

– Non… mais non… absolument pas…, avoua candidement la grosse gouvernante. Dès que j'ai vu qu'il avait disparu, j'ai accouru ici pour avertir la reine… C'est normal, c'est son fils, elle doit savoir… Pourquoi aurais-je pris le temps de regarder partout ? !

Tous les regards de l'assistance étaient maintenant tournés vers la reine, Sénosiris et Phoebe. Plus personne ne semblait écouter le pauvre comédien qui s'époumonait sur scène. Il se passait manifestement quelque chose de plus intéressant autour des sièges réservés à la royauté.

– Et je suppose que vous n'avez pas fermé la porte derrière vous en sortant de la chambre ? soupira Sénosiris, découragé par la bêtise de Phoebe.

– Non…, répondit-elle. En fait, je ne sais pas, j'ai tout de suite accouru ici… Vous comprenez, perdre le Râjâ ce… ce n'est pas une mince affaire… et je…

– Phoebe ! soupira à son tour Électra. Je crois bien que mon fils t'a encore une fois possédée. Il s'est sûrement caché dans sa chambre pour te faire croire qu'il avait disparu et il est probablement sorti à ta suite, juste derrière toi.

– Par Artémis ! s'écria la grosse femme, détournant alors définitivement toute l'attention des spectateurs sur elle. Je dois aller refermer cette porte ! Vite, la porte ! La porte de la chambre !

– Il ne sert plus à rien de fermer la porte, Phoebe, tenta de la calmer l'Égyptien. Le mal est fait et le Râjâ est maintenant libre…

– Je vais le retrouver ! Je le jure ! cria la gouvernante qui se croyait seule au monde. Après tout, ce n'est qu'un enfant ! Restez ici, je m'occupe de tout !

– C'est bien ce qui me fait peur…, dit Électra en serrant les dents.

Paniquée, Phoebe disparut bien vite en bousculant violemment tous les spectateurs qui se trouvaient sur son passage.

Le comédien, rouge de colère, croisa les bras et attendit que Phoebe ait quitté les estrades pour reprendre son boniment.

Discrètement, l'Égyptien se pencha à l'oreille d'Électra. La caresse des cheveux de la reine sur sa joue le fit frémir. Il en profita pour s'enivrer quelques secondes de l'odeur de sa peau.

– Je vais m'en occuper, ma reine…, dit-il dans un chuchotement presque amoureux. Ne vous inquiétez pas pour votre fils. Je le connais bien et je crois savoir où je le trouverai.

– Va, mon brillant conseiller ! murmura Électra, soulagée. Je sais que tu le retrouveras… tu le retrouves toujours.

Sénosiris se faufila à son tour parmi les spectateurs et demanda qu'on fasse préparer immédiatement son cheval. Il se rendit d'un pas rapide à sa résidence afin de retirer ses vêtements de cérémonie, qu'il remplaça par une cotte de cuir légère, plus appropriée pour les déplacements en forêt. Pour se garantir contre les mauvaises rencontres, il agrippa deux longues épées qu'il glissa de chaque côté de sa ceinture. Il remplit ensuite un sac de galettes au miel et demanda à ses serviteurs de lui apporter une gourde de lait de brebis. Une fois cet appât bien emballé, Sénosiris sortit de chez lui. Au loin, il entendit les comédiens terminer le dernier acte de sa pièce et les spectateurs applaudir à tout rompre.

« Il semble bien que ma pièce ait du succès cette année encore…, pensa-t-il avec fierté. Je ferai en sorte que, l'an prochain, elle soit encore meilleure. »

D'un pas rapide, il se rendit aux écuries où Kheper, son cheval, ainsi nommé en l'honneur de son défunt âne, l'attendait en piaffant. L'Égyptien, qui montait toujours sans selle et sans bride, bondit sur son animal. Habitué aux ordres de son maître, la bête détala à toute vitesse.

Après quelques minutes de chevauchée, Sénosiris se retrouva dans les champs bordant la ville. De là, il fonça vers une falaise où le Râjâ et lui avaient l'habitude d'aller admirer le coucher du soleil. Arrivé à destination, il sortit les galettes et le lait et s'assit au bord du précipice, les pieds dans le vide. Il respira un bon coup en contemplant la magnificence du paysage, puis, calmement, il attendit que la nuit tombe et que la lune se lève. Il ne servait à rien de courir la campagne comme un fou en essayant de retrouver le fugitif ; l'odeur des galettes allait faire le travail et l'attirer vers lui.

Lorsque les derniers rayons moururent derrière la ligne d'horizon, Sénosiris entendit marcher non loin derrière lui. On aurait dit les pas d'un fauve écrasant le plus discrètement possible l'herbe sèche afin de surprendre une proie. Devant une possible menace, le cheval de l'Égyptien prit peur et déguerpit, abandonnant son maître derrière lui.

« Jamais mon âne Kheper ne m'aurait ainsi délaissé, pensa-t-il en souriant. Il était têtu, ce bourricot, mais quel excellent partenaire de voyage il fut… Comparés aux ânes, les chevaux sont d'une impressionnante couardise. Enfin… je le rattraperai plus tard. »

Nullement effrayé par le bruit, Sénosiris ne bougea pas d'un iota. La bête sauvage qui s'approchait derrière lui n'était pas une créature assoiffée de sang, mais plutôt un jeune garçon à l'odorat très fin qui adorait le goût sucré du miel. Au lieu de fuir comme sa monture, l'Égyptien se contenta de saisir une galette et de la briser en deux dans ses mains.

– Tu en veux ? lança-t-il comme s'il s'adressait à quelqu'un tout près de lui. Elles sont au miel… J'ai pensé que tu aurais peut-être faim. Oh ! Il y a aussi du lait de brebis…

Seul le chant de quelques insectes siffleurs répondit à sa question.

– Il y a longtemps que nous n'étions venus ici, tous les deux, n'est-ce pas ? continua Sénosiris en croquant dans la pâtisserie. Je pensais bien t'y retrouver…

Toujours pas de réponse.

– Tu te rappelles la dernière fois que nous sommes venus ? Nous avions été obligés de rentrer sous une pluie battante, que dis-je, sous un déluge ! Combien de fois t'ai-je averti que l'orage était imminent et que nous devions vite regagner la ville ? Une bonne dizaine de fois, mais tu étais trop occupé à chasser les lapins pour m'écouter ! Pas vrai ? Eh bien, je suis resté deux semaines cloué au lit avec un terrible rhume… et à cause de qui, tu crois, je te le demande ? À cause de toi !

Un petit rire aigu ressemblant au cri d'un jeune chiot excité s'éleva des herbes hautes derrière Sénosiris. Le garçon était bien là.

– Et tu oses rire en plus, petit impertinent ! répondit-il, faussement en colère. Tiens ! Je n'ai plus envie de partager mes galettes avec toi. Je vais toutes les manger et… mon derrière deviendra aussi gros que celui de Phoebe !

Un franc éclat de rire aux tonalités un peu discordantes se fit entendre.

Sénosiris sourit.

– Toi aussi, tu trouves que Phoebe a un gros derrière ? Ça alors ! Moi qui croyais être le seul à l'avoir remarqué…

De la nuit sortit alors une petite créature poilue de la taille d'un enfant de dix ans. Se tenant sur deux pattes, l'animal s'avança vers Sénosiris et vint s'asseoir juste à côté de lui. Pour qui ne l'avait jamais vu, le Râjâ aurait pu apparaître comme un être hideux directement issu d'un cauchemar. Avec sa mâchoire proéminente, ses canines pointues, son petit nez et ses grandes oreilles, il ressemblait plus à un lutin démoniaque qu'à un grand roi adulé de son peuple. Son dos large, ses courtes jambes et ses muscles longilignes le faisaient ressembler davantage à un loup qu'à un humain. Mais au-delà de son allure monstrueuse, il était possible de voir, en plongeant dans ses yeux brillants d'un vert tendre, l'âme douce et généreuse d'un être de paix. Le Râjâ avait certes les attributs physiques d'une créature effrayante, mais pour Sénosiris, il était davantage comme un petit frère pour qui il aurait volontiers sacrifié sa vie.

De ses longs doigts osseux munis de larges griffes un peu souillées, le Râjâ prit une galette et se la fourra d'un coup dans la bouche.

– Tu devais commencer à avoir faim, à moins que tu aies vidé tous les terriers du coin… La communauté des lapins de cette forêt doit être en deuil ce soir!

– Ce – être – bon, répondit l'enfant-loup en trois gestes de la main.

Le jeune roi de Veliko Tarnovo était muet. La conformation de ses cordes vocales ainsi que la morphologie de sa langue ne lui permettaient pas de prononcer clairement les mots. Au lieu de dire les choses, il s'exprimait à l'aide de signes. Grâce à l'intelligence et à la patience de Sénosiris qui avait inventé cette forme de communication expressément pour lui, le Râjâ pouvait communiquer, se faire comprendre.

– Tu n'as pas chassé? lui demanda l'Égyptien en formulant en même temps sa question gestuellement.

Le Râjâ n'était pas sourd et n'avait donc pas besoin de voir les signes de son interlocuteur pour comprendre, cependant Sénosiris les faisait toujours en parlant. Avec le temps, c'était devenu une habitude.

– Pas – envie – tuer – et – manger – lapin; juste – promener – dans – forêt. Mère – ne – vouloir – pas – moi – sortir; inquiète – toujours; moi – fatigué – entendre – grosse – Phoebe. Galette – je – pouvoir – encore?

– Oui, oui… vas-y, elles sont toutes à toi, si tu veux. Moi, je n'ai plus très faim.

Il n'y avait pas à chercher plus loin: le Râjâ avait quitté Veliko Tarnovo pour profiter d'un peu de liberté et fuir sa gouvernante.

– Je te comprends, tu sais! Ce ne doit pas être tous les jours facile d'être le Râjâ. Surtout avec une mère aussi attentive et exigeante qu'Électra… Il faudrait que tu commences à sortir plus souvent de la ville et à faire tous les jours des activités hors des murs du palais. Tu es assez vieux maintenant pour que l'on t'accorde plus de liberté.

– Oui – aimer ; toi – convaincre – ma – mère ?

– Je peux toujours essayer, rigola Sénosiris qui connaissait bien l'entêtement de la reine sur certains sujets. Je lui dirai que j'ai remarqué que tu manques d'exercice et que, pour ta forme physique, il te faut courir plus souvent dans la forêt. J'en ferai un impératif pour ta santé et ton avenir ! Ça marchera sûrement…

– Merci – Sénosiris – beaucoup – merci, fit le Râjâ, excité par la perspective de cette nouvelle liberté. Maintenant – raconter – encore – ton – pays !

– Ah non, pas encore ! Mais je t'ai déjà tout dit sur l'Égypte, mon jeune ami ! Tu connais chaque grain de sable du désert, et le Nil n'a plus de secrets pour toi… Tu comprends même presque tout le vocabulaire de ma langue ! Je n'ai plus rien à t'apprendre… sinon l'écriture.

– Non – pas – écriture. Encore – encore – ton – pays ; raconter – pharaons – grands rois – cités merveilleuses – encore – ton – pays, s'excita le garçon. Raconter – dans – ta – langue – beaucoup – plus – beau, mélodie – comme – chanson – dans – les – mots.

– Bon… puisque tu y tiens ! dit Sénosiris dans sa langue maternelle, teintée de l'accent chantant de Memphis. Mais qu'est-ce que je pourrais bien te faire découvrir de nouveau ?

– Osiris – raconter – Osiris ! demanda le garçon en quelques rapides gestes de la main.

– Non ! pas encore Osiris ! s'exclama Sénosiris. Je t'ai raconté son histoire des centaines de fois ! Je crois même que c'est la première histoire que je t'ai racontée, alors que tu n'étais qu'un poupon poilu !

– Encore – Osiris. Encore – Osiris.

– Tu veux vraiment l'entendre ? Je peux te parler de Thot ou, mieux, de la princesse de Bakhtan ? ! Je ne sais pas si je t'ai déjà parlé du roi Khoufoui et des magiciens ? Non, je sais, laisse-moi te raconter la bataille du grand Ramsès II contre les envahisseurs hittites ! C'est une histoire incroyable où les Égyptiens ont…

– Osiris – raconter – s'il te plaît – Osiris, insista le Râjâ.

– Bon… si tu y tiens ! se résigna Sénosiris. Dommage, tu manques quelque chose, mais je me range à tes désirs. Alors…

Il y a très longtemps de cela, à l'époque où les habitants de mon pays se regroupaient en tribus guerrières pour mieux se dévorer entre eux, Râ, l'être suprême, apprit le mariage secret de Noût, la déesse du ciel, et de Sibou, le dieu de la terre. De ce mariage naquirent plusieurs enfants, dont le grand et magnifique Osiris…

Le Râjâ ferma les yeux et se laissa porter par la voix de son ami. Lorsqu'il parlait égyptien, Sénosiris n'avait plus le même timbre, et les mots coulaient de sa bouche comme une cascade fluide et claire. Même si, dans la langue des Thraces, il s'exprimait avec un vocabulaire largement supérieur à celui qu'employaient la plupart des gens du pays, son accent pouvait devenir désagréable à la longue. Voilà pourquoi le Râjâ aimait mieux entendre ses histoires préférées en langue égyptienne.

– … et aussi sa sœur Isis dont il tomba follement amoureux. Tu dois savoir que, dans mon pays, les dieux naissent adultes et peuvent entretenir des rapports amoureux entre eux, même s'ils appartiennent à la même descendance. Aussitôt, Osiris demanda Isis en mariage, et celle-ci, charmée par la noblesse de son frère, accepta tout de suite de devenir son épouse. Ensemble, ils posèrent leur regard sur l'Égypte et eurent beaucoup de compassion pour les humains. Dénudés, petits et faibles, mes ancêtres vivaient comme des animaux et arrivaient à peine à se nourrir par eux-mêmes. Ce fut alors qu'ils descendirent dans la vallée du Nil, et que ces deux magnifiques dieux au cœur bon et généreux enseignèrent l'agriculture aux hommes. Osiris montra patiemment à ses élèves, parfois peu doués, à reconnaître l'orge, le blé et la vigne. Puis, il leur expliqua le cycle des saisons et ceux de l'eau, ainsi que l'art de bien semer les grains et de ranger adéquatement les récoltes. Pendant ce temps, Isis transmit aux peuples l'art de guérir à l'aide des plantes, et leur montra aussi comment moudre le grain, construire des maisons et vivre en famille…

Sénosiris jeta un coup d'œil par-dessus son épaule et vit le jeune Râjâ endormi près de lui. Sans faire de bruit, l'Égyptien détacha sa cape et recouvrit le corps poilu du garçon.

« Tu ronfles déjà…, songea-il avec tendresse devant cet être fragile qui dormait à poings fermés, et je n'ai même pas fini mon histoire. Allez, jeune Râjâ, dors sur tes deux oreilles pendant que tu en as encore la possibilité. Bientôt tu seras grand et tu devras régner. Tu verras que les soucis d'un roi ne sont pas chose facile à porter. Quatorze ans, c'est encore bien jeune… »

L'Égyptien admira la lune et pensa à son ancien maître avec qui il avait entrepris le grand voyage vers Veliko Tarnovo. Dans le silence de la nuit, il lui adressa une prière.

– J'avais douze ans lorsque vous avez décidé que nous prendrions la route vers le nord, et me voici, dans la nuit, partageant la vie quotidienne du Râjâ, le nouveau souverain que le monde attendait. J'espère, maître, que vous avez trouvé votre chemin jusqu'au royaume des ombres… Votre sagesse me manque, votre érudition aussi…

Sénosiris se laissa ensuite tomber à la renverse pour observer le ciel.

Les pieds toujours dans le vide et la tête dans les étoiles, il s'endormit à son tour.

III

La reine Électra était reconnue pour son tempérament bouillant et ses idées bien arrêtées, et elle n'autorisait pas qu'on la contredît. Depuis l'assassinat d'Hitovo le Chien, son ancien mari, qu'elle avait épousé alors qu'elle était enceinte d'un avatar de la déesse Artémis, elle régnait seule, d'une poigne de fer, sur Veliko Tarnovo et sur les terres composant son royaume. Grâce aux extraordinaires pouvoirs du lac capables de transformer les hommes en loups, elle avait mené contre Byzance une bataille sanglante dont elle était ressortie victorieuse! Quatorze ans plus tôt, son armée avait accompli un véritable génocide sur les rives du Bosphore. Depuis, elle s'était contentée de fermer ses frontières et d'attendre que son fils grandisse en âge et en raison afin qu'il lui succédât. Mais le rôle de mère et d'éducatrice avait été plus difficile à endosser que celui de reine. Le Râjâ était un enfant turbulent qui n'hésitait pas à fuguer à la moindre occasion, à mordre les serviteurs du palais uniquement par plaisir et à hurler comme un fauve en plein milieu de la nuit. Ses professeurs de musique et de combat à l'épée, excédés, étaient sur le point d'abandonner leur enseignement, et Phoebe, qui s'occupait tous les jours de lui, n'arrêtait pas de se plaindre à la reine du comportement déplacé du garçon. Électra avait beau punir son fils en l'enfermant dans sa chambre ou en le privant de nourriture, rien à faire, il avait la tête dure comme un caillou et recommençait aussitôt ses âneries une fois la punition levée. Elle qui avait cru que son garçon, de par ses origines divines, deviendrait tout naturellement un être de raison capable de gouverner le peuple avec intelligence, se trouvait maintenant bien embêtée. À moins d'un miracle, le Râjâ ne serait jamais prêt à régner. Heureusement, il y avait Sénosiris.

Il était le seul être humain que le garçon écoutait avec diligence. Voilà pourquoi Électra l'appelait souvent en renfort.

Aujourd'hui, elle faisait les cent pas dans la grande chambre de son fils, hors d'elle, en grognant comme une louve enragée. Elle avait des idées d'infanticide et se demandait si elle ne céderait pas à ses plus bas instincts. La femme rongeait littéralement les murs en espérant que son conseiller se présente rapidement. Pendant ce temps, le Râjâ, tête baissée et figure démontée, se tourmentait en espérant que sa mère lui laisse la vie sauve. Dans la chambre du garçon, l'atmosphère était lourde et la tension, palpable.

— Vous m'avez fait demander ? s'enquit l'Égyptien essoufflé en pénétrant dans la pièce. Que se passe-t-il ?

— C'est LUI ! Encore LUI et toujours LUI ! Mon vilain fils qui n'a aucun respect pour sa mère et encore moins pour ce royaume ! s'exclama la reine. Imagine-toi, mon cher conseiller, qu'il m'a fait venir dans sa chambre pour m'annoncer une grande nouvelle ! Allez, vaurien ! Explique à Sénosiris ce que tu viens tout juste de décider !

— Oh, je vois…, fit l'Égyptien, maintenant au cœur de la tempête.

— Avant de le tuer, mon bon Sénosiris, je voulais te demander de traduire ce qu'il me demande… Je crois avoir très bien compris, mais je veux en être tout à fait certaine ! VAS-Y, JEUNE IMPERTINENT ! REDIS-NOUS CE QUE TU VIENS TOUT JUSTE DE M'EXPLIQUER !

Le Râjâ, la mine basse, fit une série de signes que l'Égyptien décoda facilement.

— Il dit qu'il ne veut plus être le Râjâ, lui traduisit le conseiller. Il aimerait mieux être Osiris. D'ailleurs, il souhaite avoir un prénom… il veut qu'on l'appelle ainsi… c'est-à-dire Osiris. Aussi, il ne désire plus être roi et préférerait vivre dans les bois… Il veut partir d'ici, tout de suite… et… et devenir un chasseur de lapins.

— Mon fils veut qu'on le nomme Osiris et désire devenir un chasseur de lapins, c'est bien cela ? demanda la reine en serrant les dents. Les dieux l'ont envoyé sur terre pour qu'il gouverne le monde, mais LUI, il préfère chasser le lapin ? !

– C'est ce qu'il vient tout juste de dire, en effet…, confirma Sénosiris, amusé par la scène. Mais ne vous en faites pas, Électra, il est encore jeune et changera sûrement d'idée dans quelques années.

– Je ne trouve pas cette situation très drôle, moi !

– Désolé, je ne voulais pas vous offenser…

– Veux-tu dire à mon entêté de fils qu'il a déjà un nom royal et qu'il se prénomme le RÂJÂ ! Je ne sais pas qui est cet Osiris et comment ce nom lui est arrivé dans la tête, mais il ne changera PAS de nom !

Le jeune garçon poussa un grognement de frustration.

– Vous savez, Électra, votre fils est muet, mais pas sourd… Je crois qu'il a bien saisi ce que vous venez de dire. Je peux vous éclairer sur le nom Osiris, il s'agit d'un grand personnage qui fait partie intégrante des croyances de mon peuple. C'est une figure très positive qui…

– Tais-toi, Sénosiris ! Je ne veux plus entendre parler de ce souverain et je ne veux plus que tu racontes tes histoires abracadabrantes à mon fils ! Celui-ci est trop influençable !

– Très bien…, acquiesça l'Égyptien en baissant la tête.

Durant quelques secondes, le silence envahit la pièce, puis la reine retrouva un peu de son sang-froid.

– Je comprends, Sénosiris, que l'histoire du règne du roi Osiris est certainement bien belle dans ton pays, mais ici… tu comprends, ce n'est pas l'Égypte ! Tes contes ont enflammé l'imagination du Râjâ et je crois qu'il est maintenant assez âgé pour se passer de ces facéties. Mon fils doit commencer à prendre son rôle de futur souverain au sérieux et cesser de rêver à des pays lointains qu'il ne verra jamais. Je ne peux pas t'empêcher de parler de ton pays au Râjâ, mais, je t'en prie, fais-le avec plus de nuances désormais ! Tu as une énorme influence sur lui et il boit tes paroles comme de l'eau.

– Je serai plus attentif, ma reine, je vous le promets…, fit Sénosiris.

– J'ai confiance en toi, répondit la reine. J'ai toujours confiance en toi, mon brave conseiller… Je vous laisse afin que tu discutes un peu avec lui, mais surtout que tu trouves le moyen de lui enlever ces stupides idées de la tête. À plus tard.

– Au revoir, Électra.

La reine quitta la pièce avec soulagement, sous le regard discret de l'Égyptien. Dans sa grande robe noire qui lui donnait l'allure d'une veuve, la reine était tout simplement magnifique. Cette femme au caractère bouillant avait de l'élégance même dans ses pires colères, ce qui la rendait encore plus séduisante et désirable.

Une fois qu'elle eut disparu, l'Égyptien se retourna vers le Râjâ.

– Nous voilà dans de beaux draps! s'exclama-t-il avec un sourire dans la voix. Tu as de ces idées parfois! Croyais-tu vraiment que ta mère allait consentir à ce que tu changes de nom?

– Électra – énerver – moi. Électra – refuser – tout – toujours. Je – détester – Électra, dit le garçon avec quelques signes bien marqués.

– Mais non, elle ne refuse pas tout! Cet été, lorsque je lui ai demandé de te laisser un peu plus de liberté, elle l'a fait, non?

– Maintenant – Électra – refuser – laisser – moi – sortir.

– Oui, mais c'est l'hiver, petit frère! Tu devrais comprendre, il fait plus froid et elle croit que tu te feras des engelures… Je te rappelle qu'hier, il a neigé!

– Moi – couvert – poil. Pas – froid.

– Bon! soupira Sénosiris. Allons dissiper cette mauvaise humeur avec un peu d'exercice, veux-tu? Laisse-moi me vêtir convenablement et nous irons en forêt… J'en profiterai pour marquer des arbres à couper et évaluer la quantité de bois dont j'aurai besoin pour mon prochain projet… Ce sera notre secret! Je n'en parlerai pas à ta mère!

– Nouveau – projet?

– Je t'expliquerai plus tard… Rejoins-moi au quadrige, je vais demander aux palefreniers d'y atteler les chevaux! On fera un peu de vitesse!

– Excellent! répondit le Râjâ en deux courts mouvements.

Comme le vent froid d'hiver risquait à tout moment de se lever, Sénosiris s'habilla chaudement d'un long manteau de fourrure et d'une lourde cape. Depuis qu'il avait quitté l'Égypte pour s'installer à Veliko Tarnovo, il ne s'était jamais adapté aux hivers humides des forêts du nord. Chaque saison arrivait avec son lot d'avantages et d'inconvénients, mais l'hiver était pour lui la pire de toutes. Habitué à la chaleur constante du soleil, Sénosiris grelottait pendant des mois en espérant que le printemps arrive rapidement. Il avait beau surchauffer sa gigantesque demeure et remplir ses cheminées, rien ne semblait pouvoir venir à bout du froid.

Contrairement au conseiller, le jeune Râjâ était, pour sa part, amoureux de la saison froide. Pendant l'hiver, son épaisse fourrure cessait de le faire souffrir de la chaleur et il pouvait courir pendant des heures sans s'arrêter pour boire ou se reposer. De plus, il aimait sentir la neige fondre entre ses doigts et respirer l'air vivifiant de la nuit. Ce fut donc avec empressement, mais prudence, que le garçon quitta le palais. Sans bruit, il réussit à passer la garde sans attirer l'attention et traversa à toute vitesse la cour intérieure jusqu'aux écuries.

Impatient, il attendit l'arrivée de Sénosiris en faisant les cent pas.

Une fois que le conseiller fut arrivé, le jeune Râjâ et lui montèrent dans le char. Sénosiris fit claquer son fouet et les quatre chevaux se mirent en route. Ils passèrent rapidement la haute porte de la ville, puis gagnèrent la route de terre. Sénosiris, enivré par la vitesse, prit un malin plaisir à pousser les bêtes au grand galop. Le voyage jusqu'à la profonde forêt de pins de l'ouest leur parut durer quelques minutes à peine. Pourtant, ils s'étaient éloignés de Veliko Tarnovo de plusieurs lieues.

Quand ils parvinrent à destination, Sénosiris fut encore une fois charmé par la tranquillité de la forêt. Dans un lent mouvement, les arbres, dont les cimes entremêlaient leurs branches, laissaient échapper de petits cliquetis à peine audibles. Parfois, le claquement sourd d'un tronc frileux venait rompre les cris lointains de quelque corneille en manque d'attention.

« Il n'y a que les forêts du nord pour procurer une telle sensation de paix et d'harmonie, pensa Sénosiris, en contemplation. Le Nil et ses paysages ont leurs charmes, mais ici, le temps paraît s'être définitivement arrêté… »

– Moi – courir – dans – forêt ? demanda le jeune garçon avec empressement.

– Euh… oui, mais pas trop loin…, lui répondit Sénosiris en émergeant de ses pensées. Après tout, nous sommes venus ici pour cela, non? Cependant, j'ai du travail ici jusqu'à la tombée du soleil. Seras-tu de retour avant le crépuscule?

– Oui – inquièter – pas... Moi – vite – de – retour.

– Tant mieux, car j'aimerais revenir à la ville de jour... Sinon, le voyage de soir nous prendra un temps fou. Il ne faudrait pas qu'Électra découvre notre petite escapade, n'est-ce pas? Je crois qu'elle n'en serait pas très heureuse!

– De retour – moi – avant – soleil – couché – promesse.

– Alors, va et amuse-toi bien! Si tu reviens et que tu ne me vois pas, regarde autour de cette colline, tu m'y trouveras en train de marquer des arbres. Il y a quelques beaux spécimens que je ferai scier par nos bûcherons. Et ne mange pas trop de lapin cru! Je te rappelle que nous avons un dîner ce soir!

Le Râjâ déguerpit comme une flèche entre les arbres. Libre enfin de courir à sa guise, il poussa un hurlement de joïe avant de disparaître dans la forêt.

Grâce à sa physionomie particulière, il était capable de courir à quatre pattes aussi vite qu'un loup en chasse. Bondissant comme un animal sauvage, le jeune garçon possédait aussi un odorat hors du commun et une ouïe plus fine que celle de tout être humain normal. Une fois qu'il était échauffé, il avait la force et la résistance d'un ours, et ses mouvements avaient l'adresse et la fluidité de ceux d'un félin. Il pouvait aussi bien grimper aux arbres que bondir d'un tronc à l'autre. Sauter par-dessus de petites rivières l'amusait autant qu'épuiser les écureuils qu'il prenait en chasse, mais son sport préféré était indubitablement la chasse aux lièvres sauvages. Jamais il ne tuait ses proies par plaisir, mais plutôt pour les avaler au complet. De la queue aux oreilles, il avalait tout, sans même prendre le soin de leur retirer la fourrure ou de les faire cuire un peu. Les petits os fragiles et la viande encore chaude qu'il mastiquait longuement avant de l'avaler étaient pour lui un régal incomparable. Mais si le Râjâ n'avait pas faim, jamais il ne tuait ses prises. Une fois l'animal capturé, il se contentait de lui caresser la tête et il le libérait simplement ensuite. Le lièvre regagnait vite son terrier en remerciant le ciel que son prédateur ait changé d'humeur.

Dans les bois, le Râjâ se sentait chez lui. Terminées les civilités, la politesse et l'étiquette. Mais surtout, plus de longs reproches de sa mère sur son comportement. Il pouvait vivre librement et faire tout ce qui lui plaisait. Entre les arbres, il était un animal comme les autres et laissait libre cours à ses envies. La vie animale était tellement plus simple et plus facile. Dormir à la belle étoile, manger quelques lièvres et boire à même l'eau cristalline des rivières, voilà en quoi consistait l'essence même de la vie. Ici, point d'or et de richesse, et une seule loi à respecter, celle du plus fort. Pas d'influence, de corruption ou de politique dans la forêt. Pas non plus d'hypocrisie, de faux-semblants ou de médisance. Pour survivre, il fallait être rapide, intuitif et sans pitié. Trois qualités que les humains avaient, depuis des années, remplacées par l'éloquence, la ruse et la sagesse. Une perte de temps, dans l'esprit un peu rebelle du jeune Râjâ.

Mais qu'importe toutes ces théories, il lui fallait pour l'instant profiter le plus possible de sa liberté. Le garçon se devait de savourer ce moment, car sentir la terre gelée entre ses doigts et l'air glacé dans ses poumons l'enivrait au plus haut point. Il aurait grand besoin de ces souvenirs pour supporter son quotidien au palais. Tel un prédateur affamé, il posa le nez sur le sol pour respirer la terre. Il y avait certainement quelques lièvres à terrifier dans les alentours.

Ce jour-là, cependant, ce ne fut pas un animal qui attira son attention, mais plutôt une douce odeur de lait de chèvre et de muguet frais. Comme il reniflait la piste, le Râjâ entendit les cris lointains d'une enfant apeurée. Se laissant guider par le son, puis par son odorat, il arriva bientôt au faîte d'un escarpement où une fillette un peu plus jeune que lui scrutait l'horizon en appelant son père. Curieux, le Râjâ s'approcha sans faire de bruit et se cacha derrière un arbre pour l'observer. Il la trouva tout de suite très mignonne avec son grand manteau de fourrure blanche refermé à la taille par une large ceinture. Elle chaussait des bottes confectionnées avec le même pelage et portait un chapeau en cuir d'où s'échappaient de longs cheveux bruns tressés en deux nattes bien distinctes. Sur sa cuisse droite, une dague au manche d'argent était glissée dans un étui serti de pierres précieuses. Dans sa détresse, la petite s'exprimait dans la langue des Thraces, mais elle avait un accent que le Râjâ n'avait jamais entendu.

Emporté par son désir de l'admirer de plus près, le futur roi de Veliko Tarnovo voulut se rapprocher et il mit malencontreusement le pied sur une branche sèche qui se brisa dans un craquement bien sonore. Aussitôt, la fillette dégaina sa dague comme une vraie guerrière et se retourna vers la forêt, prête à combattre pour sa vie.

– Qui est là? demanda-t-elle avec un trémolo dans la voix. Répondez! Est-ce toi, père?

Le Râjâ, déçu par sa maladresse, eut un soupir d'exaspération. Ensuite, tentant de son mieux de ne pas se faire repérer, il se glissa lentement derrière un buisson. Encore une fois, il fit craquer quelques branches séchées.

– Je t'ai vu! lança brutalement la fillette. Montre-toi tout de suite ou tu auras affaire à moi. Sache que si c'est toi, mon stupide frère, je te ferai chèrement payer cette mauvaise blague!

Ne sachant que faire et ne pouvant lui répondre, le Râjâ se laissa tomber sur ses mains et, à quatre pattes, il sortit lentement de sa cachette. Si la jeune fille le prenait pour une quelconque bête de la forêt, elle se détournerait peut-être de lui.

– Oh, un chien! s'exclama-t-elle, soulagée. Tu es perdu, toi aussi? Allez, viens, mon beau, viens ici, nous essaierons de retrouver notre chemin ensemble. Ici, mon chien! Allez!

Embarrassé, le Râjâ s'avança de quelques pas. Il avait cru que la fillette allait simplement le laisser tranquille; il comprit alors qu'il n'avait pas imaginé le bon scénario. La fille avait rangé son arme et l'appelait toujours. Le Râjâ pensa qu'elle s'apercevrait bien vite que la créature qu'elle prenait pour un gros toutou perdu portait à la taille une jupe égyptienne ornée d'une ceinture de cuir perlé. Il n'y avait rien de canin dans cet accoutrement.

En demeurant à bonne distance, le garçon décida alors de jouer le tout pour le tout et de se redresser. Il demeura debout sur ses jambes afin que la jeune Thrace puisse le voir.

Devant le spectacle de ce chien acrobate se tenant maintenant sur deux pattes, la fillette se frotta les yeux, mais n'eut pas le réflexe de mettre la main sur sa dague. Elle avait devant elle une créature complètement poilue portant un vêtement étrange à la taille, et qui ne semblait nullement incommodée par le froid.

Elle recula malgré tout d'un pas, prête à fuir si la rencontre tournait mal.

– Tu es un ours savant?!

Le Râjâ s'avança de quelques pas et se contenta de lui adresser son plus beau sourire. Il lui fit aussi un signe de la main pour lui dire bonjour.

– Mais qui es-tu, toi? Un satyre? Un dieu de la forêt?

À l'aide de quelques gestes, le garçon essaya d'indiquer qu'il ne pouvait pas parler, mais la fillette ne semblait pas comprendre.

– Pourquoi tu bouges ainsi? Tu es blessé?

Sans montrer aucun signe d'agressivité, le Râjâ fit encore quelques pas en avant afin de se rapprocher un peu plus.

– Oh! je sais! fit soudainement la fillette, tout impressionnée. Tu es Pan! Mon père m'a souvent parlé de toi! Tu es le fils du grand Hermès… Tu es tellement laid que tu fus la risée de toutes les divinités de l'Olympe lorsqu'on t'y présenta… Tu es le protecteur de la nature et de la vie sauvage, c'est bien cela? C'est toi, Pan?

Le Râjâ, un peu étonné par ce récit qu'il ne connaissait pas, fit spontanément oui de la tête. Après tout, il n'avait rien à perdre à se faire passer pour ce Pan. Il s'agissait d'un pieux mensonge qui faciliterait sûrement la communication.

– Approche, Pan. Je suis enchantée de te connaître! Moi, je m'appelle Misis…

« Misis?! » pensa le Râjâ, surpris.

Ce nom lui rappelait la magnifique histoire d'Osiris et de sa sœur Isis. C'était un très joli prénom, rempli de douceur et de mystère.

Le garçon franchit finalement la distance qui les séparait et se retrouva tout près de la jeune Thrace.

– Rassure-toi, Pan, je ne suis pas là pour détruire ou endommager la forêt! J'ai grimpé jusqu'en haut de cet escarpement parce que je tente de retrouver mon chemin. J'étais avec mon père et mon jeune frère. Tous les trois, nous campions dans la forêt, car mon père est chercheur d'or. Quand il est parti pour faire son travail, il m'a dit qu'il serait rapidement de retour et m'a demandé de bien surveiller mon frère, ce que j'ai fait. Seulement, je ne sais pas pourquoi, celui-ci s'est élancé d'un coup dans la forêt, comme s'il avait vu une bête sauvage. J'ai bien essayé de le rattraper, mais j'ai perdu sa trace. Quand j'ai voulu revenir au campement, j'ai compris que j'étais perdue… Lorsqu'il sera de retour, je te jure que mon père ne sera pas trop content ! Dis-moi, ce sont mes cris qui t'ont conduit jusqu'à moi ?

Le Râjâ sourit, puis opina du bonnet.

– Beurk ! Tu as de vilaines dents, tu sais ? ! s'exclama la fillette, impressionnée par les canines de son nouvel ami. C'est bizarre, mais je ne t'imaginais pas comme cela… En fait, même si tes dents sont affreuses, tu es beaucoup plus beau que ne le disent les gens. Et tu n'as pas l'air méchant du tout ! Approche que je te caresse la tête.

Sans demander d'explications, le Râjâ se mit à genoux à côté de Misis et sentit les doigts de la jeune fille glisser sur son crâne, jusque derrière ses oreilles. Un frisson de bien-être le fit involontairement pousser un petit râlement de bonheur. Cette innocente caresse était une pure délectation pour le Râjâ. Pour la première fois de sa vie, il était caressé par une autre personne que sa mère, et cette sensation nouvelle emplit son cœur d'une grande légèreté. Sans le savoir, Misis venait de planter les semences d'un amour qui allait bientôt grandir en lui.

– Qui touche la tête de Pan, trouve son trésor dans la forêt ! s'exclama Misis, trop heureuse d'avoir piégé la divinité. Alors, tu me donnes ton trésor ?

Toujours à genoux, les yeux révulsés de bonheur, il haussa les épaules pour lui faire comprendre qu'il ne savait pas du tout de quoi elle parlait.

– Mais oui… ton trésor, insista la fillette. C'est bien connu que tu dois donner ton trésor à quiconque arrive à te toucher la tête ! Tu ne le savais pas ? Ou bien… tu me mens pour pouvoir garder ton or et tes bijoux ! Ce doit être cela… Tu es un menteur !

Pour ne pas la décevoir, le Râjâ enleva la ceinture de perles décoratives qu'il avait autour de la taille et il la lui offrit en cadeau.

– Oh ! fit Misis. C'est pour moi ? C'est tellement beau ! Quel beau trésor, je suis bien contente ! Maintenant, cela veut dire que nous sommes amis. Tu viendras me voir à Odessos, Pan ? J'aimerais bien te présenter à ma famille… Nous pourrions nous baigner dans la mer et…

De brusques mouvements dans la forêt se firent soudainement perceptibles. Misis se tut et posa la main sur sa dague. Le Râjâ perçut rapidement les odeurs caractéristiques d'une dizaine d'animaux, des loups plus particulièrement.

– Je crois que ce sont des loups, Pan… Mon père… il m'avait bien avertie de ne pas m'éloigner… Tu peux leur dire de partir, Pan ?!

Le garçon regarda attentivement autour de lui et comprit tout de suite que Misis et lui étaient maintenant encerclés. La meute les avait coincés au bord de l'escarpement. À moins de faire un saut dans le vide, il n'y avait pas d'issue possible.

Le chef, la queue haute dans les airs et les crocs bien en évidence, fit un bond et se planta à un jet de pierre du jeune couple. Les autres bêtes, s'avançant hors des fourrés, commencèrent à grogner et à pousser de petits cris d'excitation.

C'était la première fois que le Râjâ voyait un véritable loup. Il avait bien croisé quelques guerriers de Veliko Tarnovo qui, s'étant soumis aux pouvoirs du lac sacré, avaient été transformés en animaux, mais il n'avait jamais fait la rencontre d'une vraie bête. Fasciné, il admira son pelage et ses longues pattes, puis fut étonné de constater la taille de son museau. De son côté, le loup prit aussi quelques instants pour regarder l'étrange créature qui se tenait devant lui. Curieusement, il avait l'allure d'un humain, mais son odeur était celle d'un animal.

– Tu vois comme il te regarde, Pan ! s'exclama Misis, apeurée. Je crois qu'il veut te dire quelque chose…

La petite avait deviné juste ; le chef de la meute demandait au Râjâ de quitter les lieux et de lui céder sa proie. L'alpha ne voulait pas s'en prendre à lui, mais espérait être assez intimidant pour gagner la jeune humaine. Par de petits mouvements de tête répétitifs, il ordonnait au Râjâ de lui donner sa jeune proie. De toute évidence, il s'agissait d'un ultimatum.

– Ne me laisse pas, Pan…, dit Misis en se serrant contre lui. Demande-leur de partir… J'ai peur, Pan.

Cette attitude hautaine et arrogante de la part du loup éveilla chez le garçon une rage qu'il n'avait jamais ressentie auparavant. Misis était à lui, et à lui seul ! C'était lui qui l'avait trouvée en premier, et il ne l'abandonnerait pas sans se battre.

Ses yeux plongés dans ceux du chef de la meute, le Râjâ soutint le regard de l'animal qui considéra cette provocation comme un défi. Le loup s'avança de quelques pas vers le garçon qui, pour répondre à ce rival, tomba à quatre pattes. Il marcha ensuite à sa rencontre, les poils hérissés et les crocs sortis.

Sous les regards de la meute et de Misis, les deux adversaires se toisèrent. Bien que le loup possédât une force et un caractère hors du commun, il avait pour la première fois devant lui un opposant doté d'une volonté inflexible. Dans les yeux du Râjâ, il était possible de voir toute la puissance de la rage animale, doublée de cette ténébreuse envie de tuer si caractéristique des humains. Malgré son jeune âge, le garçon ne craignait pas de lutter contre un loup adulte. Pour protéger Misis, il aurait la force de mater la meute entière.

L'alpha comprit rapidement qu'il avait devant lui un adversaire redoutable. Capable de tuer par plaisir et par vengeance, cette créature mi-humaine mi-animale avait en elle une furieuse envie de sang. Dans son œil brillait un éclair d'intelligence que le loup n'avait jamais vu chez une autre espèce. Même s'il essayait de ruser avec la meute afin de lui voler la fillette, la bête n'hésiterait pas à se lancer à ses trousses dans la forêt. La créature les retrouverait les uns après les autres et goûterait leur sang en guise de vengeance. Elle se repaîtrait ensuite de la chair chaude de leurs cadavres. S'il engageait le combat, c'en était fait de lui et de sa meute.

« Attaque-moi et je t'ouvrirai le ventre de mes mains, grognait à ce moment le Râjâ, dont la colère et la rage faisaient bouillir le sang. Si tu touches à Misis, je me vengerai et j'exterminerai ta meute, ta louve et toute ta descendance. Soumets-toi à ma volonté, ou tu subiras ma colère… »

Le loup décida sagement de ne pas engager le combat et baissa la tête. Devant les yeux ahuris des membres de sa meute, le chef se laissa choir sur le sol et urina quelques gouttes sous lui. Le message était clair : il se soumettait entièrement et totalement au Râjâ.

Toujours sur ses gardes, mais heureux de constater qu'il n'aurait pas à combattre pour conserver Misis, celui-ci s'avança vers le loup et le saisit à la gorge. La meute comprit que son chef avait abandonné la partie et qu'il n'y aurait pas de fillette à dévorer au menu pour le repas du soir. Les crocs plantés dans la fourrure de son ennemi, le garçon sentit tout de suite que la bête était définitivement vaincue et qu'il ne servait à rien d'aller plus loin. Il retira lentement ses crocs du cou de l'animal et revint près de Misis.

Couché par terre, le loup ne bougeait plus. Il avait refusé le combat, et cette judicieuse décision venait de lui sauver la vie. En signe de soumission, il rampa jusqu'au Râjâ et lui lécha le nez. Le garçon caressa doucement la tête et les oreilles de son nouvel ami. Une fois la hiérarchie bien établie, pas de rancune entre les loups.

– Tu es vraiment extraordinaire, Pan! s'exclama Misis, tout émerveillée. Tu l'as apprivoisé, d'un coup, comme ça! Ce doit être merveilleux de pouvoir parler aux animaux. Tu pourras me montrer un jour? J'aimerais beaucoup discuter avec les oiseaux… Euh, dis-moi, tu crois que je peux le caresser, moi aussi?

Le Râjâ acquiesça et Misis tendit doucement la main vers les oreilles pointues du loup.

– Wow! fit-elle ravie. C'est la première fois que je touche à un animal sauvage vivant… Parfois, lorsque les chasseurs d'Odessos rapportent des cerfs ou des sangliers, je leur demande de me donner un petit bout de fourrure. Mais là, c'est beaucoup plus doux…

À la suite de la défaite de leur chef et de son abdication devant le Râjâ, les autres membres de la meute s'avancèrent prudemment pour rejoindre le garçon et sa compagne. Bientôt, ils furent tous agglutinés autour des enfants, prêts à leur tour à recevoir des caresses.

– Je ne regrette pas du tout de m'être perdue! s'exclama Misis, au comble de la joie. J'ai tellement hâte de raconter cette histoire à mes amies, elles ne voudront jamais me croire! Quand je leur dirai que j'ai rencontré Pan dans la forêt et qu'il a apprivoisé une meute de loups juste pour moi, elles seront vertes de jalousie. Moi qui voulais ton trésor, Pan, je trouve que c'est un cadeau qui vaut tout l'or du monde! Je suis vraiment contente de te connaître!

Pour le Râjâ, l'événement était tout aussi extraordinaire. Pour la première fois de sa vie, le garçon s'était laissé dominer par son instinct animal et il avait réussi à soumettre une bête puissante et crainte. Sans qu'il en fût vraiment conscient, ce premier contact avec les loups marquait un passage important de sa vie d'enfant à celle d'adulte.

– Quand nous en aurons terminé avec eux, tu voudras bien m'aider à retrouver mon chemin, Pan? Sans toi, je n'y arriverai pas...

Le garçon pensa à la promesse qu'il avait faite à Sénosiris et aux conséquences que son escapade allait avoir à Veliko Tarnovo. Seulement, il ne pouvait pas abandonner Misis à son sort dans la forêt. Quelqu'un devait s'occuper d'elle et se charger de la ramener à Odessos. Et il n'y avait personne de mieux placé que lui pour faire ce travail.

IV

— SÉNOSIRIS! OÙ EST MON FILS? hurla la reine d'une voix paniquée.

L'Égyptien toussota un peu, cherchant ses mots. Malgré la confiance que la reine lui accordait, il était responsable de la disparition de son fils.

— Je l'ai attendu toute la nuit, répondit-il calmement, mais il n'est pas revenu de sa promenade en forêt.

— Et que faisait-il avec toi dans la forêt?!

— Nous avions décidé de prendre un peu l'air et j'avais des arbres à recenser pour de futurs travaux dans la ville, expliqua le conseiller. Je lui ai permis de s'éloigner, mais il n'est pas revenu.

— S'IL LUI EST ARRIVÉ QUOI QUE CE SOIT, SÉNOSIRIS, JE JURE QUE TU EN SUBIRAS LES CONSÉQUENCES!!!!

— Vous pouvez toujours déverser sur moi votre rage, Électra, mais cela ne ramènera pas votre fils vivant. Ne laissez pas vos émotions écraser votre raison...

— JE DÉTESTE TE VOIR AUSSI CALME LORSQUE JE SUIS ÉNERVÉE! cria Électra dont les yeux rougeoyaient comme des charbons ardents. DEPUIS SA NAISSANCE, CET ENFANT NE ME PROCURE QUE DES SOUCIS! JE SUIS FATIGUÉE DE SUBIR SES ÉCARTS ET DE M'INQUIÉTER POUR LUI! LORSQUE CE N'EST PAS PHOEBE QUI ARRIVE EN PLEU-RANT PARCE QU'IL L'A MORDUE, C'EST TOI QUI VIENS ME DIRE QU'IL S'EST PERDU EN FORÊT! JE N'AI JAMAIS UN MOMENT DE REPOS!

— Je comprends votre détresse, fit Sénosiris. Laissez-moi simplement vous rappeler que le jeune Râjâ n'est pas tout à fait comme les autres enfants et qu'il possède un caractère bien à lui!

Je ne sais pas ce qui lui est arrivé, ni pourquoi il n'est pas venu à notre rendez-vous, mais je promets de le retrouver.

– Et comment entends-tu faire une telle chose ?! grogna Électra avec ironie. Tu veux mobiliser toute la ville pour une battue ? Inventer une machine à retrouver les enfants ? Allez, dis-moi, je suis curieuse !

– Je veux que vous m'accordiez l'accès au lac, c'est tout.

– L'accès au lac ?! s'étonna Électra. Et pourquoi ?

– Parce que vingt loups seront plus utiles que vingt cavaliers pour parcourir la forêt... Ils couvriront plus de territoire en moins de temps et pourront se servir de leur odorat afin de le repérer.

– Hum...

– Hum, quoi ? insista Sénosiris. Hum oui ou hum non ? Plus nous perdons de temps à tergiverser, moins nous avons de chances de retrouver le Râjâ en bonne santé ! Imaginez qu'il soit prisonnier d'un piège de chasseur, ou encore qu'il soit blessé ? Dans ces éventualités, chaque instant compte et...

– TAIS-TOI DONC ! s'écria la reine, contrariée. Nous devons user des pouvoirs du lac avec parcimonie, tu le sais... Il s'agit maintenant d'un lieu sacré.

– Alors... je propose que nous attendions simplement que votre fils revienne de lui-même. Je suis certain qu'il est assez malin pour retrouver sa route, ajouta Sénosiris en faisant mine de se retirer.

– JE DÉTESTE QUAND TU FAIS CELA ! cria encore Électra en enlevant une de ses bagues. TRÈS BIEN, PRENDS LA CLÉ ET VA AU LAC ! Tu as mon autorisation...

Sénosiris s'approcha d'Électra et tendit la main. Elle déposa le bijou dans sa paume.

– Tu étais beaucoup plus mignon quand tu avais quatorze ans et que tu obéissais à mes moindres volontés..., lui dit-elle dans un soupir de contrariété. Beaucoup plus mignon...

L'Égyptien sourit.

– J'obéis encore à tous vos désirs et c'est toujours pour votre bien, Électra, pour celui de votre fils et de votre royaume que je travaille sans relâche. J'admets que j'ai commis une erreur en laissant le Râjâ sans surveillance, mais j'ai bien l'intention de la corriger le plus rapidement possible. Faites-moi encore confiance, je sais que je peux le retrouver.

— Je sais… je sais. Va et ramène-le-moi vite !

— Je ferai tout en mon pouvoir, au péril de ma vie s'il le faut.

— J'ai confiance. Dépêche-toi !

Sénosiris sortit du palais et se rendit aux casernes pour y choisir une vingtaine de bons soldats. Les hommes sélectionnés enfilèrent rapidement leurs armures et rejoignirent l'Égyptien aux écuries. Rapidement, ils se mirent en route en direction du lac sacré.

La montagne se trouvait à quelques heures de chevauchée de Veliko Tarnovo. Quatorze ans avaient passé depuis qu'Électra s'était rendue à la montagne pour transformer ses troupes et raser la ville de Byzance, et l'endroit avait grandement changé d'allure. L'ancien sentier qu'empruntait la vieille louve Maïcha pour monter au sommet était devenu une route pouvant accommoder facilement le passage d'un homme et de sa monture. De plus, l'endroit avait été fortifié, et un impressionnant mur de pierre encerclait maintenant la petite clairière. La population de l'ancien village des dactyles avait juré allégeance à Électra, et plusieurs d'entre elles assuraient maintenant la garde de ce lieu, devenu sacré.

L'architecture du temple du lac avait été élaborée avec l'évidente intention de repousser les curieux. Construite sur la thématique du loup, l'œuvre était un hommage à la férocité de l'animal. Quelques têtes de loups enragés, sculptées en série et posées sur des piédestaux, ainsi que des statues représentant des scènes de chasse où une meute dévorait un être humain vivant, jalonnaient le chemin menant à une gigantesque barrière de fer cloutée représentant la gueule ouverte d'un animal en furie. Rien de moins accueillant pour les visiteurs. Tout intrus comprenait tout de suite qu'il n'était pas le bienvenu et rebroussait chemin illico.

Mais lorsqu'on franchissait la barrière pour entrer dans la cour extérieure du bâtiment, l'hommage aux loups devenait une ode à la beauté et à la grâce. Au cœur de ce lieu magique, l'or et les pierres précieuses dominaient. Des idoles de pierre aussi hautes que les arbres environnants trônaient au milieu de rosiers sauvages dont les fleurs, ressemblant à des gouttes de sang, embaumaient les lieux d'un doux parfum. Quelques fontaines basses, parsemant une large haie qui donnait de petits fruits rouges, escortaient le visiteur à un magnifique escalier de marbre blanc. Tout en haut des marches, une épaisse porte de métal marquée de milliers de coups de griffes s'ouvrait sur la première salle du temple.

L'endroit était rempli à craquer de gigantesques peintures murales et de tapisseries finement tissées. Armes et armures, vases et statuettes, tout était à l'image du loup. Une sculpture de bois, plus imposante que les autres, rendait hommage au protecteur d'Électra, le père du jeune Râjâ. L'envoyé divin d'Artémis avait, au sein du temple, son propre sanctuaire où des prières, des offrandes et des chants lui étaient tous les jours adressés par les moines guerriers qui vivaient dans ces lieux. Ce bâtiment, qui abritait aussi le lac sacré, était habité en permanence par une dizaine de protecteurs lourdement armés, triés sur le volet parmi les meilleurs des meilleurs soldats de Veliko Tarnovo. Ces hommes étaient prêts à tout pour protéger le temple. Ils formaient d'ailleurs une brigade particulière, et leurs services étaient grassement payés par la reine en personne. Les membres de leurs familles avaient aussi le privilège de vivre au château, et rien ne leur était refusé. Les soldats étaient peu nombreux, mais chacun de ces guerriers impétueux valait à lui seul dix hommes. En cas de besoin, ils avaient la permission de plonger dans le lac sacré afin de se transformer en loups. Sous leur forme animale, ils devenaient presque invincibles.

Ce fut l'un de ces vaillants protecteurs qui accueillit Sénosiris et sa troupe à la barrière du temple.

— Je suis ici sur l'ordre de la reine, dit l'Égyptien en présentant la bague d'Électra. Et nous avons l'autorisation d'utiliser le lac.

Le garde tendit le bras à travers les barreaux et saisit la bague qu'il observa longuement. Puis, il dévisagea Sénosiris pendant quelques secondes.

— Vous êtes le conseiller de la reine, c'est ça? s'enquit-il d'une voix neutre.

— Oui, c'est bien moi.

– Alors, montrez-moi votre bague personnelle, le somma-t-il en étirant de nouveau le bras.

Sénosiris s'exécuta.

Sans dire un mot, le garde observa les deux bijoux, puis les redonna à l'Égyptien. L'homme se dirigea ensuite vers le mécanisme et ouvrit le portail. Au moment où Sénosiris posa le pied dans la cour intérieure du temple, une douce mélodie rappelant les harmonies d'une prière se fit entendre.

– C'est le chant rituel de la demi-journée, expliqua brièvement le garde en refermant la barrière derrière eux. Mes frères d'armes rendent hommage au grand loup d'Artémis, le protecteur divin de notre reine.

– Très bien…, répondit Sénosiris, un peu dans l'urgence. Quant à nous, pas de temps pour la prière, nous irons tout de suite au lac.

– Comme vous voudrez ! répondit le garde, contrarié par l'attitude hautaine du conseiller. Personne ne vous force aux hommages ! Je vous ouvrirai après votre transformation…

– Merci, fit l'Égyptien sur un ton expéditif. C'est apprécié.

Sénosiris fit signe à ses hommes de le suivre et ceux-ci traversèrent rapidement le grand hall menant directement au lac. Ils passèrent dans la pièce d'un pas rapide, sans porter attention aux joyaux qui les entouraient, puis débouchèrent juste devant le lac.

Le petit plan d'eau, qui du temps de Varka ressemblait à une mare entourée d'herbes hautes, était encadré par quatre larges trottoirs de marbre blanc d'où s'élevaient des dizaines de colonnes. Il n'y avait pas de toit au-dessus de l'eau afin que la pluie pût y être recueillie ; les piliers donnaient donc l'impression de soutenir la voûte céleste. Cette création architecturale de Sénosiris accentuait le côté magique des lieux en unissant de façon inusitée la terre au firmament. Par les soirées chaudes d'été où le vent se faisait discret, le lac devenait un gigantesque miroir reflétant la lune et les étoiles. C'était pendant ces douces nuits qu'Électra quittait son royaume et venait se baigner dans les eaux sacrées. Elle en ressortait sous la forme d'une grande louve noire et en profitait pour aller courir librement dans la montagne. Il arrivait même qu'on l'entende hurler à des lieues à la ronde. Chaque fois, Sénosiris en avait des frissons. Lui qui jamais ne s'était trempé dans le lac pour y subir la transformation en bête était en admiration devant la reine qui n'hésitait jamais à y plonger. En fait, le conseiller admirait tout de cette magnifique femme qu'il avait jadis sauvée de la mort et dont il était secrètement amoureux.

– Enlevez vos vêtements et placez-les dans ces cases, ordonna l'Égyptien à ses hommes en indiquant un endroit spécialement aménagé pour recevoir armes et armures. Quand vous serez complètement nus, attendez mon autorisation avant de plonger dans le lac…

Comme Sénosiris terminait ses instructions, un gros loup au pelage gris se leva d'un coin ombragé du temple et marcha lentement vers lui. Aussitôt, l'Égyptien le salua poliment et l'invita à s'approcher de lui.

– Je suis content de vous revoir. Il y a déjà un bon moment que je ne vous ai pas croisé à Veliko Tarnovo. Je ne suis pas ici pour vous, car c'est notre reine qui m'envoie…, expliqua-t-il. Le Râjâ a fait une fugue et nous devons le retrouver. Nous ferez-vous l'honneur de nous accompagner dans cette traque, sage homme ? Il y a toujours une place pour un pisteur tel que vous !

Le loup balança la tête pour signifier son refus. La créature était en réalité le plus vieil homme de Veliko Tarnovo, et Sénosiris menait avec lui une expérience sur les pouvoirs régénérateurs du lac. L'homme était gravement malade depuis de nombreuses années, mais l'Égyptien avait réussi à allonger sa vie en lui faisant prendre tous les mois un bain dans le lac sacré. Le patient devait garder sa forme animale pendant quelques jours avant de replonger pour reprendre forme humaine. Cette thérapie par la transformation l'avait guéri d'une affreuse toux sèche et d'un mal obscur qui s'était attaqué à ses articulations. Depuis le début de l'expérience, la famille et les proches du vieillard s'entendaient pour dire qu'il avait rajeuni de dix ans et que son envie de vivre était revenue.

– Pourtant, vous me paraissez en excellente forme ! s'exclama Sénosiris.

Le loup émit quelques sons. Puis il soupira.

– Mais je comprends, vous préférez sans doute faire la sieste, c'est très bien ! Non, ne vous sentez pas mal de refuser mon invitation.. Votre repos est plus important que notre quête. Allez! Vous pouvez retourner vous coucher. Comme je viens de vous le dire, aujourd'hui je ne suis pas là pour vous ausculter. Par contre, n'oubliez pas de venir me voir dès que vous serez de retour à Veliko Tarnovo. Je veux refaire un examen complet de vos genoux et de vos coudes...

Le loup indiqua par un mouvement de tête qu'il avait bien compris et il retourna lentement à l'ombre.

Sénosiris regarda s'éloigner son patient, puis il se tourna vers ses hommes. Complètement nus, ceux-ci formaient une ligne sur le bord du lac. Ils étaient prêts à plonger au signal du conseiller.

– Messieurs, leur dit l'Égyptien, nous devons absolument retrouver rapidement notre Râjâ. Il devait me rejoindre après sa promenade d'hier, non loin de la grande forêt de pins qui borde notre chantier, mais il n'est jamais revenu. Je ne sais pas ce qui s'est passé et aucun indice ne m'indique qu'il soit en danger. J'ose penser qu'il s'est simplement perdu...

Le conseiller soupira en espérant ne pas se tromper.

– Vous allez vous diviser en dix équipes de deux loups, continua-t-il, afin de ratisser tout le territoire entre ce lac et la mer Noire. Nous devons absolument localiser notre souverain avant qu'il lui arrive quelque chose de fâcheux. J'ai apporté quelques-uns de ses vêtements que vous pourrez renifler à loisir avant d'entreprendre votre quête. Si vous le retrouvez et que, par entêtement, il refuse de vous suivre, séparez-vous. L'un surveillera le Râjâ pendant que l'autre viendra m'avertir. Je m'occuperai ensuite de le convaincre de rentrer à la maison. Même s'il peut parfois avoir la tête dure et se montrer obstiné, c'est un être raisonnable. Pour ma part, j'arpenterai les vallées au sud de Veliko Tarnovo, c'est un endroit qu'il affectionne particulièrement. Rappelez-vous que je ferai sonner le cor de la ville dès que nous l'aurons retrouvé. Ainsi, à ce signal, votre quête sera terminée et vous pourrez revenir au lac pour vous métamorphoser de nouveau en humains. Vous regagnerez ensuite Veliko Tarnovo afin de reprendre vos fonctions au palais. Des questions?

– Et si nous croisons des patrouilles de soldats des royaumes ennemis? demanda l'un des soldats. À quelle directive, la vôtre ou celle de la reine, devons-nous donner préséance?

Sénosiris réfléchit quelques secondes. Même s'il était en complet désaccord avec Électra sur le sujet, il répondit avec contrariété :

– La première directive à suivre est toujours celle de Sa Majesté… Tel que stipulé dans notre code, attaquez la patrouille et ne laissez aucun survivant derrière vous. C'est la tactique que notre royaume a choisie pour préserver ses frontières, et cette règle doit être scrupuleusement observée. La peur est notre meilleure arme contre ceux qui auraient envie de venir troubler notre paix. Une fois cette patrouille ennemie éliminée, vous reprendrez la recherche du Râjâ… Autre chose ?

Les hommes demeurèrent muets. Tout avait été dit.

– Très bien. Alors, plongez !

Les vingt guerriers de Veliko Tarnovo sautèrent à l'eau et disparurent rapidement vers le fond du lac. Encore une fois, la magie des eaux opéra et, quelques instants plus tard, vingt loups au large thorax, aux longues pattes et aux mâchoires disproportionnées sortirent à quatre pattes du bassin. Mouillés, ils s'ébrouèrent pour chasser l'humidité de leurs poils et vinrent entourer Sénosiris.

L'Égyptien lança sur le sol quelques vêtements du Râjâ et laissa les bêtes les renifler à plein nez. Une fois qu'elles eurent mémorisé l'odeur de leur futur souverain, Sénosiris leur ordonna de commencer les recherches.

Deux par deux, les loups quittèrent les abords du lac. À son poste, le gardien de l'entrée ouvrit la barrière et les libéra des enceintes fortifiées du temple. Sénosiris regarda partir les loups avec envie. Lui, qui était trop effrayé pour sauter dans le lac et se transformer, aurait bien aimé ressentir les effets d'une telle métamorphose. Plusieurs fois, l'Égyptien avait essayé de bondir dans le lac, mais il n'y était jamais arrivé. Prétextant qu'en tant que conseiller il se devait, pour plus de rigueur scientifique, de se priver de l'expérience afin de ne pas biaiser ses observations du phénomène, Sénosiris était tout simplement tétanisé en pensant qu'il perdrait son corps. Dans la culture égyptienne, les images de dieux ou de déesses à moitié transformés en bêtes étaient nombreuses, mais souvent, elles étaient associées à des manifestations négatives. Sekhmet, par exemple, avait un corps de femme et une tête de lion, mais chacune de ses apparitions entraînait bien souvent la mort de milliers de personnes. Sa fonction étant de punir les insurgés et les rebelles qui défiaient les commandements de Râ, elle n'avait pas très bonne réputation. Pour Sénosiris, l'enveloppe corporelle était en quelque sorte le temple de l'âme. Toute modification à cette fusion ne pouvait, selon lui, qu'entraîner de mauvaises vibrations pour l'esprit. Mais au-delà de cette conviction, il était torturé par la curiosité, et l'envie de voir le monde par les yeux d'un loup le tenaillait.

Toujours est-il que Sénosiris regagna son cheval et que, sous une forme bien humaine, il galopa jusqu'aux plaines qui s'étendaient au sud de Veliko Tarnovo.

Pendant sa randonnée, l'Égyptien se demanda si, tout compte fait, il avait eu raison d'insister auprès de la reine pour que son fils ait un peu plus de liberté. Sans son intervention auprès d'Électra, le Râjâ serait présentement en sécurité au château et sa vie ne serait pas menacée. N'était-ce pas le meilleur endroit pour élever un futur roi, chez lui, et entouré de sa garde? Après tout, ce n'était encore qu'un enfant et, malgré sa débrouillardise et sa grande intelligence, il n'avait pas encore le jugement ni l'expérience d'un adulte. Le Râjâ était curieux de nature et se laissait trop souvent guider par son côté fouineur. Peut-être était-il tombé entre les mains de chasseurs ou de trappeurs?

«Non, ne t'inquiète pas, se dit le conseiller pour tenter de se rassurer. Il n'y a pas plus habile que cet enfant. De plus, je me suis efforcé, tout au long de sa jeunesse, de lui raconter des histoires qui l'ont bien préparé à faire face au danger. Mon propre maître a rapidement eu confiance en moi lorsque j'ai été assigné à son service et je me dois maintenant de rendre cette confiance au Râjâ.»

Perdu dans ses pensées, Sénosiris se remémora son enfance en Égypte et poussa un soupir de nostalgie. Tout en chevauchant, il se souvint de la beauté du paysage entourant la ville de Memphis et revit la blancheur de ses hauts murs de protection. C'était à cet endroit qu'il avait vu le jour et qu'il avait passé les premières années de sa vie. Entre les ruelles du quartier des soldats et le sable chaud de la place du marché, il avait grandi, jusqu'à la mort de ses parents. Les pauvres avaient été massacrés au cours d'un voyage dans le sud, lors d'une attaque-surprise de rebelles nubiens.

« Des barbares, pensa-t-il. Peste soit de cette bande de chiens galeux. Ce n'est pas pour rien qu'ils sont noirs comme la nuit et aussi dangereux que les ténèbres... Heureusement que les troupes de Ramsès II les ont poursuivis, attrapés, jugés et écorchés vifs sur la place publique de Memphis. Les voir mourir m'a aidé à surmonter ma propre peine... »

Une fois le deuil de ses parents passé, Sénosiris avait été confié à l'un des plus grands sages de Moyenne-Égypte. L'homme, de passage à Memphis, cherchait un assistant doué, de préférence un garçon exceptionnellement intelligent à qui il pourrait enseigner les sciences et les langues, ainsi que l'astronomie et la théologie. On lui avait présenté Sénosiris. Le vieil homme s'était penché sur lui et, en guise de test, lui avait demandé :

– Qu'y a-t-il de plus important dans la vie ? Je te donne le choix. Est-ce de prier les dieux ? De respecter ses parents ? D'observer la loi ? D'aimer son prochain ? De gouverner le peuple avec générosité ? D'étudier seul ou de suivre les enseignements d'un maître ?

Sénosiris avait haussé les épaules en répondant :

– Je ne sais pas ce qui est le plus important dans la vie, monsieur, je n'ai que sept ans. À votre âge, c'est vous qui devriez pouvoir répondre à cette question, pas moi !

Étonné par la vivacité d'esprit du gamin, le maître l'avait tout de suite pris sous son aile. Après quelques mois d'étude, l'esprit de Sénosiris, stimulé par l'enseignement du vieil homme, s'était mis à absorber la connaissance à la vitesse d'une éponge en manque d'eau. Chaque notion, formule, théorie ou concept s'imprégnait de façon permanente dans son esprit. Il n'avait qu'à lire une seule fois un rouleau de papyrus pour en retenir aussitôt tout le contenu. Mais ce ne fut que lorsqu'il pénétra dans la grande bibliothèque de Louxor que le garçon comprit qu'il n'aurait pas assez d'une seule vie pour lire tous les papyrus qui y étaient entreposés.

– Quel paradis ! s'exclama-t-il à haute voix pendant que sa monture galopait à vive allure. Ce que je donnerais pour y remettre les pieds un jour... Aujourd'hui, elle doit avoir doublé de volume !

À Louxor étaient entreposées toutes les connaissances de l'Égypte, de la naissance des dieux jusqu'à la prise de pouvoir du pharaon actuel. Les étagères regorgeaient de documents sur la métallurgie aussi bien que sur les astres. Il y avait de tout, dans cette bibliothèque souterraine construite dans les caves du temple dédié à Thot. Ce lieu était grandiose, et seuls les initiés avaient le droit de consulter les textes qu'il recelait.

– Commence par lire ceci ! lui avait dit son maître en lui glissant entre les mains un vieux rouleau de lattes de bois reliées les unes aux autres. Tu trouveras dans ce récit de quoi ouvrir ton esprit…

Le maître avait vu juste, car dès sa première lecture, Sénosiris fut emballé. Il s'agissait du récit complet du voyage d'un capitaine de bateau égyptien qui, s'étant perdu en mer, avait navigué de longs mois avant de toucher les rivages d'un nouveau continent. Accueillis par la population comme des dieux, lui et son équipage avaient enseigné aux Aztèques (c'était ainsi qu'il les appelait) l'écriture ainsi que l'art de construire des pyramides. Il n'était revenu en Égypte que trente ans plus tard pour consigner par écrit cette fabuleuse aventure.

«Les Aztèques…, rigola intérieurement Sénosiris. J'ai tellement voulu faire ce voyage pour aller à leur rencontre… J'aurais donné n'importe quoi pour quitter l'Égypte en bateau et faire comme ce valeureux capitaine. Mais je ne regrette rien, car, à ma façon, je suis un peu ses traces en vivant ici, avec ce peuple, loin de chez moi… Cependant… »

Sénosiris arrêta son cheval et admira le paysage devant lui. Les forêts qui s'étendaient à perte de vue étaient magnifiques, mais elles étaient bien loin de ressembler aux paysages du Nil. L'Égyptien eut une soudaine bouffée de nostalgie et il versa une larme en pensant aux splendeurs de son propre pays.

«Mon temps est peut-être fait auprès d'Électra et de son fils…, songea-t-il avec émotion. Je suis encore jeune et toujours solide… Pourquoi devrais-je rester emmuré dans le confort du château alors que l'aventure m'appelle ? J'ai fait ce que mon maître m'a demandé et j'ai écrit l'histoire de la naissance et de l'enfance du futur roi de ce pays… Pour assurer une continuité à mon travail, je pourrais peut-être former un apprenti qui puisse poursuivre ma tâche dans ce royaume. Ainsi, je serais libre de retourner chez moi…»

L'Égyptien donna quelques coups de talon sur les flancs de son cheval qui recommença à galoper vers la plaine. Chevauchant tant son animal que ses rêves de liberté, Sénosiris se dit qu'il retournerait d'abord à Memphis, puis à Louxor, afin de se replonger pendant quelques jours dans la lecture de ce fameux récit de voyage.

«Il doit être possible de retourner sur ce continent perdu et de voir si les enseignements égyptiens ont été bénéfiques pour ce peuple. Peut-être ont-ils élaboré une science bien à eux qu'il me serait possible d'apprendre… Je me rends bien compte que je stagne à Veliko Tarnovo et que j'ai un urgent besoin de ressourcement… Ou peut-être que, si je faisais un simple aller-retour en Égypte… Déjà, ce voyage me ferait du bien… Oui, commençons par cela. J'en parlerai à Électra.»

Sénosiris arrêta encore une fois son cheval et descendit de sa monture. Il était maintenant dans la vallée, et les herbes hautes, jaunies par la saison froide, craquaient comme de la paille sèche sous ses pieds. Excité par l'idée de partir et de revoir sa terre natale, ses pensées tournaient à une folle vitesse, tellement qu'il en était presque essoufflé. L'Égyptien ne s'était pas senti aussi vivant depuis des années.

«Et si je réussissais à convaincre Électra de me laisser partir avec le Râjâ? se dit-il en faisant les cent pas. Je pourrais être reçu chez le pharaon en personne et, de là, toutes les bibliothèques, les laboratoires et les autres hauts lieux scientifiques me seraient ouverts. J'en profiterais alors pour y déposer mes manuscrits sur l'histoire d'Électra, du Râjâ et de ce royaume du nord… Et puis, nous pourrions ensuite tisser des liens commerciaux entre les deux nations… Ce serait extraordinaire… mais je ne dois pas trop m'enflammer, car la partie n'est pas gagnée d'avance…»

L'Égyptien soupira en se grattant la tête.

«Jamais Électra ne me laissera partir avec son fils, se ravisa-t-il. Il est trop précieux pour elle et pour son royaume. Quoique, si j'insiste sur l'importance de s'ouvrir à l'Égypte afin de profiter du savoir et de la technologie pour renforcer nos frontières et tenir nos ennemis à distance, peut-être comprendra-t-elle…

De plus, ce voyage est nécessaire au Râjâ. Ce jeune garçon a besoin de bouger, de voir le monde, et il n'en reviendra que meilleur. Il me faudra être habile si je veux arriver à mes fins. »

Tandis que Sénosiris imaginait l'étendue des possibilités que présenterait une route sécurisée entre les deux nations, il entendit quelqu'un bouger derrière lui. Instinctivement, il se retourna et vit un vieil homme sale aux dents dorées le menacer avec un long bâton. Cet homme à la barbe hirsute et aux cheveux broussailleux, qu'on aurait pu prendre pour un mendiant, avait dans les yeux une lumière particulière qui rendait son regard à la fois inhumain et fascinant.

– *Tuss* trouver le *Kuf su mihna sol*! s'écria l'homme, manifestement hors de lui.

Rapidement, Sénosiris dégaina son épée et fonça sur l'attaquant. Trop vieux pour réagir rapidement, l'homme tomba lourdement sur le dos et l'Égyptien lui plaça sa lame sur le cou.

– Qui es-tu, toi? demanda fermement le conseiller de Veliko Tarnovo. Ne sais-tu pas qui je suis?

Le vieillard sourit de ses dents dorées. Manifestement, il n'était pas très apeuré par les menaces, non plus que par la lame de Sénosiris.

– Réponds-moi quand je te parle, vieil homme, ou tu subiras les conséquences de ton silence! Pourquoi voulais-tu m'assener un coup de bâton? Réponds! Et sache bien que je suis le conseiller de la reine Électra et que s'en prendre à moi constitue une faute grave passible de la peine de mort!

Le vieillard éclata d'un grand rire de désaxé.

– *Soui*, Nosor Al Shaytan, *é kish-ma* te revoir... *Lé* É-gyp-tien!

Comme dans un rêve, le corps du vieux mendiant se dématérialisa. Incrédule, Sénosiris regarda autour de lui et ne vit personne.

Seul le vent froid du nord balayait la plaine.

V

Le Râjâ et sa nouvelle amie Misis marchaient depuis deux jours en forêt. La ville d'Odessos se trouvait relativement loin de l'endroit où la fillette s'était perdue. À pas d'enfant, il y avait encore une bonne journée de marche à prévoir avant d'arriver à la mer Noire. Et puis, comme Misis parlait sans cesse, ils avançaient tous les deux assez lentement.

La jeune fille expliqua longuement à Pan que son père était un prospecteur d'or et que celui-ci s'était dit qu'elle apprécierait sûrement une escapade de plusieurs jours dans les bois, loin de la maison. Elle lui raconta toutes les mésaventures dans lesquelles son jeune frère la plongeait régulièrement et étala longuement les qualités de cuisinière de sa mère. Enfin, elle lui fit le récit détaillé de son enfance et de ses jeux sur les plages de sable fin de la mer Noire. Chaque fois que le Râjâ voulait lui faire un signe pour se joindre à la conversation, la jeune fille s'animait de plus belle et se lançait dans une autre histoire abracadabrante. Malgré ce côté désagréable de sa personnalité, il la trouvait charmante et pleine de vie.

Loin de se soucier de la détresse de ses parents, la jeune Misis appréciait elle aussi son aventure avec celui qu'elle croyait être Pan, le dieu de la forêt. Elle le trouvait mystérieux et plein de charme. Avec ses longs poils, ses yeux d'un bleu azur et ses manières si courtoises, il avait tout d'un prince charmant de conte pour enfants. Et il s'occupait tellement bien d'elle qu'en sa présence, elle se sentait comme la plus importante des jeunes filles de ce monde ! Tous les jours, ce prince des forêts chassait pour la nourrir et trouvait toujours des endroits où elle pouvait dormir au sec. Pendant leur marche en forêt, il n'hésitait jamais à lui tendre la main lors de passages difficiles et allait même jusqu'à la porter sur son dos s'ils avaient à traverser un ruisseau ou une petite rivière. Chaque soir, il l'entourait de ses bras afin qu'elle n'ait pas froid et s'assurait de lui dénicher dès les premières lueurs du jour une rigole d'eau claire à laquelle s'abreuver.

Même s'ils ne pouvaient communiquer oralement entre eux, les enfants arrivaient très bien à se comprendre. Ils jouaient à cache-cache entre les arbres et ils avaient même commencé à collectionner les différentes feuilles des arbres afin de constituer un herbier.

– Regarde, Pan ! s'exclama Misis. Cette fougère est l'emblème de la ville d'Odessos et elle se trouve uniquement dans les environs de la cité. Je crois bien que cela signifie que nous approchons de chez moi ! Toute ma famille sera contente de me voir… enfin, sauf peut-être mon petit frère. Lui, je sais qu'il sera fâché de mon retour parce qu'il ne m'aime pas beaucoup ! Il cherche toujours à me nuire et à me mettre dans le pétrin. Je crois qu'il est jaloux de moi… Tu as des frères et des sœurs, Pan ?

Le Râjâ fit non de la tête.

– C'est mieux ainsi, je t'assure… surtout lorsqu'on porte un aussi joli nom que toi. Si tu avais des frères, ils seraient assurément envieux de ton prénom.

Bien que de se faire appeler Pan l'eût d'abord un peu agacé, le Râjâ s'y était habitué. Pour Misis, il était un dieu de la forêt, et jouer pour elle ce personnage lui plaisait bien. Après tout, elle avait eu un peu raison de le confondre avec une divinité. Il était poilu comme une bête, savait instinctivement comment survivre en forêt, pouvait soumettre un loup par son unique volonté et courait aussi vite qu'un jeune daim entre les arbres. Le Râjâ avait toutes les qualités d'un bon protecteur de la forêt et il pouvait aisément, à ce titre, se faire passer pour le dieu en question.

– Je te le redis, Pan, tant mieux pour toi si tu es seul dans ta famille ! Les jeunes frères sont vraiment indisciplinés et ils n'en font toujours qu'à leur tête. Par exemple, le mien, il ne comprend jamais rien ! Il faut répéter dix fois la même chose avant qu'il comprenne quoi que ce soit ! J'ai beau lui dire de faire ceci ou cela, il ne m'écoute pas. Il faut que j'insiste, encore et encore. Tu vois, je lui avais bien dit de ne pas s'éloigner du campement de papa. Eh bien, il s'est tout de même enfui comme un dément dans les bois. Qu'est-ce que je pouvais faire, Pan, je te le demande ? Naturellement, je me suis lancée à sa poursuite afin de lui mettre le grappin dessus, et c'est moi qui ai perdu la trace du camp ! Sans lui, jamais je ne me serais égarée…

En écoutant sa jeune amie parler de sa famille, le Râjâ eut une pensée pour Électra et Sénosiris. Depuis sa rencontre avec Misis, il avait complètement oublié sa mère ainsi que la promesse faite à l'Égyptien de ne pas trop s'éloigner. Les battements de son cœur commencèrent à s'emballer lorsqu'il imagina la colère dans laquelle devait être la reine. Elle devait faire les cent pas dans le palais en grognant comme une louve enragée. Et Sénosiris ? ! Celui-ci devait l'avoir attendu toute la nuit en espérant son retour. Le Râjâ avait trompé sa confiance, et le pauvre conseiller devait, à coup sûr, subir le courroux d'Électra. Le garçon se dit que si l'un ou l'autre apprenaient la raison de sa disparition, plus jamais il ne serait autorisé à courir seul dans les bois. Il serait condamné à vivre toute sa vie sous la surveillance constante d'un chaperon. Ou pire, à son retour, Électra l'enfermerait à double tour dans sa chambre afin de pouvoir le surveiller de jour comme de nuit. Ainsi, jamais plus il ne pourrait revoir sa seule véritable amie. Mais comment avait-il pu oublier aussi vite ses responsabilités ? Peut-être était-il comme le jeune frère de Misis, un garçon hors de contrôle qui n'en faisait qu'à sa tête !

– Que se passe-t-il, Pan ? Tu as l'air très inquiet tout à coup. Tes sourcils sont froncés et tu n'as plus de lumière dans les yeux !

Par quelques signes, le Râjâ fit comprendre à son amie qu'il leur fallait accélérer le pas. Bien que les deux enfants se trouvassent relativement près d'Odessos, le garçon devait retourner à Veliko Tarnovo au plus vite.

– Oh, tu es pressé ! s'exclama Misis. C'est bien vrai ! Tu dois avoir beaucoup de choses à faire ! Après tout, c'est toi qui diriges et règnes sur la forêt. Dépêchons-nous, alors, ce sera mieux pour moi aussi, mes parents sont probablement anxieux de me retrouver…

Les enfants accélérèrent le pas et arrivèrent, après quelques heures de marche rapide, dans une petite vallée au centre de laquelle trônait un grand mégalithe.

– Je connais cet endroit ! Ça y est, je suis chez moi ! cria joyeusement Misis. Viens, je vais te montrer...

Le Râjâ prit soin de bien humer l'air afin d'éviter une fâcheuse rencontre, mais il ne détecta aucune odeur humaine ni animale dans les alentours. Prudemment, il se risqua alors en terrain découvert, suivant de près son amie.

– Voilà ! C'est ici que passe la route qui mène à Odessos ! Je crois bien pouvoir me débrouiller seule maintenant. Je n'ai qu'à suivre ce chemin, juste là ! Merci de m'avoir accompagnée jusqu'ici... Sans toi, je serais morte dans la forêt.

Le Râjâ sourit. Il était malgré tout content d'avoir sauvé Misis.

– Mais avant que tu partes, dis-moi, vais-je te revoir un jour ? demanda-t-elle. Je t'aime bien, Pan, et je ne voudrais pas que l'on se quitte ainsi !

Pour rien au monde, le Râjâ n'aurait voulu, lui non plus, perdre contact avec cette merveilleuse fillette qu'il avait appris à connaître. Pas question de quitter son amie sans espoir de la revoir. S'il voulait entretenir une relation durable avec elle, il devrait rapidement trouver une solution. Ce fut alors qu'il leva les yeux et lui montra le ciel. Il lui fit ensuite une série de signes pour qu'elle comprenne bien sa proposition.

– Tu veux me revoir dans les nuages ? ! s'étonna Misis, surprise. Je ne comprends pas... Non, pas les nuages, mais le soleil... non... la lune... tu viendras me retrouver ici chaque fois que la lune sera pleine, c'est ça ? C'est excellent ! À chaque pleine lune, je viendrai moi aussi à ta rencontre. Ce mégalithe sera notre point de rencontre... Marché conclu ! Au revoir, Pan. J'ai déjà hâte de te revoir...

Embarrassé de devoir la quitter aussi précipitamment, le Râjâ la retint encore quelques instants. En utilisant de grands signes, il lui demanda de ne parler à personne de leur rencontre. Ce qu'ils avaient vécu tous les deux devait demeurer un secret.

– Motus et bouche cousue, Pan, je le jure ! Je dirai à mes parents que j'ai retrouvé mon chemin toute seule et je ne parlerai pas de toi, jamais ! Toute cette aventure demeurera un secret entre nous, ne t'inquiète pas !

Le Râjâ s'approcha alors de Misis et la prit maladroitement dans ses bras. Il la serra ensuite très fort contre lui. Celle-ci, charmée par cette démonstration aussi spontanée d'affection, en profita pour lui donner un long baiser sur la joue. Puis un second sur le nez.

– Je crois que tu m'aimes bien, Pan, n'est-ce pas ? fit timidement la fillette. Moi aussi, je t'aime bien et je suis très heureuse de m'être égarée dans les bois. À bientôt, Pan, et fais bien attention à toi… Je serai à notre prochain rendez-vous.

Heureuse, Misis se détacha de son nouvel ami et emprunta en gambadant la route menant à Odessos. Lorsqu'elle se retourna pour saluer Pan une dernière fois, celui-ci avait disparu.

– À bientôt…, murmura-t-elle en envoyant un baiser dans le vent.

Mais le Râjâ ne vit pas ce délicat mouvement de tendresse à son égard, car il courait déjà à pleine vitesse dans la montagne en direction de Veliko Tarnovo.

À quatre pattes, il courait si vite qu'on aurait pu croire qu'il volait entre les arbres. La bouche béante et la langue pendante pour absorber le plus d'air possible, haletant comme un cheval de course et bondissant par-dessus les obstacles, ce n'était plus un jeune garçon, mais bien un animal sauvage qui fendait l'air. Le Râjâ n'avait qu'une chose en tête : rentrer à Veliko Tarnovo, et le plus vite possible ! Il ne savait que trop que la reine lui ferait payer chèrement cette fugue, à moins qu'il trouvât une raison valable pour expliquer son absence prolongée. Mais quoi ? Que pouvait-il inventer d'assez crédible pour justifier son escapade ?

Puis, la solution lui vint comme par miracle lorsqu'il huma dans l'air l'odeur âcre de la sueur humaine et qu'il vit, non loin devant lui, deux hommes à cheval qui patrouillaient dans les bois. Tout de suite, le Râjâ vit que leurs casques, leurs armes et la couleur de leurs armures étaient différents de ceux que portaient les soldats de Veliko Tarnovo. C'étaient des étrangers, donc des ennemis potentiels du royaume d'Électra. Et qui dit ennemis, dit aussi espions, maraudeurs, ou encore kidnappeurs ! L'occasion était trop belle pour ne pas être saisie…

Le Râjâ ébaucha rapidement un plan et, porté par la peur de se voir retirer le peu de liberté qu'il avait acquise, il bondit sauvagement sur l'un des deux soldats. Surpris par une attaque aussi soudaine, le cheval se cabra et fit voler son cavalier dans les airs.

Agrippé à son ennemi, le Râjâ fut aussi propulsé brutalement vers le ciel. Les puissantes griffes du garçon, en plein contrôle malgré son ascension précipitée, tranchèrent la gorge du cavalier. L'homme et la bête retombèrent sur le sol, mais seul le Râjâ se releva. Il était déjà prêt à bondir sur son second adversaire.

Devant la violence de la scène, le deuxième cavalier fit claquer sa bride et déguerpit sans demander son reste. Sur son cheval au galop, il évita quelques branches et disparut sous le couvert des arbres. Pendant une seconde, le Râjâ eut envie de le poursuivre, mais il se résigna. Il avait déjà, avec cet homme mort qui gisait près de lui, toutes les justifications voulues pour sa longue absence.

Rapidement, il s'empara du casque et de l'arme du cadavre, puis fouilla ses vêtements. Il ne trouva rien de très intéressant, sinon un pendentif en or à l'effigie de la ville d'Odessos. Avec ce bijou, il allait pouvoir prouver à Électra et à Sénosiris qu'il avait bel et bien rencontré des soldats hostiles dans la forêt et que ceux-ci l'avaient kidnappé. Il n'aurait ensuite qu'à inventer une série de mensonges pour expliquer comment il avait trompé leur vigilance et s'était s'enfui. Le Râjâ leur raconterait aussi qu'il avait tué l'un de ses agresseurs pour lui voler son pendentif. Ainsi, son escapade serait justifiée et, voyant qu'il était capable de se défendre, Électra lui rendrait peut-être sa liberté. Sénosiris serait lui aussi contenté et comprendrait pourquoi il avait rompu sa promesse. Tout était parfait !

Comme il allait repartir à vive allure vers Veliko Tarnovo, le Râjâ capta l'odeur particulière d'un loup, puis d'un second. Il tourna la tête et vit entre les arbres deux gigantesques bêtes qui le regardaient. Il s'agissait sûrement d'hommes de son royaume envoyés sous leur forme animale pour le retrouver.

La queue basse en signe de respect et le museau pointé vers le sol, les deux loups s'approchèrent lentement du Râjâ. C'étaient bien des alliés qui venaient le chercher et, par chance, ceux-ci avaient peut-être vu le combat. En plus de sa propre histoire, le garçon avait maintenant des témoins pouvant corroborer sa version des faits. Ceux-ci avaient sous les yeux le cadavre d'un homme d'Odessos, et ils pourraient dire à la reine qu'ils avaient bien retrouvé son fils en compagnie d'ennemis.

Tout allait pour le mieux, le mensonge allait être tout à fait vraisemblable.

Le Râjâ sourit lorsque les deux loups lui firent une petite révérence. Bientôt, il serait chez lui et pourrait attendre en paix la prochaine pleine lune, sous laquelle il courrait dans la forêt à la rencontre de Misis. Avec cette pensée en tête, le garçon rendit la politesse.

Un des gros loups, d'un coup de tête, demanda au Râjâ s'il pouvait annoncer la fin de la chasse et le retour au lac. Le garçon accepta et l'animal hurla, sur un ton monocorde, une longue plainte ponctuée de petits cris aigus. La bonne nouvelle était lancée et les autres loups relaieraient l'information jusqu'à Sénosiris. Ce message disait qu'on venait de retrouver le Râjâ et que celui-ci était en bonne santé. Il n'y avait plus rien à craindre. La mésaventure aurait une heureuse fin.

Le Râjâ devait donc quitter le corps encore chaud de son innocente victime ; il se contenta donc de garder avec lui le pendentif représentant la ville d'Odessos. Il le passa autour de son cou pour éviter de le perdre. Grâce à ce bout de métal, il aurait l'absolution de la reine et regagnerait la confiance de Sénosiris.

Une fois son annonce terminée, le loup invita le prince de Veliko Tarnovo à le suivre. Le Râjâ obtempéra avec plaisir et, cette fois bien escorté, il reprit sa course entre les arbres.

* * *

Le père de Misis, loin de se douter qu'elle avait trouvé un protecteur digne de confiance, pleurait depuis des jours dans les bras de sa femme. Il était rentré de son expédition avec son fils, mais avait dû laisser sa fille derrière lui. N'ayant plus assez de provisions pour poursuivre ses recherches, il était vite revenu à Odessos afin de demander de l'aide.

Dès son retour, le prospecteur s'était rendu à la cour en implorant une audience auprès du roi et celui-ci l'avait accueilli avec chaleur et compréhension. Aussitôt, les meilleurs pisteurs de la ville s'étaient préparés pour une battue. Les hommes s'étaient mis en marche dans la forêt, mais leurs recherches avaient été vaines. Enfin, ils n'avaient trouvé que les pistes d'une meute de loups entourant de petites traces de bottes. De cette découverte, ils avaient tout de suite déduit que la pauvre Misis avait sûrement dû servir de repas à ces bêtes sauvages et qu'il ne valait plus la peine de continuer les recherches. Il n'y avait pas de traces de sang sur les lieux, mais l'évidence crevait néanmoins les yeux. Comment une petite fille de douze ans aurait-elle pu survivre à l'attaque de créatures aussi viles et malsaines que des loups?

C'était ainsi que l'équipe de recherches était revenue bredouille à Odessos et que le chef pisteur avait dû annoncer la mauvaise nouvelle au père de Misis. Le verdict était clair: sa fille était morte dévorée par les loups et celui-ci ne la reverrait jamais plus.

Quelle ne fut pas la surprise des membres de la famille lorsqu'ils virent Misis rentrer à la maison quelques jours plus tard! La jeune fille était resplendissante de santé et ne semblait nullement affectée par son long séjour dans la forêt. Le père, ravi, se rendit immédiatement auprès du roi pour lui annoncer la bonne nouvelle, mais celui-ci ne réagit pas exactement comme le prospecteur l'avait prévu. Le monarque se montra suspicieux envers la jeune fille. Il informa son premier conseiller et lui demanda expressément de faire enquête. Ce fut ainsi que Misis, sans aucune raison apparente, fut convoquée devant un conseil présidé par un mystagogue.

– Alors, Misis, tu veux nous expliquer encore une fois comment tu as retrouvé ton chemin pour revenir chez toi? Je sais que tu l'as maintes fois raconté à tes parents, et que ceux-ci nous ont rapporté ton récit, mais nous aimerions te l'entendre dire de vive voix.

La fillette avait été convoquée dans une grande salle où des hommes tout habillés de blanc l'attendaient avec un regard sombre. Celui qui s'adressait à elle avait une quarantaine d'années et il était reconnu comme étant le grand prêtre d'Odessos. C'était grâce à lui et à son incroyable charisme que la ville, quatorze ans auparavant, s'était convertie au culte d'Orphée. En peu de temps, cet étranger venu d'un autre royaume thrace était devenu un ami proche de la famille royale et s'était vite hissé aux plus hautes fonctions. Depuis, toute la population l'appelait le mystagogue, et chacun savait qu'il avait une influence considérable sur le roi. Il était peu loquace sur sa vie passée. On ne savait exactement d'où il était originaire, et les rumeurs à son égard étaient nombreuses.

Certains disaient qu'il venait de Byzance et qu'il était un rescapé de l'attaque sauvage des Perses, alors que d'autres juraient l'avoir vu à Troie auprès du roi. Quelques mauvaises langues prétendaient qu'il avait déjà servi Hitovo le Chien à Veliko Tarnovo et qu'il avait été expulsé de la ville juste avant que le royaume ne ferme ses frontières et coupe toute relation avec ses voisins thraces. Mais toutes ces suppositions n'étaient que des rumeurs, et personne ne pouvait affirmer connaître avec certitude le passé de cet homme mystérieux.

À Odessos, le mystagogue était chargé de faire respecter la loi selon les préceptes du culte d'Orphée. Son petit groupe de fidèles, des ascètes pour la plupart, le suivait partout et lui assurait une protection rapprochée. Ainsi, peu de gens pouvaient entrer directement en contact avec lui, ce qui contribuait à épaissir davantage le mystère qui l'entourait. De jour comme de nuit, ces gardiens de la foi d'Orphée veillaient à la bonne morale du peuple et n'hésitaient jamais à s'introduire dans la vie privée des habitants. Les soldats du roi leur obéissaient au doigt et à l'œil, ce qui présupposait qu'il valait mieux être d'accord avec les principes de la doctrine du culte que de contrevenir à ses règles. Ceux et celles qui résistaient au mystagogue et à ses disciples étaient souvent invités à séjourner quelques semaines en prison. Après cette expérience, il n'était pas rare que les dissidents deviennent d'ardents défenseurs des préceptes d'Orphée.

— Tu sais, ma petite Misis, continua le mystagogue, il y a des choses que nous avons du mal à comprendre et nous aimerions des éclaircissements. Nous avons déjà interrogé ton père, ta mère et même ton petit frère. Voudras-tu répondre à toutes nos questions sans nous mentir ?

— Avec plaisir. Je ne vois pas pourquoi je vous mentirais ! Je n'ai rien à cacher, mystagogue, dit-elle avec un aplomb digne d'une adulte. Je commence par vous parler de mon départ d'Odessos avec mon père, ou je saute tout de suite au moment où je me suis rendu compte que j'étais perdue ?

— Euh… eh bien, hésita le mystagogue, surpris par l'éloquence de la petite. Commence où tu voudras… Nous sommes intéressés par tout ce que tu auras à nous dire.

— Alors, très bien, débuta Misis. J'accompagnais mon père qui, comme vous le savez, est un des prospecteurs du roi, lorsque mon petit frère s'est sauvé dans les bois. Comme vous avez rencontré mon petit frère, je n'ai pas à vous dire qu'il peut se montrer très énergique et que mes parents ont parfois de la difficulté à le contrôler!

— En effet, fit le mystagogue en souriant, c'est un jeune garçon très énergique qui a du mal à rester longuement assis! Il nous a donné un peu de fil à retordre, mais vu son jeune âge, cette attitude est compréhensible.

— Oui, je suppose… Alors, j'étais avec lui, tranquille au campement, lorsqu'il s'est levé sans crier gare pour s'enfuir dans la forêt. Je ne sais pas quelle mouche l'a piqué, mais il a vite disparu entre les arbres. Comme mon père était plus loin et qu'il m'avait confié sa garde, je me suis aussitôt lancée à sa poursuite afin de le ramener au campement. Je l'ai cherché sans succès…

— Tu as un bon talent de conteuse, Misis! lui dit le mystagogue. Et tu es très volubile…

— Merci… Ma mère dit toujours que j'ai appris à parler très jeune. Mais revenons-en à mon histoire. J'ai appelé et appelé, mais personne ne semblait m'entendre. Je me suis alors rendu compte que c'était moi qui étais perdue dans la forêt! En voulant trop bien faire, je m'étais égarée.

— Tu as dû te sentir seule au monde! Tu n'as pas paniqué?

— Non, j'ai gardé la tête froide. Comme mon père m'a souvent conseillé de ne jamais agir sous le coup de l'émotion, je me suis réfugiée sous un arbre pour réfléchir à ma situation. C'est alors que je me suis dit qu'il n'y avait qu'une solution, et c'était de rentrer à la maison par mes propres moyens. J'ai alors pris mon courage à deux mains et j'ai commencé à marcher. Grâce à la mousse sur les arbres, qui ne pousse que sur le côté nord des troncs, j'ai réussi à m'orienter et à me déplacer toujours dans la même direction. Je savais que si je marchais toujours vers l'est, je finirais par atteindre les rives de la mer Noire. Comme il y a de nombreux villages de pêcheurs sur la côte, je me suis dit que quelqu'un allait sûrement me venir en aide. Heureusement, je suis arrivée au mégalithe de la vallée aux muguets. De là, je savais comment revenir à la maison!

Un lourd silence rempli de scepticisme envahit alors la pièce. De toute évidence, aussi dégourdie qu'elle pût l'être, une jeune fille telle que Misis était incapable de survivre en forêt sans aide.

– C'est très intéressant, ce que tu me racontes, et je vois que tu es une fillette très débrouillarde, la complimenta le mystagogue. Cependant, tu as dû avoir très faim et très soif pendant ces longues journées dans les bois, non?

– J'ai mangé des fruits sauvages gelés et des racines de raiponce…, expliqua Misis sans hésiter. Et puis, pour me désaltérer, je suis tombée sur plusieurs petits ruisseaux tout au long de ma marche. Je ne peux pas dire que j'ai mangé à ma faim, mais j'ai tout de même réussi à me nourrir suffisamment pour continuer à marcher.

Le mystagogue sourit. Il était de plus en plus persuadé que la petite mentait comme une arracheuse de dents. Quelques nuits en forêt, loin de la sécurité de son foyer, auraient dû la secouer davantage. Les réponses de Misis étaient trop parfaites, trop assurées. Sans doute était-elle d'une prodigieuse intelligence, mais si on la talonnait de questions, elle commettrait certainement une erreur qui révélerait la vérité.

– Tu n'as pas croisé de bêtes sauvages dans les bois? continua le mystagogue, intrigué. Il y en a plusieurs qui rôdent… et dans les montagnes, les loups sont nombreux. Il y a aussi d'autres bêtes qui habitent ces profondes forêts et dont nous savons très peu de choses.

– Non, aucune! mentit Misis avec aisance. Je suppose que j'ai eu de la chance…

– Une vraie chance, en effet! s'exclama l'homme avec un brin d'ironie dans la voix. Beaucoup plus que notre patrouille de soldats, qui a été attaquée par une mystérieuse créature poilue d'une force impressionnante. L'un d'eux en est même mort… un bon père de famille, comme ton papa. Tu n'aurais pas croisé cette créature, par hasard?

– Je… je suis désolée pour les enfants de ce soldat, bredouilla Misis en baissant les yeux. Mais je n'ai pas rencontré cette bête étrange.

– Très bien, très bien… je te crois sur parole. Avant de terminer, y a-t-il quelque chose que tu voudrais ajouter à ton récit, ma petite ? Quelque chose que tu aurais oublié ou qui te reviendrait à la mémoire ? Je dis cela parce que nous avons retrouvé des traces de pas, tout près du mégalithe où tu es passée… des empreintes tout à fait similaires à celles que nous avons recueillies près du cadavre de notre soldat.

— Je ne sais pas de quoi vous voulez parler…, mentit encore Misis en prenant un air détaché cette fois. Ce n'est pas ma faute si la bête sauvage qui a tué le soldat m'a suivie jusqu'au mégalithe. Je ne vois pas en quoi cela me rendrait coupable de quoi que ce soit !

— Mais je ne t'accuse de rien, ma petite ! fit le mystagogue. Nous essayons seulement de comprendre ce qui est arrivé… Tu sais que la ville d'Odessos a de bien vilains ennemis. Les membres de ce temple et moi-même cherchons seulement à protéger la ville des envahisseurs, c'est tout !

— Je comprends…, répondit Misis qui sentait peser un doute sur sa version des faits. En vérité, je ne vous ai pas tout dit, car j'avais peur que vous ne me croyiez pas…

Comme la fillette ne voulait pas rompre son serment avec Pan et que les traces de son ami compromettaient sa version de son expédition dans les bois, elle pensa à la meute de loups qu'ils avaient croisée.

— Parle, Misis, nous t'écoutons.

— En réalité, j'ai été…, hésita-t-elle, craignant que son mensonge ne paraisse invraisemblable, j'ai été… recueillie par une meute de loups. Ce sont eux qui ont veillé sur moi… Ce sont eux aussi qui m'ont ramenée jusqu'à Odessos.

— JE LE SAVAIS ! jubila le mystagogue avec un air victorieux. Il s'agissait de gros loups, n'est-ce pas ? Plus gros qu'un chien, non ? Et cela explique pourquoi nos équipes de recherches ont trouvé des traces autour des tiennes dans les bois ! Est-ce exact, oui ou non ?

Misis savait ce que le mystagogue voulait entendre et confirma ses interrogations. En disant comme lui, elle réussirait peut-être à taire l'existence de son ami Pan.

— Oui, dit-elle, motivée par l'excitation du mystagogue. Et ils étaient très gros et avaient d'énormes yeux…

— Et ils semblaient intelligents ?

– J'aurais juré qu'ils comprenaient chacune de mes phrases, ajouta Misis pour nourrir l'imagination du prêtre. Ils pouvaient presque lire en moi ! Ce sont eux qui m'ont rassurée, puis qui m'ont nourrie…

– Il n'y avait pas d'hommes avec eux, seulement des loups ? Pas de femmes non plus ? Du genre sombre, belle et élégante, mais dont les yeux sont des tisons ardents ?

– Il n'y avait que des gros loups… Comme je vous l'ai dit, c'est grâce à eux si j'ai pu survivre…, répéta-t-elle en se demandant si elle ne devait pas lui confirmer la présence de cette femme. Ce sont ces bêtes qui m'ont…

– Très bien, Misis, tu peux t'en aller, je n'ai plus besoin de toi ! l'interrompit brutalement le mystagogue. Merci beaucoup pour ton aide, je t'assure que tu nous as été d'une très grande utilité.

Les membres de l'ordre du temple d'Orphée reconduisirent la petite à la porte pendant que, de son côté, le mystagogue, inquiet, s'affalait sur son siège.

– Ce sont eux…, murmura-t-il derrière sa mine sombre et angoissée. Ils sont venus nous espionner, les chiens. Je suis certain que Veliko Tarnovo prépare un raid sur Odessos… mais nous serons prêts ! Sacrée Électra, petite garce de Byzance, tu me surprendras toujours…

Pendant ce temps, un autre interrogatoire avait lieu dans le palais de Veliko Tarnovo.

Tête haute, le Râjâ était debout en face de sa mère. À leurs côtés, Sénosiris traduisait pour la reine les moindres détails de l'aventure. Électra, très en colère, écoutait la voix de l'Égyptien tout en dévisageant son fils. Elle était belle et élégante, mais avait des charbons ardents dans les yeux, fidèle à la description qu'avait faite d'elle le mystagogue d'Odessos. Elle bouillait d'une telle rage qu'on aurait pu la croire capable, tout comme un dragon, de cracher du feu.

– Bon…, fit d'abord Sénosiris qui interprétait un à un les signes du garçon. Voici ce qui est arrivé… Je courais dans la forêt et j'allais rejoindre Sénosiris… Il était tard et je savais que j'allais être un peu en retard… Comme j'étais pressé, je n'ai pas fait attention… j'ai oublié de surveiller mes arrières et je suis tombé dans un piège…

Le Râjâ arrêta de gesticuler quelques secondes et chercha des yeux le regard de sa mère. De toute évidence, le préambule ne l'avait pas calmée et elle attendait la suite avec impatience. Elle grognait en serrant les dents.

– Deux hommes se sont lancés sur moi pour m'attraper…, continua Sénosiris, toujours attentif aux moindres gestes du garçon. Ils m'ont capturé… je crois même qu'ils m'ont assommé… j'ai été ligoté… Ils voulaient me ramener dans leur ville et m'offrir comme cadeau à leur roi… Heureusement, j'ai pu défaire mes liens et me libérer… et puis… j'ai vu les deux hommes-loups… et ceux-ci m'ont ramené ici… J'ai même ce médaillon que j'ai volé à mon agresseur… Voilà, c'est tout, c'est ce qui est arrivé.

Bien que l'histoire de son fils eût du sens, la reine savait qu'il mentait. Elle le sentait par ses mouvements trop assurés et son menton trop relevé. Par cette attitude, il la défiait et remettait en cause son autorité sur lui. Le Râjâ refusait de se soumettre à la louve dominante et, pour cela, elle trouverait la faille dans son mensonge. Elle le forcerait à se soumettre, à baisser les yeux et à se confondre en excuses.

Électra fit un pas vers son garçon et lui inspecta minutieusement la tête.

– Alors, explique-moi, jeune homme, comment il se fait que tu n'as aucune marque sur le crâne ? Si tu avais réellement été assommé, il y aurait au moins une ecchymose, non ?

Assuré et la tête haute, le Râjâ répondit par quelques signes.

– Vous savez que je guéris très rapidement, mère…, traduisit Sénosiris. Vous savez bien qu'il m'arrive régulièrement de me blesser… et que les plaies sont déjà refermées le lendemain… De plus, j'avais beaucoup couru et j'étais épuisé… J'ai dû perdre connaissance plus facilement qu'à l'ordinaire. J'aimerais bien vous expliquer avec précision comment les choses se sont passées… mais tout est arrivé si vite.

– Ce seraient donc des soldats thraces d'Odessos qui auraient voulu t'enlever ? Voilà ce que tu prétends, jeune homme ? C'est bien cela ?

– Je ne sais pas d'où ils venaient…, dit Sénosiris dont les yeux ne quittaient pas les mains du Râjâ. Je les ai entendus parler entre eux de Veliko Tarnovo… mais aussi de cette ville… je n'en sais pas plus. Cependant, le médaillon que je vous ai rapporté porte les insignes de cette ville… N'est-ce pas là assez de preuves pour me croire ?

– Tu ne sais pas pourquoi ils étaient là, ni même ce que tes agresseurs désiraient ? Malgré tous les dangers que comporte une balade sur nos terres, ces hommes ont décidé de t'enlever, juste comme ça, pour passer le temps ? ! Ils se sont dit : pourquoi ne pas forcer les frontières de ce royaume interdit d'où aucun étranger ne revient vivant afin de s'emparer du futur roi ? Sont-ils vraiment si stupides, à Odessos ?

Comme unique réponse, le Râjâ haussa les épaules.

– Mais tu me prends vraiment pour une gourde, mon fils ? ! lança la reine, exaspérée. Tu as passé deux jours avec eux dans les bois et c'est tout ce que tu peux me dire sur ces hommes ? Tu n'as pas plus de détails à me donner ? Toi qui as un flair exceptionnel et une ouïe beaucoup plus développée que celle d'un humain normal, tu n'as vraiment rien entendu de leurs conversations ?

Encore une fois, le garçon haussa les épaules. Il n'avait rien à ajouter à sa version de l'histoire, même s'il se rendait bien compte que son explication était un peu légère. Il se dit sagement qu'il valait mieux se taire plutôt que de s'embourber davantage dans ses mensonges.

– Tu en penses quoi, toi, Sénosiris, de ce que raconte mon fils ? demanda la reine en se retournant vers lui. Tu vois bien qu'il me prend pour une idiote ! Cet enfant me rit au visage et je trouve cette attitude hautement irrespectueuse. Peut-être qu'une bonne correction lui ferait du bien !

Pour la première fois, le Râjâ baissa la tête. Lui qui avait déjà subi les foudres de sa mère savait qu'elle pouvait être très violente. Quand elle était fâchée, Électra était d'une force largement supérieure à celle d'un être humain normal. Hors de contrôle, elle perdait complètement la tête et pouvait lui rompre le cou d'une simple gifle.

– Puisque vous me demandez mon avis, Électra, je ne vois pas pourquoi le Râjâ mentirait sur l'aventure qu'il a vécue, répondit franchement le conseiller. De toute évidence, le médaillon qu'il a rapporté et le cadavre du soldat d'Odessos retrouvé près de lui prouvent une grande partie des éléments de son histoire. Pourquoi mentirait-il à ce sujet?

– JE CONNAIS MON FILS, SÉNOSIRIS! s'écria la reine. Et je suis certaine qu'il me ment! Je le vois dans ses yeux… il a le regard hypocrite d'un renard et il tremble légèrement lorsqu'il fait ses signes… Et puis, de tout son corps émanent le mensonge et la cachotterie! Jamais cet enfant ne pourra prendre ma relève à la tête de ce royaume s'il continue à être aussi dissipé et MENTEUR! Un souverain se doit d'être franc et droit!

Ce fut à ce moment que Sénosiris décida de saisir sa chance.

– Peut-être que vous avez raison et qu'une véritable aventure lui ferait du bien? dit-il nonchalamment. Cela lui apprendrait de grandes vertus qu'il pourrait ensuite utiliser à son avantage, le moment de son couronnement venu. Mon maître disait que les voyages sont très formateurs pour la jeunesse…

– Qu'entends-tu par là? demanda la reine, intriguée. Tu voudrais qu'il parte en voyage, alors qu'il n'est même pas assez intelligent pour retrouver son chemin seul dans les bois?!

– Eh bien, nous pourrions peut-être envisager de… de monter une grande expédition afin d'atteindre mon pays, l'Égypte. Il ne serait pas seul, et je pourrais parfaire son éducation des langues, des peuples et des coutumes tout au long de notre route. Il n'y a rien de mieux que l'expérience pour assimiler de nouvelles connaissances.

– Tu veux emmener mon fils en Égypte?! Est-ce bien ce que tu proposes?

Le Râjâ eut un petit mouvement de surprise, mais aussi d'excitation. Un dilemme prit cependant racine dans son esprit. Son cœur s'emballait à l'idée de visiter le pays d'Osiris et d'Isis, et aussi de voir le Nil, ce fleuve mythique dont Sénosiris n'arrêtait pas de vanter la beauté. Mais il pensait aussi à Misis et à sa promesse de la revoir. La laisser derrière le rebutait, d'autant qu'elle était sa seule et unique amie. Ensemble, ils avaient conclu un pacte qui se devait d'être honoré tous les soirs de pleine lune.

– Et si je t'autorisais à partir avec mon fils, Sénosiris, que ferais-tu, toi, là-bas? demanda brutalement Électra.

– Oh! Beaucoup de lecture, et de nombreux contacts politiques afin de tisser des liens d'amitié entre nos deux nations, expliqua l'Égyptien. Depuis quelques jours, je me suis rendu compte que j'ai bien besoin de me mettre au fait des nouvelles découvertes astronomiques et scientifiques. Sans vouloir vous blesser, Veliko Tarnovo n'est pas tout à fait le lieu idéal pour me ressourcer…

– Tu veux quitter cette ville, c'est cela? s'exclama la reine. Et avec mon fils en plus?! Mais quel culot! Si je te laisse partir, j'ai bien peur de ne jamais te revoir. De toute évidence, ton pays a tellement plus à offrir que ce royaume, et les Égyptiens sont si… si évolués en comparaison des gens d'ici! Et si, malgré tout, tu reviens vivant de cette aventure avec le Râjâ, eh bien, celui-ci n'aura plus qu'une envie, retourner là-bas! Pourquoi vivre comme des bêtes ici, alors que tout est si grand et si beau en Égypte!

Sénosiris sourit. Il n'avait jamais vu la reine si vulnérable. Pour la première fois, il ne la voyait plus comme une souveraine forte et solide, mais comme une femme anxieuse de perdre à la fois son conseiller et son fils. Cette crise de jalousie envers l'Égypte était en fait une déclaration de son affection envers lui.

– Chère Électra, dit posément Sénosiris en lui prenant la main, j'ai su, au premier jour où j'ai croisé votre route, que je n'avais pas d'avenir sans vous… Si je pars, ce ne sera que pour mieux revenir vous seconder. Je suis votre plus dévoué serviteur et je le demeurerai jusqu'à la fin de mes jours. Mais rappelez-vous que cette idée n'est qu'une simple suggestion. Je peux très bien rester à Veliko Tarnovo et ne jamais revoir mon pays. Je suis heureux à vos côtés et j'aime ma vie ici…

Électra parut satisfaite et vit dans le regard de son conseiller toute l'honnêteté dont il l'avait si souvent gratifiée. Sénosiris était un homme d'une très grande qualité et, malgré son attachement, Électra désirait plus que tout au monde le rendre heureux.

La reine s'éclaircit un peu la voix. Elle était manifestement sous le coup de l'émotion.

– Et que feras-tu de mon fils pendant ce voyage? Il te suivra partout?

– Oui, partout… Chaque instant de chaque jour, je veillerai sur lui. Je lui enseignerai à devenir un homme et le présenterai en personne au pharaon comme le futur roi de la Thrace… En

Égypte, il pourra apprendre à devenir un souverain d'exception, mais surtout, il sera à son retour plus à même de comprendre le monde autour de lui.

– Je dois y réfléchir…, dit Électra, encore contrariée par l'histoire de son fils. Je crois qu'il ne mérite pas de faire un tel voyage ! Ce n'est pas une faveur que l'on accorde aux menteurs !

Le Râjâ leva le doigt pour parler. La peur de se voir interdire une telle aventure le força à avouer qu'il avait menti. Il soupira profondément, mais se décida à ne dire qu'une partie de la vérité.

– Vrai – je – dire – mensonge, avoua-t-il par quelques signes. Je – perdre – dans – forêt…

– … je me suis perdu dans la forêt, répéta Sénosiris pour la bonne compréhension de la reine. J'étais bien dans les bois et je voulais courir jusqu'à la mer. La nuit est tombée très vite et je n'ai pas su retrouver mon chemin. J'ai erré plusieurs jours et je ne savais pas comment revenir. En fait, je ne voulais pas revenir. J'avais trop peur de ta réaction, mère. J'avais peur de ta colère. Peur de ne plus jamais pouvoir courir seul dans les bois. Et puis, je suis tombé par hasard sur cette patrouille de soldats et j'ai paniqué. J'aurais pu les éviter, mais j'étais trop énervé, je ne me contrôlais plus. Tout de suite, j'ai attaqué le premier et je l'ai tué, l'autre a fui. C'est à ce moment que vos envoyés m'ont retrouvé. Voilà, c'est la vérité. C'est toute l'histoire.

Manifestement plus calme, Électra marcha vers la gigantesque cheminée qui réchauffait toute la pièce. La reine prit quelques instants de réflexion.

– Je te crois, maintenant, mon fils…, dit-elle sans se retourner. J'ai vu la sincérité dans tes yeux, et même si je sais que tu ne m'as pas tout dit, je te pardonne ton étourderie. En fait, je songe à ton avenir et à la proposition de voyage de Sénosiris. Cette expédition serait une excellente façon de contenir ton énergie débordante… Et puis, comment un roi peut-il gouverner adéquatement un royaume s'il ne connaît pas le monde qui l'entoure ? Tu vois, il n'y a pas si longtemps, j'étais aussi prisonnière de ma chambre à Byzance et je voulais être libre ! Je vois que mon garçon n'est pas différent de moi et je sais que si je t'oblige à demeurer cloîtré dans ce palais, je te perdrai… tu finiras par me détester et… et je ne veux pas que cela se produise.

Un lourd silence, à peine troublé par le crépitement du feu, s'installa dans la pièce.

Faisant dos à sa mère, le Râjâ regarda Sénosiris et lui fit quelques signes rapides à la dérobée.

– Elle – vraiment – en colère – contre – moi. Pourtant – Moi – dire – vérité.

– Je – ne – crois – rien – de – tes – explications…, lui répondit l'Égyptien en bougeant les mains. Tu – mens – comme – tu – respires…

– Moi – jurer – tout – vrai.

– Menteur !

– C'est une décision très difficile à prendre pour une mère, mais je crois qu'elle est essentielle à ton bonheur, mon garçon, dit enfin la reine qui n'avait pas eu connaissance de la petite discussion silencieuse derrière elle. J'autorise donc ce voyage vers ton pays, Sénosiris… Quand penses-tu quitter Veliko Tarnovo ?

– Oh ! Je ne m'attendais pas à une réponse aussi rapide ! Prenez quelques jours pour y penser avant de…

– Non, ma décision est prise. À quand le départ ?

– Euh… pour être logique, dit Sénosiris, excité par la perspective de revoir son pays, je pense que nous devrions partir cet été… pour plus de sécurité et de confort, nous devons attendre que la température soit plus clémente afin de faciliter nos déplacements.

– Alors, qu'il en soit ainsi…, conclut Électra en tournant son regard vers la flamme. Vous partirez cet été.

Cette décision sans équivoque de sa mère fit reculer le Râjâ d'un pas. Il allait donc partir vers la terre magique des contes de Sénosiris ! Les paysages féeriques qui avaient vu naître Isis et Osiris n'auraient bientôt plus de secrets pour lui ! Quelle nouvelle extraordinaire ! De plus, il avait encore plusieurs pleines lunes devant lui pour voir Misis et la préparer à son départ.

Sénosiris et le Râjâ quittèrent respectueusement la pièce et refermèrent doucement la porte derrière eux. Dans le couloir du palais, l'homme et le garçon explosèrent dans un grand cri de joie.

Électra sourit, puis rigola ensuite franchement. Les deux hommes de sa vie étaient heureux. Que pouvait-elle souhaiter de plus ?

VI

Quelques semaines avaient passé depuis le retour de Râjâ, et l'histoire de son escapade prolongée dans les bois, malgré la colère de la reine, avait été oubliée. Très occupé à préparer son voyage vers l'Égypte, Sénosiris travaillait de longues journées dans ses quartiers alors qu'Électra, de son côté, semblait absorbée par la protection des frontières du royaume. Des messagers lui avaient rapporté que les Troyens s'étaient emparés des ruines de Byzance et qu'ils reconstruisaient la ville. Reconnus pour être des grands bâtisseurs, les architectes troyens avaient la réputation de concevoir des forteresses imprenables. Jamais Électra n'aurait pensé qu'une autre nation que la sienne puisse s'emparer des vieilles pierres de son ancienne cité. Elle s'était fait prendre de vitesse et rageait en silence.

N'ayant pas d'amis de son âge, et personne d'intéressant pour s'occuper de lui, le Râjâ demeurait cloîtré des journées entières avec la grosse gouvernante Phoebe. Celle-ci essayait tant bien que mal de l'amuser et de le désennuyer, mais ses jeux n'inspiraient pas le garçon. Bien sûr, il y avait les leçons de maniement d'armes qui arrivaient parfois à combattre sa langueur, mais ce n'était pas suffisant. Il s'ennuyait de ses parties de pêche avec Sénosiris, de la chasse aux lapins dans la forêt et, plus que tout, de la présence de Misis. Au lieu de la tendre voix de son amie, il était condamné à subir les discordantes intonations de sa grosse nourrice. Chaque jour en compagnie de Phoebe était un vrai calvaire. Seules ses leçons de musique lui apportaient un peu de réconfort, car les mélodies qu'il jouait à la syrinx lui rappelaient la douceur et la tendresse de Misis. Il lui arrivait même parfois de porter l'instrument à sa bouche et d'imaginer qu'il l'embrassait. De ces baisers s'échappait l'heureuse mélodie de leur bonheur. C'était ainsi qu'il pouvait facilement la revoir et revivre, de fois en fois, leur voyage du fond des bois jusqu'au mégalithe d'Odessos. La musique lui servait de machine à remonter le temps.

– La syrinx, lui avait dit son professeur à sa première leçon, est, comme tu peux le voir, composée de plusieurs roseaux creux de tailles inégales, attachés les uns aux autres. Il est très populaire chez les bergers thraces, et les bons joueurs égayent toutes les fêtes de village. Tu verras que cet instrument est très mélodieux, et pratique aussi! Tu en doutes? Ce sera ton meilleur compagnon, car il est facile à transporter où que tu ailles! Il ne te quittera jamais et sera toujours là lorsque tu auras besoin de réconfort. De plus, pour en jouer, c'est fort simple… Regarde… Tu n'as qu'à souffler dans les différents tuyaux pour émettre des sons. Ainsi, en promenant rapidement l'instrument sur ses lèvres, il est possible de jouer de très agréables mélodies qui ont un caractère aérien, voire céleste. Pour moi, il n'y a pas de plus noble instrument de musique pour un futur roi…

Ce fut ainsi que le professeur avait réussi à convaincre le Râjâ et que, depuis, il arrivait à celui-ci de passer de longues heures à jouer, seul dans sa chambre. Grâce à ses étonnants progrès, le maître de syrinx avait conclu que le garçon pouvait très bien continuer de se perfectionner sans lui et avait tourné son attention vers les généreuses courbes de Phoebe. À chaque cours, depuis plusieurs mois, l'homme se retirait dans une pièce voisine avec la grosse gouvernante. De là, il écoutait son élève tout en s'adonnant à des activités plus physiques.

– Continue à jouer, mon petit…, lui disait toujours Phoebe lorsqu'elle se glissait dans la pièce adjacente avec le maître de musique. Nous entendons beaucoup mieux tes progrès derrière le mur! C'est très joli… Nous t'écoutons avec attention.

Le Râjâ demeurait alors seul dans la pièce pendant que des petits cris de plaisir venaient accompagner ses airs de flûte. En fait, la grosse Phoebe était aussi la maîtresse du capitaine des gardes, du maître d'armes et du cuisinier. En plus du boulanger de la ville, avec qui elle s'envoyait en l'air chaque fois qu'on lui demandait d'aller chercher du pain, il lui arrivait d'accepter d'autres propositions masculines, et elle satisfaisait les désirs de ces hommes dans les buissons entourant le palais. Phoebe était une dévoreuse d'hommes et elle ne pouvait pas résister à une proposition d'aventure. Comme la reine était très occupée et que Sénosiris se concentrait sur son voyage, la grosse femme avait le champ libre pour vivre en paix ses escapades romantiques.

Mais le jeune garçon n'était pas dupe et savait très bien ce qui se passait lorsque sa grosse servante partait sur la pointe des pieds et revenait en replaçant sa robe et ses cheveux. Chaque fois, un homme l'attendait dans l'ombre et lui offrait le vertige dont elle avait besoin. Phoebe agissait-elle ainsi par simple désir d'affection ou était-elle menée par le vice ? Difficile à dire, mais le résultat n'en était pas moins disgracieux pour le Râjâ. Toutes les frasques de sa gouvernante eurent vite fait de faire perdre à cette dernière toute crédibilité et toute autorité sur lui. Si bien qu'il arrivait même au garçon de se cacher et d'observer les ébats amoureux de la grosse femme.

Ce fut ainsi qu'un jour le Râjâ entreprit de dessiner, sur des feuilles de papyrus que lui avait confectionnées Sénosiris, tous les amants de sa nourrice en train, tour à tour, de la posséder dans différentes positions. Il détaillait le plus possible les hommes afin qu'ils fussent reconnaissables, soit par leur moustache, soit par leur barbe, leurs vêtements ou leurs instruments de travail, et Phoebe, qui se faisait prendre par-derrière, chevauchant une de ses conquêtes ou encore à genoux devant un amant. Pendant les quelques jours où il laissa s'exprimer son talent artistique, le Râjâ élabora un plan pour faire chanter la grosse femme et s'assurer du même coup un peu de liberté. Une fois son œuvre terminée, il l'exposa dans sa chambre et attendit avec fébrilité que Phoebe frappe à sa porte.

Ce jour-là, lorsque la gouvernante entra dans les appartements du Râjâ, elle découvrit avec horreur tous les dessins étalés sur le lit du garçon. Elle avait devant les yeux le journal personnel de toutes ses conquêtes et voyait les détails embarrassants de sa sexualité révélés au grand jour.

– Mais… mais c'est… mais c'est moi ! s'exclama-t-elle en rougissant de honte. Mais c'est terrible ! C'est toi qui as fait cela, vilain garçon ? Tu m'espionnes ? !

Comme la grosse Phoebe se précipitait vers le lit afin de s'emparer des œuvres, le garçon s'interposa en montrant les dents. Grognant comme un animal prêt à défendre sa nourriture, le Râjâ protégeait de façon non équivoque les fruits de sa création artistique. La domestique effrayée recula de quelques pas.

– Je dirai à ta mère que tu m'as menacée, petit vaurien ! s'enflamma-t-elle. Je suis ta gouvernante et tu dois en tout temps me témoigner du respect ! Tu n'as pas le droit de m'espionner et d'étaler ma vie comme ça, sans aucune pudeur !

– Moi – montrer – dessins – à – mère, dit le Râjâ en s'aidant de signes. Toi – être – grosse – putain. Mauvaise – influence – pour – moi.

Les bases de la langue gestuelle inventée par Sénosiris étaient connues de toutes les personnes qui côtoyaient le garçon. Comme les autres, Phoebe en avait appris les rudiments. Seulement, il arrivait parfois au Râjâ de bouger trop rapidement, si bien que ses interlocuteurs, à l'exception de l'Égyptien, devaient le faire répéter.

– Refais lentement ce que tu viens de me dire ! ordonnat-elle d'un ton autoritaire. Comment veux-tu que je comprenne quelque chose à tes mimiques ridicules ? !

Lentement, le Râjâ refit le même enchaînement de gestes. Il recommença avec délectation jusqu'à ce que Phoebe comprenne qu'il l'avait traitée de putain. Mais curieusement, ce ne fut pas ce que la grosse femme releva de plus offensant.

– Ah ! non..., fit Phoebe en observant les mains du garçon. Je t'interdis de montrer ces dessins à ta mère ! NON ! OH NON ! Tu ne feras pas cela ! Je te le défends ! Ce sont des choses personnelles et... si Électra apprend quoi que ce soit sur mes aventures amoureuses, eh bien, je nierai tout ! J'insisterai pour lui dire que tu as tout inventé et que je ne connais pas ces hommes... et puis, tout est faux ! Je ne connais pas ces hommes ! Ils sont le fruit de ton imagination malade de...

– Moi – tout – dire – à mère – à moins que..., l'interrompit le garçon, qui s'apprêtait manifestement à faire chanter sa gouvernante.

Phoebe n'eut pas besoin cette fois de lui faire répéter ses gestes pour bien comprendre qu'elle était prise au piège. Son jeune protégé ne pouvait avoir inventé les images figurant sur tous ces dessins, et surtout pas toutes ces positions sexuelles. À son âge, il était impossible qu'il en connût autant, à moins de les avoir vu exécuter par un adulte.

Le Râjâ était en position de force. Si Phoebe ne voulait pas être dénoncée, il valait mieux qu'elle accepte les conditions de son marché.

– Tes sentiments sont aussi horribles que les poils qui poussent sur ton visage ! l'insulta-t-elle sans vergogne. Tu es laid ! Et à cause de cela, jamais tu ne trouveras l'amour... Tu ne seras jamais aimé comme je le suis ! Bien fait pour toi, crotte de loup ! Que veux-tu en échange de tes dessins, espèce de... espèce de monstre ? !

Le Râjâ se mit à rigoler. Il savait depuis de nombreuses années que Phoebe le considérait comme un être anormal qui ne méritait pas mieux que d'être exposé dans les foires aux curiosités. Il n'avait jamais ressenti de sa part ni amour ni attachement. La grosse femme faisait son boulot parce qu'Électra lui avait demandé de le faire, sans plus. Jamais elle ne prenait plaisir à jouer avec lui ou à le divertir. À la moindre occasion, elle l'enfermait dans sa chambre sous prétexte d'avoir d'importantes affaires à conduire, mais il savait bien que c'était faux. La gouvernante en profitait toujours pour aller à la rencontre d'un homme ou passait simplement son temps à flâner dans les jardins. Tout, chez le Râjâ, déplaisait à Phoebe. De ses poils jusqu'à ses grognements, de ses yeux parfois vitreux aux griffes qui ornaient le bout de ses doigts, tout en lui la dégoûtait. De plus, elle savait qu'il avait été conçu par un animal, et cette idée lui répugnait plus que tout.

Mais heureusement pour le Râjâ, tout le dégoût de Phoebe à son égard ne l'avait pas troublé. Ce manque d'intérêt évident de la part de sa servante n'était pas réellement grave, puisque Sénosiris était là pour lui. Comme un grand frère, il était toujours prêt à passer du temps en sa compagnie. À l'exception des quelques semaines qu'il venait de vivre, jamais le Râjâ ne s'était vraiment senti différent des autres enfants. Par les yeux de l'Égyptien, il se voyait comme un garçon normal. Il n'avait pas d'amis, certes, toutefois ce n'était pas à cause de son apparence, mais plutôt en vertu de sa position de futur roi.

– Moi – vouloir – liberté – ce – soir…, exigea le Râjâ en répétant plusieurs fois les mêmes signes.

– C'est hors de question ! s'exclama la grosse femme. Si Électra apprenait que je t'ai laissé partir, elle me tuerait sur-le-champ. D'ailleurs, il paraît que tu ne sais même pas retrouver ton chemin dans les bois. C'est bien ce qui arrivé l'autre jour, lorsque tu as mis le palais sens dessus dessous, non ? Alors, ne compte pas sur moi pour être complice de tes jeux stupides ! Donne-moi immédiatement ces dessins et… et j'essaierai de tout oublier !

Devant l'obstination de sa gouvernante, le Râjâ commença à hurler comme un dément. Il savait que ses cris allaient iné-vitablement attirer l'attention. Le garçon cria aussi fort qu'un animal blessé ou pris au piège.

– Tais-toi… mais tais-toi…, s'énerva Phoebe, emportée par une crise de panique, tu vas attirer la garde… puis ta mère… Arrête, je t'en prie… D'accord, d'accord, je te laisse ta liberté ce soir ! Oui… c'est parfait ! Tu seras libre… Ferme-la tout de suite, ou je…

On frappa quelques coups à la porte.

– Que se passe-t-il ici ? s'enquit une voix grave. Ouvrez immédiatement, c'est un ordre !

– Il ne se passe rien, ici ! Rien de rien… ha ! ha ! ha ! fit Phoebe d'un ton forcé. Nous jouons, le Râjâ et moi… c'est tout ! Le petit imitait un… un satyre des bois… très drôle. Il est vraiment excellent lorsqu'il fait cette imitation !

– Ouvrez tout de suite !

Phoebe fit signe au garçon de ramasser ses dessins, mais celui-ci ne bougea pas. Il se contenta de sourire. La gouvernante obéit au garde, mais resta bien plantée dans l'entrebâillement.

– Vous voyez ? Tout va bien…, dit innocemment Phoebe. Oh, mais quel homme vous êtes ! Votre femme doit se trouver chanceuse de partager son lit avec un tel mâle !

Flatté, le garde eut un léger sourire, puis laissa vagabonder ses yeux sur la plantureuse poitrine de la grosse femme.

– Vous n'êtes pas trop mal non plus, pour une servante. Vos charmes sont… généreux ! Le garçon va bien ? La reine m'a expressément chargé de veiller sur lui et…

– Je comprends, et bravo pour votre vigilance ! s'exclama Phoebe en se gardant bien d'ouvrir la porte. Vous pouvez reprendre votre poste, nous étions seulement en train de jouer…

– Excellent ! Je vous reverrai sans doute…

– J'espère bien.

La grosse Phoebe ferma la porte et entendit le son des pas du garde s'éloigner dans le couloir. Contrariée, elle se retourna vers le Râjâ. Elle était rouge de colère et suait abondamment. On aurait dit un gros ballon prêt à exploser !

– Ne recommence plus jamais cela, m'entends-tu ? le menaça-t-elle en le regardant directement dans les yeux. Sinon, je jure que…

Le Râjâ soutint le regard de sa nourrice et considéra ce geste comme un véritable défi à relever. Maintenant très sérieux, il bondit sur le lit et hérissa les poils de son dos. Les crocs sortis et l'œil brillant, il semblait prêt à se jeter sur elle.

La gouvernante comprit que l'heure était grave et qu'elle risquait de se voir infliger de bien vilaines blessures. Elle recula, plaqua son dos contre la porte et baissa finalement les yeux.

– Très bien, ne te fâche pas…, lui dit-elle doucement. Tu veux ta liberté ? Eh bien, je te la donne. Tu feras tout ce que tu désires et je te couvrirai… C'est bien cela que tu veux, n'est-ce pas ?

Le Râjâ se calma à son tour, puis cessa de la menacer. En guise de réponse, il ramassa tous les papyrus étendus sur son lit et les déchira en morceaux. Il les lança ensuite aux pieds de sa gouvernante. Le pacte était scellé.

– Très bien, fit Phoebe. Fais tout ce que tu désires cette nuit, mais tu dois être revenu à la cité avant le lever du soleil. Pour le dîner de ce soir, je dirai que tu désires rester seul dans ta chambre et que tu ne veux pas être dérangé. Comme cela arrive régulièrement ces derniers temps, ta mère ne posera pas de questions. Ça te va ?

– Étude – papyrus – Égypte…

– Euh… oui, ce sera encore mieux ! C'est exactement ce que je dirai… Je lui ferai savoir que tu prépares ton voyage vers le sud, c'est cela ? Je dirai que tu fais comme Sénosiris et que tu étudies les cartes des royaumes environnants… et puis, si tu tardes un peu demain matin, je te couvrirai en disant que tu es plongé dans ton étude de la langue égyptienne. Électra trouvera charmant que tu veuilles parfaire tes connaissances et ne s'inquiétera pas davantage. C'est entendu ? En contrepartie, tu me laisses vivre en paix et tu cesses de m'espionner.

– Oui, acquiesça le Râjâ d'un mouvement de tête.

– Alors, je te laisse à tes préparatifs… J'ai autre chose à faire que m'occuper de toi, lança Phoebe avant de quitter la pièce. À partir d'aujourd'hui, je ne serai plus dans tes jambes, alors fais en sorte de ne pas être dans les miennes non plus. Tu veux vivre comme un sauvage ? Eh bien, soit ! Va courir dans les bois ! Bonne chasse aux lièvres, monstre !

– Toi – vouloir – faire – la – putain ? répondit par signes le Râjâ. Bonne – chasse – aux – mâles, truie !

Phoebe eut le temps de décoder les signes du garçon avant de claquer la porte. Il l'entendit ensuite maugréer dans le corridor, puis ce fut le silence. Après toutes ces années, il était enfin débarrassé de cette gouvernante obèse qui lui causait tant de déplaisir. Pour peu qu'il fût un peu prudent, le Râjâ pourrait enfin aller et venir à sa guise dans le palais et sortir le soir pour se promener dans la forêt. Par cet habile pacte, il venait de retirer le collier qui l'étranglait depuis des années.

Enfin seul et totalement libre de ses mouvements, le garçon se vêtit d'une cape munie d'un capuchon et préleva un magnifique diadème dans ses effets personnels. L'objet était finement décoré de motifs en or qui rappelaient les feuilles du bouleau. En son centre, une pierre verte aux reflets bleus donnait à la petite couronne un aspect presque magique. Il l'observa longuement en s'imaginant combien elle serait plus belle encore sur la tête de Misis. Ce bijou avait la légèreté de son rire, la finesse de ses traits et l'éclatante luminosité de ses yeux. Il lui était destiné.

Ce diadème, le Râjâ se l'était procuré en le dérobant à l'un des nombreux artisans de Veliko Tarnovo. Les maîtres bijoutiers et autres sculpteurs de pierre passaient souvent au palais pour présenter leurs créations à la reine. Ceux-ci en profitaient pour montrer leurs plus belles pièces à Électra qui se faisait toujours une joie d'essayer de nombreux modèles avant d'en acquérir quelques-uns. Ce jour-là, le Râjâ était près de sa mère et il en avait profité pour voler discrètement le bijou. Le commerçant, fin observateur, avait clairement vu la main poilue du jeune garçon dérober le diadème, mais il n'avait pas protesté. En bon homme d'affaires, il savait qu'il valait mieux perdre ce bijou que d'accuser le futur roi de vol. Il avait plus à perdre qu'à gagner de cette dénonciation. De plus, la reine venait tout juste de lui acheter une quantité non négligeable de bagues et de colliers, et comme il avait passablement gonflé ses prix, l'argent de la vente couvrirait amplement la perte du diadème.

Heureux du cadeau qu'il allait offrir à son amie, le Râjâ déposa le fruit de son méfait dans un sac qu'il attacha à sa ceinture. Il y inséra aussi sa flûte et attendit impatiemment dans sa chambre que le crépuscule arrive. Lorsque le soleil eut disparu derrière l'horizon, il sortit furtivement de ses appartements et, trompant la vigilance des gardes, passa la grande porte de la ville. En savourant pleinement ce grand moment de liberté, le Râjâ s'en fut au pas de course dans les bois. Pour la première fois depuis sa rencontre avec Misis, la lune était pleine, et il allait retrouver la jeune fille près du mégalithe d'Odessos. Voilà près d'un mois qu'il rêvait à ce premier rendez-vous, et pour rien au monde il ne l'aurait manqué.

Grâce à sa grande rapidité, il ne lui fallut que quelques heures de course entre les arbres et sur des sentiers rocailleux pour atteindre son objectif. Anxieux de savoir si son amie allait, elle aussi, respecter sa promesse, le Râjâ courut sans même s'arrêter pour boire. Lorsqu'il arriva enfin au mégalithe délimitant la frontière du royaume d'Odessos, Misis n'était pas encore arrivée.

Fatigué, essoufflé, trempé de sueur, mais content d'être là, le Râjâ grimpa au sommet du mégalithe. Bien assis sur son observatoire, il scruta attentivement la forêt alentour, mais n'y détecta aucune présence. En espérant l'arrivée prochaine de Misis, il soupira, puis leva les yeux pour admirer la lune.

Pendant qu'il contemplait le ciel, la voix enveloppante de Sénosiris vint, comme dans un rêve, lui murmurer à l'oreille une de ses fameuses histoires. Durant toute son enfance, les récits fabuleux de l'Égyptien avaient accompagné leurs nuits tandis qu'ils admiraient les étoiles. Chaque point lumineux dans le ciel avait sa propre légende, et c'était avec un plaisir évident que Sénosiris lui avait narré tous ces mythes. Grâce à l'habile pédagogie de son ami, le Râjâ connaissait aujourd'hui presque toute la voûte céleste et arrivait à nommer les étoiles avec facilité. Comme s'il s'agissait d'un gigantesque roman dans le ciel, le garçon pouvait lire le déplacement des astres et constater les effets de ces mouvements. Sans le savoir, il était devenu, grâce aux enseignements de Sénosiris, un astronome aguerri.

Ce fut ainsi que le Râjâ, en observant un amas de lointaines étoiles, se rappela la première fois où l'Égyptien lui avait conté la création du monde. La nuit était pareille à celle-ci, froide et claire, et une gigantesque lune ronde éclairait les montagnes environnantes.

– Tout ce que tu vois dans les cieux et sur la terre, mon jeune ami, est la création de Noum. C'est grâce à lui que la vie existe, car c'est par sa volonté que nous sommes ici. Mais détrompe-toi, car Noum n'est pas un être vivant comme toi et moi… Non… il est plutôt un gigantesque océan au sein duquel circule la vie. Tu te rappelles du Nil, oui? Eh bien, le Nil, ce grand fleuve de mon pays dont je t'ai souvent parlé, est une toute petite partie de cette étendue infinie qu'est le Noum! C'est de là qu'a émergé le grand Atoum, le premier dieu, notre soleil! Et la lune… eh bien, la lune…

Le Râjâ fut soudainement dérangé dans ses rêveries par un bruit lointain. Aussitôt, il scruta la nuit dans l'espoir de voir son amie. Au loin, une faible lumière provenant sans doute d'une lampe à huile progressait lentement vers le mégalithe. C'était bien Misis qui, terrorisée par les ombres autour d'elle, appelait Pan de sa petite voix. Tout comme lui, elle avait tenu parole.

Afin de la guider vers lui, le Râjâ sortit sa flûte et commença à jouer une douce mélodie. Aussitôt, Misis se détendit et elle comprit que son protecteur était là, qu'il l'avait bien vue et qu'elle était attendue. Maintenant, il n'y avait plus de raison d'avoir peur.

– C'est Pan, c'est bien lui…, se dit-elle afin de se rassurer complètement. Pan est avec moi et tous les animaux lui obéissent. Les loups ne m'attaqueront pas et aucune créature de la nuit n'osera s'approcher de moi.

Misis suivit la mélodie et se retrouva bien vite au point de rendez-vous. Le Râjâ descendit en quelques bonds pour accueillir son amie et celle-ci se jeta spontanément à son cou.

– Je suis si heureuse de te voir, Pan ! s'exclama-t-elle en le serrant dans ses bras. Je savais que tu viendrais… je savais que tu tiendrais ta promesse. Je me suis demandé longtemps si tu te souviendrais de moi et de notre aventure ! Tu sais, j'avais un tel doute que j'ai failli ne pas venir. Et puis, j'ai pris mon courage à deux mains, et me voilà récompensée !

Le Râjâ sourit, il était heureux. Pour la première fois de sa vie, il avait entre les bras le corps fragile d'une inconnue. À part celle d'Électra et de Sénosiris, il n'avait jamais ressenti aussi directement l'affection d'une autre personne à son égard. La douce chaleur de l'amitié et l'heureux contact du corps de l'autre étaient tout nouveaux pour lui. À cause de son statut social, mais surtout de ses poils et de son allure repoussante, les gens s'éloignaient plus facilement de lui qu'ils ne s'en approchaient.

Grisé par ce moment de grâce, le Râjâ resserra son étreinte et savoura pendant quelques secondes encore la tendresse de Misis à son égard. Cet unique moment justifiait à lui seul la course effrénée qu'il avait faite dans les bois.

– Si tu savais ce que j'ai dû faire pour tromper la vigilance de mon père ! lui avoua Misis en se détachant doucement de lui. Depuis que je me suis perdue dans la forêt, il n'arrête pas de surveiller mes moindres mouvements. On dirait qu'il a peur que je me volatilise encore une fois ! Mais, écoute bien cela, je crois avoir été assez maline ! Pour m'échapper de la maison, j'ai manigancé un plan avec mon petit frère. Comme je partage une chambre avec lui, je lui ai donné des galettes et des gâteaux sucrés afin qu'il ne dise rien à mes parents, et je suis sortie dès qu'ils se sont couchés. Il en a tellement mangé qu'à mon retour je suis certaine qu'il aura vomi partout sur ses couvertures ! En fait, l'important, c'est qu'il ne parle pas. Et toi, tu as aussi menti à tes parents pour venir me rejoindre ?

Le garçon fit un léger signe affirmatif de la tête. Il aurait bien aimé expliquer à Misis toute son histoire, mais comme elle ne connaissait pas le langage des signes, il en aurait pour toute la nuit.

– Mais… tu es un dieu ! fit soudainement Misis. Alors, tu ne dois pas avoir de parents !

Encore une fois, le garçon fit oui de la tête.

– Je ne savais pas que les dieux avaient des parents! s'exclama-t-elle en rigolant. C'est plutôt logique… Mais qu'importe! Regarde ce que j'ai apporté!

Misis sortit d'un sac de tissu quelques grosses galettes.

– Et je tiens à préciser que c'est moi qui les ai faites! lança-t-elle fièrement. Tu veux qu'on les partage? Je dois t'avouer que la petite randonnée m'a creusé l'appétit… J'ai aussi apporté de l'eau et du lait de brebis! C'était très beau, ce que tu jouais à la flûte! Après avoir mangé, tu me joueras un autre air?

Le Râjâ fit signe qu'il acceptait volontiers de partager la collation. Après la course qu'il venait de faire, cet encas était tout à fait bienvenu.

Les enfants partagèrent le goûter et le Râjâ joua ensuite quelques airs de syrinx. Misis se laissa bercer un moment par la musique, puis, brusquement emportée par une irrépressible envie de bouger, elle l'interrompit.

– C'est très beau, ce que tu joues, mais à mon tour maintenant de te montrer mes talents! Je vais t'enseigner une danse traditionnelle d'Odessos… Ensuite, tu l'exécuteras avec moi! Viens, tu vas voir, c'est facile!

La fillette fit quelques pas en imitant avec sa bouche le son du tambour.

– Pan, pan, pan et… ta, ra, pan-pan! C'est vraiment simple, comme tu peux le constater. Un vrai jeu d'enfant! Regarde bien, je le refais!

Misis s'exécuta, puis invita son ami à danser avec elle. En essayant de suivre le rythme, celui-ci s'empêtra dans ses propres pieds et tomba lourdement sur le sol, entraînant sa partenaire. Sous le clair de lune, le Râjâ eut pour la première fois de sa vie un fou rire si intense qu'il crut ne jamais s'en remettre. Le garçon, hilare, était incapable de reprendre son souffle. Cet incident cocasse fit aussi rire Misis aux larmes.

– Je n'ai jamais vu un aussi mauvais danseur, Pan! s'exclama-t-elle. Heureusement que tu joues mieux de ta flûte que tu ne danses… Moi qui te croyais habile! C'était pourtant simple, ces pas! Pan, pan, pan et… ta, ra, pan-pan!

Relancé dans son fou rire, le Râjâ aurait souhaité que ce moment magique ne s'arrête jamais. Malgré l'air frisquet de la nuit, il y avait une telle chaleur humaine entre les deux jeunes amis qu'elle aurait pu faire éclore les fleurs du printemps. Le garçon nageait dans un doux bonheur enivrant.

Ce fut ainsi que se déroulèrent les quelques heures qui célébraient ce premier rendez-vous. Sous la lumière de la lune, entre les rires et les jeux, le temps s'écoula à la vitesse de l'éclair. Ce fut au petit matin que Misis, sans enthousiasme, annonça à son ami qu'elle devait rentrer chez elle.

À ce moment, le Râjâ sortit de son sac le magnifique diadème volé à Veliko Tarnovo et le déposa entre les mains de la jeune fille.

– C'EST POUR MOI ?! fit-elle, complètement renversée par la splendeur du présent. C'est vraiment pour moi ? C'est le plus beau cadeau que j'ai reçu de toute ma vie ! Mais moi, je n'ai rien pour toi ! Attends, prends mon foulard, il te portera bonheur !

Le garçon accepta le cadeau avec plaisir. Il le porta à son nez et respira l'odeur de son amie. En souvenir de cette magnifique soirée, ce bout de tissu en laine était tout à fait à propos.

– Au revoir, Pan ! dit la jeune fille avant de prendre la route. Tu veux jouer de ta flûte pendant que je marche vers la ville ? Cela me rassurerait… On se revoit à la prochaine pleine lune, Pan ?

Aussitôt, le Râjâ acquiesça de la tête et porta l'instrument à ses lèvres. Tout en jouant, il la regarda s'éloigner. Lorsque la faible lumière de la lampe à huile disparut à l'horizon, il cessa de jouer et rangea sa syrinx. Encore sous le charme de cette soirée, il respira le doux parfum du foulard de Misis.

Tout comme elle, le bout d'étoffe sentait le lait de chèvre et le muguet.

VII

Dans son atelier, Sénosiris prit un des rouleaux que lui avait laissés son défunt maître et s'installa pour en faire la lecture. Il alluma quelques lampes à huile et posa ses yeux sur les hiéroglyphes. Il connaissait par cœur l'histoire qu'il s'apprêtait à lire. Il l'avait parcourue des dizaines de fois déjà, et racontée en boucle pendant des années au jeune Râjâ. Mais chaque nouvelle lecture de ce récit fondateur de l'Égypte lui faisait voir et comprendre de nouvelles choses. Il le redécouvrait toujours avec bonheur.

– « Ce fut grâce à la lumière de la lune que Thot, grand dieu de la science et gardien du savoir, permit la naissance d'Osiris, lut-il à haute voix. C'est à Thèbes, des entrailles de Nouît, déesse de la terre, que le plus grand des rois vit le jour. Les oiseaux du ciel annoncèrent son arrivée en chantant que le maître de toutes choses était enfin apparu à la lumière. Ce fut ainsi que les hommes découvrirent un colosse trois fois grand comme un humain, aussi beau que le soleil couchant et dont la peau avait la couleur ainsi que la texture du sable fin. Des cris de joie retentirent sur toute la terre, et ce fut à Pamylès, un sage bon et généreux, que les dieux confièrent la tâche d'éduquer le nouveau bienfaiteur de l'univers. »

Sénosiris sourit. Il allait bientôt revoir cette ville au nom si évocateur. Thèbes la puissante, celle qui unit le nord au sud, le point de jonction entre la Basse et la Haute-Égypte. Oui, il allait enfin pouvoir admirer de nouveau les sculptures du temple et la statue du grand héros Séqénenrê Taâ II. Rêveur, il se replongea dans son texte.

– « Les jours qui suivirent la naissance d'Osiris, Nouît donna également naissance à Harvêris, à Seth, puis à la magnifique Isis, et finalement à Nephtys. Lorsque Osiris vit sa sœur Isis pour la première fois, il sut immédiatement qu'ils étaient faits l'un pour l'autre. Tout de suite, il l'aima comme les fleurs aiment la pluie, comme les arbres aiment la brise du vent dans leur feuillage. Et il en fut de même pour Isis qui reconnut en son frère l'image même de la bonté. »

L'Égyptien arrêta sa lecture une seconde fois et pensa à la reine. Tout comme Osiris découvrant avec délice la beauté de sa sœur, il avait lui aussi goûté à cette extase alors qu'il sauvait, quatorze ans plus tôt, Électra de la noyade. Malgré son jeune âge, il l'avait tout de suite trouvée désirable. Depuis ce jour, son attirance pour elle n'avait qu'augmenté. Lucide malgré tout, Sénosiris savait toutefois qu'elle ne serait jamais sienne. Résigné, il baissa les yeux sur le papyrus.

— « Ensemble, le couple enseigna aux hommes tout ce qu'il savait des mystères de la vie. Tous deux leur montrèrent même à mesurer le temps en le divisant en jours, en mois, et aussi en années. Puis, avec l'aide de Thot, ils transmirent aux habitants du Nil la science qui permet de fixer la parole dans la pierre ou sur un papyrus. Ce fut ainsi que, grâce à leur générosité, l'écriture naquit en Égypte et que les hommes purent garder la mémoire de ce qui avait été dit ou fait dans le passé. »

Sénosiris s'interrompit, cette fois à cause d'un petit bruit à l'étage au-dessus de son atelier. L'Égyptien fit une pause de quelques secondes pour écouter, mais comme il n'entendit plus rien d'anormal, il reprit son activité. Il imputa le bruit à un chat errant ou à quelque souris maladroite.

— « Une fois son peuple instruit, jugeant sa tâche terminée, Osiris laissa ses sujets aux bons soins de la belle Isis et décida d'aller conquérir le monde. Il leva une grande armée et s'en fut dans les royaumes voisins afin de les soumettre. Mais Osiris n'utilisa jamais la force ou la violence pour asservir les peuples hostiles des contrées barbares environnant les terres fertiles du Nil. Il les gagna par la douceur et utilisa sa magnifique voix afin de les persuader de laisser tomber les armes et de se joindre aux Égyptiens dans leur quête de dépassement. Ce fut ainsi qu'il reçut le nom de Ounnefer, celui qui travaille pour le salut des humains. Grâce à ses efforts, à son calme et à la sagesse de ses enseignements, Osiris réussit à civiliser tous les pays et à transformer les hommes de guerre en serviteurs de la paix. Mais lors d'une grande fête tenue afin de célébrer son retour au bercail, le vilain Seth s'empara du trône d'Osiris. En utilisant un subterfuge, il força Osiris à prendre place dans un magnifique coffre, savamment décoré et sculpté de main de maître, puis referma le couvercle sur son frère. Ses sbires coulèrent du plomb fondu dans l'interstice afin de sceller définitivement la prison, puis ils lancèrent le coffre dans le Nil pour qu'il fût entraîné vers la mer. Devant ce malheur, Isis déchira ses beaux vêtements, se rasa la tête en signe de deuil et commença ses recherches pour retrouver le grand Osiris, la perle de l'Égypte. Ainsi commença la quête d'Isis... »

— Je te dérange, Sénosiris? dit soudainement une voix derrière l'Égyptien.

Concentré sur son texte, le conseiller sursauta en poussant un léger cri de surprise. Il tourna tout de suite la tête et vit Électra qui s'avançait vers lui.

— Non... non, ma reine, vous ne... vous ne me dérangez pas..., balbutia-t-il en essayant le mieux possible de cacher son trouble. Je relisais simplement une vieille histoire de mon pays... mais je dois avouer que vous m'avez surpris! Je ne vous croyais pas capable d'une telle discrétion... Vous faites à peine plus de bruit qu'un chat!

— Désolée, je ne voulais pas te surprendre, s'excusa la reine. Mais je dois dire que le spectacle de ton air ahuri en valait la peine! Je crois bien que c'est la première fois que je te vois aussi... vulnérable. Que lisais-tu, mon cher Sénosiris?

Électra posa la main sur l'épaule de l'Égyptien et se pencha vers lui. Un frisson, comme une décharge électrique, fit quelques allers-retours sur la colonne vertébrale du conseiller. Rarement Électra avait-elle été aussi familière avec lui.

— Que raconte cette histoire? Toi seul sembles capable de déchiffrer tous ces symboles étranges, fit-elle en regardant la série de hiéroglyphes. Je ne comprends pas comment tu réussis ce prodige!

— Alors, laissez-moi le privilège de vous lire le papyrus!

— Ce sera avec plaisir. J'ai bien besoin de compagnie ce soir.

Sénosiris prit un moment pour installer confortablement la reine dans un fauteuil de cuir et commença à traduire le conte en langue thrace. Il fit une pause à l'endroit même où il s'était interrompu lorsque Électra avait fait irruption dans la pièce et chercha son assentiment du regard. Aimait-elle cette histoire ou non? Devait-il continuer sa narration ou lui lire autre chose?

– C'est joli… c'est très joli comme récit, dit la reine en voyant le regard interrogateur de son conseiller. Et Isis, elle retrouve son Osiris à la fin? Ne me dis pas que c'est une histoire d'amour qui se termine mal?!

– Cela dépend des versions, répondit l'Égyptien en haussant les épaules. Chez certains conteurs, Osiris est démembré par Seth et son corps est répandu, morceau par morceau, dans toute l'Égypte. Dans cette version, Isis récupère toutes les parties de son amant et reconstitue son corps. Incapable de le ramener à la vie, elle lui insuffle juste assez de force afin qu'il lui fasse un enfant qui s'appellera Horus. Par contre, dans d'autres versions, on ne retrouve jamais le corps d'Osiris, et la quête d'Isis ne prend jamais fin.

– Mais quelle est la bonne fin, dans ce cas? Il doit bien y avoir une bonne et une mauvaise version, non? Un même récit ne peut pas se terminer de deux façons différentes!

– Il n'y a pas de bonne ou de mauvaise fin à cette histoire, chère Électra, il n'y a que l'enseignement qu'elle nous dicte, qui est important.

La reine, surprise par cette réponse, se tut quelques instants pour mieux réfléchir.

– Et toi, Sénosiris, qu'est-ce que cette histoire peut bien t'apprendre?

– Plusieurs choses, bien sûr! fit le conseiller, enchanté par la question. J'y comprends que la bonté et la générosité ne sont pas toujours récompensées à leur juste valeur. Et aussi que la jalousie et la haine sont toujours là, tapies dans l'ombre, à attendre le bon moment pour détruire les hommes de bien…

– Hum, pas mal!

– Et vous, Électra, vous y voyez quelque chose?

– Pour moi, cette histoire nous enseigne que l'amour d'Isis pour Osiris est très fort et que sans lui, elle ne peut pas vivre… Ils sont les moitiés d'une même force et, une fois séparés, eh bien, ces deux individus n'existent plus.

– Intéressant. Je n'avais jamais lu ce récit sous cet angle, s'étonna l'Égyptien. Jamais je n'aurais pensé à le voir d'abord comme une histoire d'amour.

– C'est parce que tu es un homme, Sénosiris, le taquina la reine, et que les hommes sont souvent aveugles à ces choses. Je suis certaine que ton Osiris ne savait même pas à quel point Isis l'aimait.

– Sans doute avez-vous raison… Les hommes sont moins sensibles à ce genre de choses. En fait, la plupart des hommes, j'entends…

– La plupart des hommes, mais pas toi ?

– Enfin, disons que… que j'ai beaucoup de travail, fit timidement Sénosiris.

Un silence embarrassant se glissa dans la pièce. Électra se leva alors de sa chaise et fit quelques pas dans la grande pièce du laboratoire.

– C'est très en désordre ici ! lança-t-elle d'un ton moqueur. Il y a de la poussière partout !

– Oui… en effet, j'en conviens…, admit l'Égyptien. Mais avec le voyage qui se prépare, je n'ai pas eu beaucoup de temps pour nettoyer. Si vous m'aviez annoncé préalablement votre venue, j'aurais demandé à mes serviteurs de rendre l'endroit plus accueillant ! Je suis désolé de…

– Ce n'est rien, voyons ! Je te taquinais ! Tu sais, je ne suis pas ici pour inspecter les lieux…

– Ah non ? fit Sénosiris d'un ton faussement surpris. Pourquoi êtes-vous venue me voir, dans ce cas ?

– Je viens te rendre visite pour te parler du Râjâ, car… je suis un peu inquiète pour mon fils.

– Que se passe-t-il ?

– La pleine lune semble avoir un effet dévastateur sur lui… On dirait qu'elle lui vole toute son énergie.

– Précisez.

– Aujourd'hui sera le quatrième mois où je le retrouve dans un état pitoyable, lui confia la reine. Le matin suivant la pleine lune, le Râjâ n'arrive pas à sortir du lit et semble totalement épuisé. On jurerait qu'il a couru toute la nuit ! Souvent, il dort pendant deux jours entiers avant de se remettre sur pied. Et jusqu'à la prochaine pleine lune, je le sens lointain et absent lorsque je vais le voir… Je le trouve mélancolique et distrait.

— Et Phoebe, que dit-elle de ce comportement?

— Elle en est ravie! s'exclama Électra. Mon fils n'essaie plus de la mordre ou de s'enfuir, et elle applaudit sa nouvelle conduite. Cependant, je sais que ce n'est pas normal… Un enfant ne devient pas adulte du jour au lendemain, même s'il est aussi différent des autres que le Râjâ! À vrai dire, il ne se comporte pas comme un adulte, mais plutôt comme… j'ose à peine le dire… comme s'il était amoureux. Pourtant, il ne voit personne et n'a pas d'amie dans la ville! De qui pourrait-il bien être amoureux?

— Hum! hum!…, fit Sénosiris, songeur. Disons simplement que Phoebe n'est pas reconnue pour la qualité de son jugement… À votre place, je ne me fierais pas à elle. Mais en ce qui concerne les agissements étranges du Râjâ, désirez-vous que j'enquête pour savoir s'il voit quelqu'un en cachette ou s'il…

— Non, non! Ne te dérange pas pour cela…, l'interrompit Électra. S'il est vraiment amoureux, il sera humilié de se voir percé à jour et cela n'améliorèra pas ma communication avec lui.

— En effet, je crois aussi que c'est plus sage d'attendre un peu. Tant qu'il n'est pas malade! La mélancolie n'a jamais tué personne, autant que je sache…

— Je me suis dit que c'était peut-être le voyage en Égypte qui le rendait ainsi… ou simplement que… Comment te dire?

Électra fit une pause pour remettre ses idées en place.

— Tu vois, Sénosiris, continua-t-elle, depuis que j'ai eu cet enfant, tu as agi comme un père envers lui. En plus d'être son professeur, son mentor, son grand frère et son meilleur ami, tu es également un modèle pour lui. Depuis quelques mois, eh bien, j'ai l'impression que tu es moins attentif à ses besoins… et, par conséquent, je pense qu'il se sent seul… C'est peut-être de là que vient sa mélancolie.

— Oh, je vois. Pourtant, je le rencontre régulièrement pour lui donner son cours de langue égyptienne, et je n'ai pas remarqué de changement majeur. Il est toujours aussi vif d'esprit et…

– C'est parce qu'il est avec toi, l'interrompit la reine. Sans ta présence quotidienne, j'ai bien peur qu'il n'ait plus de repères… qu'il soit perdu.

Sénosiris baissa la tête et se mordit la lèvre de remords.

– Vous avez raison, Électra, dit-il, je l'ai négligé… J'aurais dû être plus attentif à lui, mais depuis ces derniers temps, l'expédition vers mon pays a pris toute la place.

– Je comprends, Sénosiris, dit la reine en dénouant ses longs cheveux de jais. Ce doit être extraordinaire de penser que, bientôt, tu reverras ton pays, parleras ta langue et pourras manger ces petits fruits noirs sucrés dont tu me parles si souvent…

– Des dattes ! rigola l'Égyptien. Ce sont des dattes séchées, et je promets de vous en rapporter. Elles se conservent très longtemps.

– Et si tu ne revenais pas…

– Mais… mais je…, hésita Sénosiris. Mais je vais revenir, je le promets !

– Tu es trop intelligent pour ne pas voir que mon petit royaume aux frontières fermées n'a plus beaucoup à t'offrir. Les possibilités seront nombreuses pour toi en Égypte, et je suis certaine que ton roi fera l'impossible pour te retenir. Il t'offrira de l'or et des femmes, du pouvoir, des bibliothèques pleines de ces rouleaux que tu aimes tant…

– Ne dites pas ces choses, répondit l'Égyptien, inquiet. Je serai avec votre fils, le Râjâ, et je le ramènerai à Veliko Tarnovo, je le jure !

– Chez les loups, continua Électra, solennelle, en détachant lentement son corsage, il n'y a qu'une façon de fidéliser la meute à la bête dominante… De même, je crois qu'il n'y a qu'une façon d'attacher Sénosiris à Veliko Tarnovo et à sa reine. Je t'ai souvent vu me regarder. J'ai vu tes yeux caresser mes cuisses et mon ventre… j'ai aussi senti ton cœur battre plus rapidement à mon approche. Je sais ce qui bout en ton âme et pourquoi tu refuses les avances de toutes les jeunes femmes de ce royaume. Je sais ce que tu veux, Sénosiris, et c'est mon corps que tu désires…

– Attendez, je… je ne suis pas un être dominant, comme vous le dites… D'ailleurs, je ne suis pas digne de vous, de votre grâce et de votre beauté. Et bien que je me consume d'amour pour vous depuis de nombreuses années, je vous jure que je vais revenir d'Égypte… Vous n'avez pas à vous abaisser à faire des… des choses que… des choses que vous pourriez regretter plus tard.

– Dans la meute, expliqua Électra en retirant complètement sa robe, c'est la femelle qui choisit de s'unir à un loup. C'est elle qui se donne à celui qu'elle juge en mesure de commander les autres et d'élever sa progéniture. Lorsque la femelle s'offre au mâle, ils s'unissent dans un serment d'amour que seule la mort peut rompre. Je me suis donnée une fois et je suis prête aujourd'hui à m'offrir une seconde fois. Je m'offre à toi parce que tu es celui avec qui je désire le plus au monde gouverner ce royaume. La question est simple, Sénosiris : acceptes-tu de me faire l'amour et de former un couple avec moi, et de m'accompagner jusqu'à la mort ?

Sénosiris se leva doucement de son siège, fit un pas en avant, puis posa délicatement la main sur la hanche nue de la reine. Depuis des années, l'Égyptien avait souhaité voir ce jour arriver, mais il n'avait jamais cru qu'il le vivrait enfin. Il avait toujours vécu seul et s'efforçait d'oublier Électra en se plongeant dans le travail. Mais aujourd'hui tout allait basculer. Il allait devenir la bête dominante de la meute, celle qui partage ses nuits avec la louve. Pour lui, il n'y avait pas de femme plus belle, plus intelligente et plus désirable qu'Électra dans tout le royaume.

– Je vous désire depuis mes quatorze ans, Électra…, lui avoua l'Égyptien en posant son autre main sur le corps brûlant de la reine. Depuis le jour où je vous ai sortie des eaux froides de la rivière, j'ai su que je n'aimerais jamais une autre femme que vous… Votre corps me hante… je me consume pour vous…

– À ton retour d'Égypte, tu deviendras le nouveau roi de Veliko Tarnovo et tu siégeras à mes côtés pour diriger notre destinée. Jusqu'à notre mort, il n'y aura pas d'autre femme que moi dans ta vie, et je me réserverai uniquement pour toi. Nous créerons cette nuit le lien sacré… celui du loup et de sa femelle.

– Ainsi, vous serez certaine que je reviendrai, c'est bien cela ? N'est-ce là qu'un moyen comme un autre de vous assurer de mon retour ?

– Non, mon bel Égyptien, sourit Électra. J'attendais que tu sois plus vieux, plus mature et plus solide. Il y a longtemps que je t'ai choisi, moi aussi.

– Voilà le meilleur argument possible…

– Après cette nuit, je saurai que malgré l'éloignement, la fatigue et les tentations du voyage, tu seras de retour pour moi, pour le royaume, mais surtout pour l'enfant qui grandira dans mes entrailles…

– Ma reine… Électra, ma reine…, fit Sénosiris, emporté par la volupté de ce moment magique. Mon âme et mon cœur sont à vous depuis toujours… Voilà pourquoi vous n'aviez pas à craindre de me perdre. Je serais revenu sans même une promesse de votre part. J'aurais pris le chemin du retour simplement pour avoir la chance de vivre à vos côtés, tout en rêvant, sans y croire, à ce jour béni.

Électra sourit.

La reine retira un à un les vêtements de son conseiller, et les deux corps s'unirent l'un à l'autre.

VIII

C'était déjà la sixième pleine lune depuis que le Râjâ avait revu Misis pour la première fois. Et, chaque fois, le garçon avait honoré sa promesse. La magie de ces rencontres près du mégalithe était presque irréelle. Le Râjâ en revenait heureux, troublé, mélancolique et impatient d'y retourner. Avec son amie, il riait, s'amusait, dansait et jouait de la musique toute la nuit. Ensemble, ils partageaient toujours une collation avant de se lancer dans des jeux d'exploration nocturne ou d'entamer de romantiques balades sous la lumière blanche et claire de la lune. Parfois, il arrivait même au jeune Râjâ de prendre la main de Misis, et celle-ci se laissait faire sans protester. Pour lui, il n'y avait rien de plus extraordinaire à vivre que ces moments bénis auprès de son amie.

Encore une fois, en cette nuit de pleine lune, la sixième de l'année, il allait courir comme un fou dans les bois pour ne pas manquer ce précieux rendez-vous. Le garçon connaissait maintenant le chemin défilant entre les arbres vers Odessos et ne perdait plus de temps à s'orienter. Comme toutes les fois où il allait rencontrer Misis, le Râjâ portait dans son sac un bijou à lui offrir. Cette fois, il s'agissait d'une bague large sans finesse apparente, mais impressionnante parce qu'elle était ornée d'une pierre rouge particulièrement lumineuse. Il l'avait volée dans les affaires personnelles de Phoebe. Le Râjâ avait remarqué que sa grosse gouvernante ne la portait plus depuis qu'elle s'était fait rosser par la femme du boulanger.

Cette histoire avait fait le tour de la ville et chacun s'amusait à la raconter à sa façon. Le Râjâ l'avait entendue de la bouche de deux cuisiniers du palais. Les hommes riaient aux éclats en relatant l'aventure de la grosse femme qu'ils considéraient davantage comme une truie en chaleur que comme une personne réelle. Ceux-ci disaient que la femme du boulanger, ayant surpris son mari en train de batifoler dans la farine avec la grosse nourrice, avait attaqué sauvagement les amants à grands coups de bâton. L'homme, paniqué, avait essayé de se sauver, mais comme il avait le pantalon baissé, il avait trébuché pour atterrir la tête la première dans son four. Sa femme l'avait ensuite maintenu dans cette fâcheuse position en lui assenant des coups au derrière. Finalement, le boulanger infidèle s'était extirpé de ce piège, mais était devenu complètement chauve et sévèrement brûlé au visage. Quant à Phoebe, elle avait ensuite reçu une raclée dont elle se souviendrait longtemps. L'oreille presque arrachée, les lèvres fendues et couverte d'égratignures, la grosse était rentrée en hurlant au palais. La gouvernante avait passé les portes complètement nue, ses deux énormes seins ballottant comme les testicules d'un cheval au galop. Les gardes avaient dû lui jeter quelques seaux d'eau glacée afin qu'elle recouvre ses esprits. Scandalisée par les rires des soldats qui se moquaient d'elle, Phoebe était vite retournée à ses appartements et avait enlevé de son doigt la bague à la pierre rouge. Était-ce un cadeau du boulanger pour la remercier de ses bons services, ou un bijou qui lui rappellerait à tout jamais cette mauvaise journée? Peu importe, elle l'avait enlevée pour ne plus jamais y toucher. Toujours à la recherche d'un présent pour Misis, le Râjâ avait remarqué cet accessoire et s'était bien vite chargé de le faire disparaître des objets personnels de sa gouvernante.

En courant à toute vitesse en direction d'Odessos, le garçon s'assura qu'il n'avait pas perdu le précieux bijou. Il glissa la main dans son sac et toucha l'objet. Il était bien là. Plus qu'à ses autres visites au mégalithe, le Râjâ se devait d'offrir un magnifique cadeau à son amie. Tout était prêt, à Veliko Tarnovo, pour son long voyage vers l'Égypte, et Misis ne devait pas l'oublier pendant son absence. Bien qu'au fil de leurs rencontres les deux enfants eussent établi des méthodes de communication, le garçon savait qu'il aurait du mal à expliquer à la fillette son absence au cours des prochains mois.

Comment allait-il lui faire comprendre qu'il devait partir? Voilà la question que le Râjâ se posait en courant entre les arbres.

Et plus il avançait dans le territoire des Thraces d'Odessos, moins il avait de réponse. Il se devait pourtant d'informer Misis de ce voyage afin, surtout, qu'elle ne risque pas, le mois suivant, une périlleuse promenade au clair de lune.

Absorbé dans ses pensées, le Râjâ ne vit pas la silhouette d'un homme fonçant à toute allure vers lui. Rapide comme l'éclair, l'étranger le plaqua violemment par le flanc. Le garçon fut projeté dans les airs, et sa course se termina abruptement contre le tronc d'un arbre. Le souffle coupé, il demeura immobile sur le sol, en proie à une vive douleur. Le Râjâ sentit alors le poids d'une arme se poser sur sa gorge. Instinctivement, il montra les dents et grogna. Mais la démonstration n'impressionna pas l'agresseur qui appuya un peu plus sur son épée. Désavantagé par sa position, le Râjâ comprit vite qu'il valait mieux rester calme et immobile. Il détendit ses muscles et tourna la tête vers le mystérieux inconnu.

Dans un rayon de lune, le garçon aperçut la figure rabougrie d'un vieil homme aux dents dorées. Celui-ci le maintenait au sol à l'aide d'une longue lance munie d'une lame. Le vieillard, dont les yeux semblaient percer les ténèbres, souriait avec arrogance. Comme un chasseur au-dessus de sa proie, il célébrait par ce sourire sa supériorité sur le Râjâ. Cette attitude déplut singulièrement au garçon qui empoigna l'arme du vieux et essaya de se libérer. D'un mouvement étonnamment rapide pour un homme de son âge, celui-ci en profita pour glisser une corde munie d'un nœud coulant autour du cou du captif. Il lança ensuite la corde au-dessus d'une branche, puis hissa brutalement le Râjâ vers le haut. Prisonnier, le pauvre garçon n'eut pas le choix de se mettre debout. Bien décidé à ne pas se faire pendre, il tenta de s'extraire du piège, mais un violent coup de bâton sur la tête le ramena à l'ordre. Une nappe de sang inonda son visage. Presque assommé, blessé et maintenant en déséquilibre sur la pointe des pieds, le Râjâ comprit qu'il venait de perdre cette bataille et que le prochain faux mouvement pourrait signifier sa mort. Le vieil homme n'avait plus qu'à faire un geste pour le tuer. Le garçon se calma donc et renonça à toute tentative de fuite. Cette nouvelle attitude allait peut-être lui sauver la vie.

– *Clak tui!* s'éclama l'homme dans une langue que le Râjâ n'avait jamais entendue. *Soy* Nosor Al Shaytan, *tar sigomès! Si, si, ty val huis képz!*

Le vieillard empoigna solidement le Râjâ par la gorge et le souleva de terre à la force de son bras. Cet homme avait une puissance physique extraordinaire, voire surnaturelle. Toujours d'une main, il le brandit au-dessus de sa tête. Ce fut alors que le Râjâ, étouffé et paralysé par la douleur, ferma les yeux. Au même moment, il entendit la douce voix d'une femme lui parler à l'oreille.

– Un jour, tu viendras à moi…, lui murmura-t-elle, et je serai là pour toi. Je serai prête à t'accueillir afin que ton règne débute… Je dois terminer ce qui a été commencé… Comprends-tu ce que je te dis?

Avant qu'il puisse s'expliquer quoi que ce fût, le Râjâ se retrouva le nez dans la poussière. Le vieil homme avait enfin abandonné sa prise et retirait maintenant la corde de son cou.

– Va et apprends…, continua la voix féminine qui semblait émaner de la forêt tout autour de lui. J'attendrai ton retour afin que le roi des rois puisse s'installer sur son trône… Et les enfants de Börte Tchinö pourront enfin avoir une place dans ce monde…

Prostré, et trop heureux de respirer enfin, le garçon essaya de se remettre sur ses pieds, mais il en fut incapable. Le bâton du vieillard le maintenait au sol.

– Cesse de bouger et écoute-moi, il en va de ton avenir, lui chuchota la voix d'un ton ferme. Tu n'iras pas à Odessos ce soir… Cette nuit est trop dangereuse pour toi, tu pourrais mettre en péril ta destinée et, du même coup, des centaines d'années de travail de la part de mes sœurs… Ne t'inquiète pas, la petite comprendra… elle ne t'en tiendra pas rigueur… Retourne chez toi et prépare ton voyage vers le soleil du sud… Quand tu reviendras, nous serons prêts pour toi.

D'un coup, le Râjâ sentit la pression qui le retenait par terre disparaître. Tant bien que mal, il se releva pour constater avec étonnement qu'il était seul dans les bois. Il n'y avait plus personne autour de lui. Alors même qu'il pensait avoir rêvé, une dernière phrase parvint à son oreille.

– Je t'attendrai… j'attendrai le jour où tu auras besoin de moi… *Soy* Nosor Al Shaytan, *tar sigomès! Ty val huis képz!*

Le Râjâ s'adossa à un arbre et mit quelques secondes à remettre ses idées en place. Que s'était-il vraiment passé? Et qui était cet homme étrange qui parlait avec la voix d'une femme? Pourquoi ces avertissements? Et comment connaissait-il Misis?

Cette rencontre mystérieuse soulevait trop de questions pour être prise à la légère. Dans d'autres circonstances, le Râjâ ne se serait pas soucié de cet avertissement et aurait malgré tout couru de toutes ses forces vers son amie. Mais cette fois, il était blessé au visage, et la collision contre l'arbre lui avait enlevé toute envie de courir. Les muscles de son dos et de ses jambes, ainsi que son épaule le faisaient horriblement souffrir. Peut-être valait-il mieux se fier à l'avertissement et ne pas se rendre à Odessos? Cependant, il y avait cette bague qu'il désirait offrir à Misis et qu'il…?!

Le Râjâ fouilla son sac, mais il ne trouva rien. Le bijou avait disparu! Le sale vieillard aux dents dorées lui avait sans doute volé son précieux cadeau! Le garçon s'était fait plumer et ne s'en était même pas aperçu. Trop concentré sur la voix de la femme et pas assez sur son aumônière, il s'était fait dérober la précieuse bague.

Pendant qu'il rageait et pestait contre son agresseur, le Râjâ remarqua à peine que le soleil était déjà en train de se lever. Les oiseaux tout autour de lui avaient entamé les premières notes de leurs chants matinaux et l'horizon commençait à se teinter de rouge et de jaune. La nuit était donc terminée? Mais c'était impossible! Comment s'était-elle aussi vite envolée? Le vieillard qui l'avait agressé et volé ne pouvait sûrement pas contrôler le temps! Non, ce devait être une erreur, mais une erreur de qui? Du temps? Des dieux?

Le cœur serré et l'âme troublée, le Râjâ en vint rapidement à la conclusion qu'il avait définitivement raté sa dernière rencontre avec Misis et qu'il devait vite rentrer à Veliko Tarnovo. C'était à n'y rien comprendre! Et pourtant, c'était bien ce qui était arrivé; il avait passé la nuit entière avec le vieillard sans s'en rendre compte! Non, pensa-t-il en regardant la lumière inonder la forêt de seconde en seconde. Il avait dû perdre l'équilibre dans sa course folle pour ensuite frapper le tronc d'un arbre. Inconscient, il avait ensuite dû rêver toute la scène du vieil homme, de la corde et de la voix de femme. Mais cela n'expliquait pas la disparition de la bague ! À moins que…

Un rayon de soleil lui caressa le visage et vint interrompre sa réflexion.

Maintenant trop préoccupé par le retard accumulé, le Râjâ prit ses jambes à son cou et fila le plus rapidement possible jusqu'à la ville. Le jour étant déjà là, il lui faudrait déjouer la vigilance des gardiens de la grande porte, ce qui était plus difficile à faire sous le soleil que sous la lune. Il lui faudrait ensuite laver le sang de sa blessure et regagner ses appartements sans se faire voir. Cette nouvelle aventure n'allait pas être une mince tâche ! Il lui faudrait être vif d'esprit et inventif !

Et Misis dans tout cela ? Son amie allait-elle croire que Pan l'avait abandonnée ? Cette situation avait de quoi rendre fou. Comment le Râjâ avait-il pu se mettre dans un tel pétrin ? Électra, perspicace comme elle était, allait sûrement tout découvrir si elle le questionnait, et peut-être l'empêcherait-elle même de se joindre à l'expédition de Sénosiris en Égypte ! Alors que, d'un autre côté, par son absence de ce soir, il venait peut-être de perdre définitivement l'amitié de Misis et ne pourrait plus jamais la voir pour lui raconter l'étrange aventure qu'il venait de vivre ! L'idée de perdre du même coup son voyage en Égypte et sa meilleure amie lui était insupportable.

Torturé par ces sombres pensées et constatant son impuissance, le Râjâ poussa un cri de frustration qui retentit à plusieurs lieues à la ronde. Mais ses poumons ne furent pas assez puissants pour lancer cet appel au-dessus des montagnes et par-delà l'épaisse forêt.

Pour la première fois depuis plusieurs mois, le mégalithe marquant la frontière du territoire de la ville d'Odessos demeura seul pour admirer la pleine lune. Contrairement aux autres mois, où il avait pu être témoin de l'éclosion d'une amitié aussi solide que le roc dont il était constitué, il resta solitaire et sombre. Misis avait été trahie. Même s'il avait pu courir jusqu'à son amie, le Râjâ n'aurait pas pu lui venir en aide.

Son petit frère, qui soutenait que sa sœur était devenue une harpie et faisait des rituels sous la lune, l'avait dénoncée à son père qui s'était aussitôt rendu chez le mystagogue pour lui demander conseil.

– Votre fille est une harpie ? lui avait demandé l'homme, un peu amusé par cette révélation. Je suis désolé de vous décevoir, mais ces créatures vivent beaucoup plus au sud, sur des îles volcaniques, et s'attaquent aux bateaux des pêcheurs qui passent trop près des côtes ! De plus, on ne devient pas une harpie, on naît ainsi !

– En réalité, dit le père, je tiens cette révélation de mon fils qui dit qu'à chaque pleine lune Misis sort en cachette de la maison et part seule dans les bois. Elle le fait très discrètement, car ma femme et moi n'avons jamais rien remarqué. Il nous a aussi confié qu'elle ne revenait de ses escapades nocturnes qu'au matin, mais toujours avec un bijou différent.

– Intéressant ! s'exclama le mystagogue, sa curiosité attisée. Et où cache-t-elle ses bijoux ?

– Je ne sais pas, répondit le père, et mon fils ne semble pas le savoir non plus. J'ai fouillé la maison et je n'ai rien trouvé.

– Et que fait-elle dans les bois, cette petite ?

– Je l'ignore, et c'est pour cette raison que je viens aujourd'hui me confier à vous, avoua le père en détresse. Je dois aussi vous dire que, pour être tout à fait franc, ma fille n'est plus la même depuis le jour où elle est revenue seule de sa mésaventure dans les bois. Misis, qui était si disciplinée auparavant, est maintenant brouillonne et mélancolique. Il lui arrive aussi de parler toute seule… Non, pas toute seule, mais plutôt à un être invisible qu'elle nomme Pan. Elle lui murmure parfois des choses, exactement comme s'il était là… Ma petite Misis semble avoir perdu la tête et je… et je ne sais plus quoi faire !

– Vous avez frappé à la bonne porte, le rassura le mystagogue. Mon cercle de fidèles et moi-même allons mener une enquête pour déterminer ce qui arrive à votre fille. Je soupçonne déjà quelques ennemis de ce royaume qui pourraient être la source de ce problème.

– Oh ! vraiment ? ! Des ennemis ? lança l'homme avec anxiété. J'espère que ma fille ne s'est pas mise dans le pétrin !

– C'est ce que nous verrons. Laissez-nous faire maintenant...

Ce fut ainsi que le mystagogue prit les choses en main.

Cette nuit-là, celle où le Râjâ avait rencontré l'étrange vieillard dans la forêt, quelques-uns des meilleurs disciples du mystagogue s'étaient cachés afin d'espionner Misis. Loin de se douter qu'elle était suivie, la fillette avait utilisé le stratagème habituel pour sortir de la maison et avait ensuite marché, comme chaque soir de pleine lune, vers le lieu du rendez-vous. Encore cette fois, elle avait préparé en cachette une collation. Et puis, pour être belle aux yeux de Pan, elle portait des fleurs dans ses cheveux.

Seulement cette fois, Pan ne l'attendait pas comme à son habitude sur le mégalithe. D'ailleurs, Misis avait remarqué qu'aucune note de flûte n'avait accompagné son chemin jusqu'au rocher.

– Pan, je suis là! cria-t-elle en espérant voir bondir son ami. J'espère que tu n'essaies pas de m'effrayer, je n'aime pas ce genre de blagues! Tu es là, Pan?!

L'appel de Misis demeura sans réponse.

«Curieux..., se dit la jeune fille. Pan est toujours le premier arrivé... J'espère qu'il ne lui est pas arrivé malheur.»

Misis installa alors une couverture au pied du mégalithe et s'assit pour regarder la lune et les étoiles. Elle attendit ainsi un long moment avant de se relever pour explorer les alentours. C'était la première fois que son ami était en retard, et cette situation commençait à l'inquiéter.

– Pan! Tu es là, mon ami?! Holà, PAN! Montre-toi...

Encore une fois, rien. La forêt était silencieuse et les grillons, habituellement si bruyants en cette saison, demeuraient muets. On aurait dit que les arbres étaient en deuil et que les bois autour du mégalithe tentaient de l'avertir d'un danger. Consciente que les événements ne se déroulaient pas comme d'habitude, Misis se fit la plus discrète possible et ramassa ses affaires. Elle rangea la couverture et le casse-croûte, puis commença à marcher vers Odessos. Ce fut à ce moment-là qu'une voix puissante l'interpella:

– Arrête-toi! Tu es maintenant sous l'autorité du conseil d'Orphée, et nous avons quelques questions à te poser.

Sans tenter de fuir, Misis s'arrêta et baissa la tête. Elle avait reconnu la voix du mystagogue et savait que les prochaines heures seraient difficiles.

– Qui est ce Pan que tu attends avec autant d'impatience? lui demanda l'homme en s'approchant d'elle.

Misis leva sa lampe à huile vers son interlocuteur et vit clairement le visage du mystagogue qui émergeait des ténèbres. Ses traits, d'une dureté quasi surnaturelle, lui donnaient l'apparence d'un monstre. Sourire au coin des lèvres et menton levé d'une arrogante façon, celui-ci la dévisageait avec mépris, comme si elle était la pire des traînées.

Une dizaine d'hommes entièrement vêtus de blanc entourèrent lentement la fillette. Ceux-ci étaient armés de bâtons et de longs couteaux. Certains d'entre eux s'amusaient visiblement beaucoup de la situation. Terroriser une jeune fille sans défense au milieu de la nuit leur procurait un sentiment de force et de supériorité. Misis, qui croyait s'être fait prendre pour avoir menti à ses parents, comprit rapidement que les soupçons à son égard étaient beaucoup plus graves. Elle le perçut tout de suite au ton perfide du mystagogue.

– Qui est ce Pan, Misis? C'est un de tes amis? Allez, parle, tu peux avoir confiance en moi… Tu sais, si tu n'as rien à cacher, il ne peut rien t'arriver de mal. Nous sommes là pour te protéger, mais aussi pour assurer la sécurité de la ville d'Odessos, tu comprends, petite? Alors, dis-moi, qui est ce Pan que tu attends de si belle façon tous les soirs de pleine lune?

Misis sursauta. Comment le mystagogue pouvait-il savoir qu'elle ne venait au mégalithe qu'à la pleine lune?

– C'est…, hésita la jeune fille, c'est Pan, le dieu de la forêt, que j'attends…

Le mystagogue eut un rire nerveux. Ses hommes, autour de lui, le regardèrent avec intérêt. Manifestement, cette jeune fille le provoquait et chacun savait qu'il valait mieux se taire que de risquer de courroucer le mystagogue. Lentement, l'homme leva la main vers le ciel et frappa brutalement Misis en plein visage. Le son de la gifle se répandit dans la clairière comme le bruit sec d'une branche que l'on casse.

– Ce n'est pas beau de mentir! s'exclama ensuite le prêtre sur un ton de reproche. Tu sais ce qui arrive aux enfants qui mentent ? Eh bien, ils sont punis. Plus le mensonge est gros, plus grande est la punition. Tu comprends, Misis ? Alors, je recommence. Qui est ton ami Pan ?

La petite essuya une larme, leva encore une fois sa lampe vers le visage du mystagogue et le regarda droit dans les yeux. Cet homme voulait la vérité, eh bien, il l'aurait !

– Je n'ai pas menti ! lança-t-elle avec aplomb. Il y a de cela quelques mois, lorsque je me suis perdue dans la forêt, le dieu Pan est venu à mon secours. Pour me sauver la vie, il a calmé une meute de loups qui voulaient me dévorer, et puis il m'a reconduite jusqu'ici. Nous avons ensuite convenu de nous rencontrer à chaque pleine lune. Avec celle de ce soir, cela fait six fois que je viens à sa rencontre. Nous sommes devenus de très bons amis, et je vous conseille de faire attention à ce que vous faites, car il est sûrement dans les bois et vous fera payer tout ce…

Le mystagogue leva la main une seconde fois et frappa Misis sur l'autre joue, encore plus fort. Misis perdit sa confiance en elle et commença à trembler de peur.

– Ne me menace pas, petite, tu n'es pas en position de force ici ! Voilà que tu me racontes des mensonges… que des mensonges ! Par contre, je dois te féliciter, car tu as une imagination très fertile. Dis-toi bien que si Pan, le dieu de la forêt, avait décidé de se montrer à quelqu'un, ça ne serait sûrement pas à une petite fille comme toi. Les divinités ont autre chose à faire que de s'amuser avec les fillettes, tu ne crois pas ? Alors, je répète encore ma question : Qui est ce Pan que tu attends ?

Pourtant, la jeune fille avait dit la vérité, toute la vérité. Que voulait-il de plus ? Ne sachant que dire pour satisfaire le mystagogue, Misis balbutia quelques phrases incompréhensibles.

– Répète ce que tu viens de dire, ma petite, je n'ai pas entendu…

Comme la fillette hésitait à répondre, l'homme la gifla solidement une troisième fois.

– Parle vite, Misis, et dis-moi la vérité ! dit-il d'un ton impatient. Plus tu prends de temps pour réfléchir, plus je soupçonne que tu me caches des choses ! Tu permets que je t'aide à retrouver la mémoire ?! Alors, parle-moi des espions de Veliko Tarnovo. Que veulent-ils ? Ils désirent me tuer, n'est-ce pas ? C'est la reine Électra qui est derrière tout cela ?

Enfin, le mystagogue offrait une porte de sortie à Misis, et la jeune fille allait saisir cette occasion. Si elle voulait que s'arrête rapidement la torture, il valait mieux dire ce que le mystagogue avait envie d'entendre.

– Oui, c'est bien cela… ces gens veulent vous tuer. Ils… ils veulent vous assassiner…, mentit Misis sur-le-champ.

– Tu vois que c'est plus facile de dire la vérité que de mentir, n'est-ce pas ? Je crois que nous faisons du progrès, non ?

Contente de s'être évité une gifle, Misis opina du bonnet.

– Alors, continua le mystagogue plus calmement, dis-moi, qui est cette personne que tu rencontres à la pleine lune ?

– Je ne connais pas son véritable nom… je l'appelle Pan…, fabula Misis de plus belle. Lorsque j'étais perdue dans les bois, c'est lui qui m'a ramenée à Odessos, mais à une seule condition…

– Continue, je t'écoute… Tu es très intéressante, ma petite !

– Il m'a dit que si je ne le rencontrais pas ici, il allait tuer mes parents et mon petit frère, inventa spontanément la petite fille. Moi, je ne voulais pas qu'il fasse de mal à ma famille !

– Cet homme possède le pouvoir de se transformer en loup, n'est-ce pas ? Et il ne se déplace jamais seul, non ? Ses amis sont toujours dans les bois, non loin de lui, c'est bien cela, oui ?

– Oui, exactement cela ! Lui, c'est le chef ! Le chef des loups, c'est ça !

– Et il te demandait des informations… sur moi ? Sur la ville ?

– Sur les deux, répondit Misis qui improvisait sur le thème du mystagogue. Il voulait connaître les meilleures façons d'entrer dans la ville sans éveiller les soupçons des gardes, et puis… il voulait connaître l'emplacement de votre maison et aussi de celle du roi… et puis, il voulait aussi que je lui dise s'il y avait de l'or dans la ville et où il était caché. Il savait que mon père travaillait comme prospecteur et il voulait connaître les emplacements des mines… Ensuite, il m'a posé des questions sur le port et les navires de guerre…

– Et tu lui as tout dit ? demanda gentiment le mystagogue.

– Tout, complètement tout ! lança fièrement Misis. Chaque fois, nous mangions ensemble et je lui racontais tout, vraiment tout ! C'était la seule façon de sauver ma famille…

– Petite sotte ! s'exclama le mystagogue en lui adressant une gifle qui, cette fois, la propulsa sur le sol. Tu ne t'es pas doutée,

idiote, qu'il voulait des informations sur la ville afin de l'envahir ? !
Tu aurais dû venir me voir immédiatement. Jeune étourdie,
tu as livré des informations à nos ennemis, et un tel acte est
passible de la peine de mort à Odessos ! Tu t'es fourrée dans de
beaux draps et tu devras payer pour ton crime. Si ce n'est pas
toi qui payes, eh bien, tes parents le feront pour toi !

Misis essaya de se relever pour avouer qu'elle venait de tout
inventer, mais un coup de poing du mystagogue la renvoya par
terre. En pleurs, la petite tenta de parler du mieux qu'elle le
pouvait, mais l'homme ne lui en donna pas la possibilité.

– Tais-toi ! Tu en as assez dit pour aujourd'hui, petite men-
teuse ! Je sais de source sûre que cet étranger te payait grassement
en t'offrant de l'or et des bijoux ! Ton jeune frère a parlé et il t'a
vue revenir de tes escapades nocturnes avec des biens précieux.
Tu as sympathisé avec l'ennemi et reçu un paiement contre tes
informations. Cela, ma petite, fait de toi une traîtresse à Odessos.
Nous allons te conduire en prison où tu pourras réfléchir à ta
sottise, jeune hypocrite.

– Pan ! Au secours, Pan ! cria la petite pendant que les disciples
du mystagogue l'empoignaient. Pan, viens à mon aide ! Montre-toi !

– Rien ne sert d'appeler à l'aide ! Nous avons fouillé les bois
et il n'y a personne à des lieues à la ronde.

Le mystagogue avait raison, car, au moment où ses hommes
emmenaient Misis, le Râjâ était retardé par le vieillard à la voix
de femme. La jeune fille eut beau crier, personne ne vint à son
secours. Elle fut reconduite à Odessos et jetée dans une des cellules
du temple d'Orphée.

Sous la lumière blanche de la lune, Misis pleura toutes les
larmes de son corps. Non parce qu'elle était effrayée par le châ-
timent qui l'attendait, mais plutôt parce qu'elle ne comprenait
pas pourquoi son ami Pan l'avait aussi lâchement abandonnée.
Lui qui pouvait mettre à ses pieds une meute de féroces loups
n'avait pas daigné apparaître pour la libérer des griffes du
mystagogue. Pour la petite Misis, il n'y avait pas de plus grande
douleur que de se sentir abandonnée par son meilleur ami.

IX

Vingt-quatre soldats parmi les plus vaillants et les plus dévoués de Veliko Tarnovo furent choisis pour accompagner Sénosiris et le jeune Râjâ dans leur long voyage vers l'Égypte. Afin d'assurer la sécurité du convoi, il avait été décidé que douze d'entre eux s'immergeraient dans le lac sacré pour se métamorphoser en loups. Ceux-ci, à l'aller comme au retour, demeureraient sous leur forme animale et serviraient de garde rapprochée au futur roi. Rapide, endurant et impétueux, chacun de ces hommes-loups valait une bonne vingtaine de soldats aguerris. Leur force exceptionnelle allait aussi être mise à contribution pour tirer le grand char lourdement renforcé et, de surcroît, chargé des provisions et du matériel de voyage. Six par six, ils allaient se relayer pour faire un travail normalement accompli par des chevaux. Les villageois qui verraient passer cet étrange cortège n'en croiraient tout simplement pas leurs yeux, car en plus de la surprise de voir une voiture tirée par des loups, ils auraient aussi le choc de constater l'allure hétéroclite du véhicule, qui avait été conçu de manière à assurer un maximum de sécurité et de confort à ses occupants.

Sénosiris avait créé une cabine robuste capable de résister aux attaques d'éventuels ennemis rencontrés au hasard de la route. Renforcée de métal et décorée de pics de fer, elle disposait d'un impressionnant arsenal d'arcs et de flèches, ainsi que d'une machine capable de lancer une dizaine de projectiles à la fois. Placée sur le toit de la voiture dans une cage de protection en lamelles de fer, cette invention pouvait être rechargée en quelques secondes. Plus efficace que le tir groupé des archers, elle pouvait également servir pour le tir de précision. Grâce à de rudimentaires amortisseurs aux quatre roues, il était même possible pour un bon tireur de toucher une cible tandis que la voiture roulait à vive allure. En plus de ce fameux arc, Sénosiris avait prévu des entrées secrètes et des issues de secours. Les loups pouvaient entrer et sortir du véhicule par une trappe dans le plancher, ou tout simplement sauter à travers les parois par des portes dérobées. Le véhicule récupérerait les eaux de la moindre petite averse et, lorsqu'il serait en marche, le mouvement des roues actionnerait des mécanismes de défense tels que des lames pivotantes ou des pics à ressort. Impossible, même pour le plus vaillant guerrier, de sauter sur la voiture pour essayer d'y pénétrer. De plus, l'énorme véhicule était amphibie ; il pouvait aussi bien traverser une rivière que rouler à flanc de montagne. Sénosiris avait conçu une machine de transport géniale, capable de protéger ses passagers de tous les dangers de la route.

– Tu vois, dit l'Égyptien en expliquant toutes les subtilités de son invention au Râjâ, je crois avoir pensé à tout… Ce véhicule sera notre coquille imprenable. Il n'a qu'une seule faiblesse : comme la tortue, nous serons à la merci de nos ennemis si nous sommes renversés. Autrement, pas de problème, nous résisterons à bien des attaques avant de nous avouer vaincus.

– Route – dangereuse – jusqu'à – ton – pays ? demanda en quelques signes le garçon, un peu anxieux.

– Non, pas vraiment…, répondit au hasard Sénosiris qui, depuis sa venue à Veliko Tarnovo, n'avait pas beaucoup voyagé. Enfin, je l'espère…

L'Égyptien jeta un coup d'œil sur son invention et sourit. Il était fier comme un coq.

– Je crois qu'il vaut mieux envisager le pire pour être prêt à tout, continua-t-il en caressant son œuvre de la main. De toute façon, nous minimiserons les risques de nous faire voir et voyagerons toujours de nuit afin de ne pas attirer l'attention sur nous. Les loups qui tireront la voiture ont, tout comme toi, une excellente vision de nuit. Nous utiliserons cet avantage à notre faveur.

– Oui – Bonne – idée.

– Mais je ne crois pas que nous serons longtemps sur la route, ajouta Sénosiris, admirant toujours son char blindé.

En fait, j'aimerais traverser le détroit du Bosphore à Byzance pour rejoindre la grande ville de Troie. Là-bas, il me sera facile de louer ou encore d'acheter un bateau. Nous naviguerons ensuite vers le sud et traverserons la mer pour atteindre mon pays. Si tout se passe bien, je crois que, dans un mois, nous verrons l'embouchure du Nil. Tu te rends compte ? L'Égypte !

– Ce – être – même – chemin – quand – toi – venir – ici ?

– Non, pas du tout ! fit Sénosiris dans un sourire. Moi, j'ai contourné la grande mer et j'ai voyagé pendant des mois et des mois. Avec mon troupeau de chèvres et mon âne valeureux, nous avons cheminé dans les pires conditions. Ce n'était pas facile, et je n'ai vraiment pas envie de revivre ce voyage.

L'Égyptien prit quelques secondes pour replonger dans ses souvenirs.

– Ce fut un voyage difficile, mais je ne le regrette pas. J'ai beaucoup appris sur moi, sur mes limites et surtout sur mes qualités. Pour survivre, j'ai dû me montrer débrouillard et inventif. Quand je repense à tous ces mois de route, je me dis parfois qu'il était extraordinaire de dormir toutes les nuits à la belle étoile, mais cela ne dure que quelques instants. Rapidement, je me rends bien compte que je suis devenu trop douillet pour me soumettre encore une fois à une telle épreuve... Que veux-tu, je vieillis !

Électra entra à ce moment dans l'atelier de Sénosiris. Époustouflée par le travail de son conseiller, elle applaudit en admirant la voiture blindée.

– Quelle magnifique création ! Tu es un génie, Sénosiris ! J'adore ce véhicule ! Je crois bien que, s'il résiste à votre voyage, je te demanderai d'en construire quelques autres pour assurer la défense du royaume.

– Et s'il ne résiste pas ?

– Eh bien, j'annulerai ma commande et tu finiras tes jours pauvre et sans le sou, dit-elle avec un air taquin. Que ce véhicule revienne ou non, peu m'importe, pourvu que son concepteur retrouve le chemin de la maison, je serai heureuse...

– Je le retrouverai.

Électra tourna la tête afin d'essuyer discrètement une larme le long de sa joue.

– Je vois que tout semble prêt pour le grand jour ! lança-t-elle avec un air faussement enjoué. Ainsi, c'est demain que je perds mon conseiller et mon fils ? Vous devez être impatients de prendre la route ! C'est une grande aventure qui vous attend !

– Oui, ma reine, répondit l'Égyptien en essayant de ne pas laisser paraître, devant le Râjâ, le trouble que lui causait sa mère. Nous ferons un éblouissant voyage et nous vous rapporterons, bien entendu, de magnifiques cadeaux.

– Ah, mais je l'espère bien ! lança-t-elle à la blague. Il faudra revenir avec cette voiture remplie de présents. Sinon, je vous interdirai l'entrée de la ville ! Et pas de vilaines choses, vous m'entendez ? Que des objets couverts d'or ou de pierres précieuses !

– Nous y veillerons, répondit Sénosiris dans un rire déjà rempli de nostalgie.

Le Râjâ sourit lui aussi, mais pas pour les mêmes raisons. Même s'ils avaient essayé de cacher leur relation, le garçon avait su dès le premier jour que Sénosiris partageait le lit de sa mère. Depuis des semaines, l'Égyptien portait en permanence sur lui l'odeur d'Électra. Les émanations de la sueur et du sexe de la reine imprégnaient les vêtements, la peau et les mains du conseiller. Même chose du côté d'Électra qui dégageait les effluves propres à Sénosiris. Si cette liaison pouvait être tenue secrète au nez des humains, il en était tout autrement pour le Râjâ. Les escapades de Phoebe l'avaient habitué aux odeurs âcres et parfois sucrées des corps après l'amour. Malgré son jeune âge, il savait ce qu'était le sexe et reconnaissait chaque fois son émanation.

Fort heureusement, le Râjâ n'était pas contre cette relation, car depuis qu'elle partageait ses nuits avec Sénosiris, Électra avait l'air plus heureuse et détendue. Elle qui ne manifestait jamais beaucoup d'humour faisait même régulièrement des blagues. Plus compréhensive et douce avec son fils, il lui arrivait maintenant de prendre le temps de marcher en forêt avec lui. Cette nouvelle attitude ne déplaisait pas au Râjâ qui savourait chaque fois ces moments avec bonheur.

Toutefois, malgré cette nouvelle harmonie qui régnait en son âme, il y avait une ombre au tableau. Chaque soir, le garçon pensait à son amie Misis et regrettait amèrement de ne pas lui avoir annoncé son départ. Il regardait la lune décroître en espérant qu'elle lui pardonnerait ce rendez-vous manqué. Et puis, il y avait dans la forêt cet étrange bonhomme à la voix de femme et aux pouvoirs mystérieux qui l'avait empêché de courir jusqu'à Odessos. Qui était-il et que faisait-il en pleine nuit dans les bois?

– Tu peux nous laisser quelques minutes? demanda Électra à son fils. J'aimerais m'entretenir seul à seul avec Sénosiris… Ça te va? Tu peux nous attendre dans le palais? Moi, je me dépêcherais de monter à ma chambre pour voir le cadeau qui t'attend!

– Cadeau?! fit le Râjâ d'un geste joyeux.

– Oui… mon cadeau de départ! Vas-y vite, je te rejoins…

Aussitôt, le Râjâ déguerpit comme un lièvre en direction de ses appartements. Sénosiris et Électra le regardèrent courir en souriant.

– Je crois qu'il est très heureux de partir, dit l'Égyptien. L'aventure lui va bien! Il deviendra un grand roi doublé d'un grand voyageur. Imagine, Électra, que nous arrivions à établir un lien solide entre nos deux peuples! Ce serait extraordinaire sur le plan commercial, mais également sur celui des idées…

– Tu es un rêveur, mon doux Sénosiris, et cela me plaît beaucoup…, répondit la reine en lui caressant les cheveux. Je ne sais pas ce que l'avenir nous réserve, mais j'ai confiance…

– Et pourquoi ce soudain changement à la veille de mon départ, Électra? Il n'y a pas deux jours, tu pleurais mon départ en maudissant le ciel, et te voilà aujourd'hui pleine d'espérance.

– Il y a deux jours, mon beau conseiller, je ne savais pas ce que je sais aujourd'hui!

– Et que sais-tu?

– Que je porte en moi ton enfant… Ce matin, mes soignantes m'ont confirmé que j'étais enceinte. Si tout se passe bien, je donnerai à ce monde un second garçon, un prince égyptien…

Sénosiris recula d'un pas, puis sourit de toutes ses dents. Cérémonieusement, il tomba ensuite à genoux devant la reine. Comme si le ventre d'Électra était devenu un objet sacré, il y posa doucement l'oreille.

– Comment sais-tu que cet enfant sera un garçon? demanda-t-il avec un trémolo dans la voix.

– Les augures me l'ont dit, répondit la reine. Selon la configuration des étoiles, tu auras un fils...

– Je serai de retour avant sa naissance, je te le promets... Je veux être là, à tes côtés, pour célébrer son arrivée dans le monde. Moi qui voulais quitter Veliko Tarnovo pour profiter un peu des bienfaits de mon Égypte, je n'aurai plus maintenant qu'une envie, revenir au plus tôt.

– Ces mots sont doux à mes oreilles..., le taquina Électra. Et moi, j'attendrai ton retour avec impatience. Plus mon ventre grossira, plus vite je saurai que tu arrives.

– Je reviendrai vite auprès de toi, ma reine...

Cette révélation dura le temps que le Râjâ arrive essoufflé dans sa chambre. Il y trouva, posée sur le lit, une magnifique armure dont le casque de guerre, les épaulettes de métal et la ceinture étaient ornés de têtes de loup. Menaçantes, les bêtes avaient les crocs sortis et leurs yeux, faits à l'aide de pierres rouges semi-transparentes, avaient un aspect réel des plus troublants. Culotte de cuir en forme de jupe, plastron et vêtement de corps en lin finement tissé complétaient le costume de cérémonie. Deux épées courtes d'une grande beauté ainsi qu'une paire de bottes de combat étaient posées sur le lit. Le garçon remarqua que la tête de loup de son casque était couronnée de feuilles de chêne dorées.

Lorsque Électra vint rejoindre son fils, celui-ci était habillé de la tête aux pieds et ressemblait à un petit roi. Malgré son jeune âge, il avait l'élégance d'un grand souverain.

– Tu es magnifique, mon garçon! Je veux que tu sois parfait lorsqu'on te présentera au roi d'Égypte. Rappelle-toi que, toi aussi, tu es un roi! Un très grand roi! Tu tâcheras de voir comment celui-ci dirige son peuple afin de t'inspirer de sa conduite. Comme Sénosiris ne tarit pas d'éloges pour lui, ce Ramsès II doit être un grand meneur!

Le Râjâ s'approcha de sa mère et la serra dans ses bras. C'était pour lui sa façon de dire à Électra qu'il l'aimait et qu'elle lui manquerait.

– Moi aussi, mon fils, je vais beaucoup penser à toi... Tous les jours, je vais prier Artémis pour qu'elle veille sur toi.

La mère et le fils demeurèrent un long moment dans les bras l'un de l'autre.

X

Depuis plusieurs nuits, le véhicule de Sénosiris faisait route vers l'ancienne ville de Byzance. Déjà, l'Égyptien s'ennuyait du corps brûlant d'Électra, tandis que le jeune Râjâ ne pensait qu'à Misis. L'atmosphère n'était pas à la fête et ce voyage s'annonçait long. Dans le véhicule, l'Égyptien avait le visage renfrogné et se demandait si ce périple était, finalement, essentiel à son bonheur. De son côté, le Râjâ doutait d'avoir vraiment envie de contempler la vallée du Nil. Après tout, ce pays n'était pas le sien, et bien que les histoires du peuple de Sénosiris eussent été intéressantes, cela ne justifiait pas qu'il quittât aussi longtemps son amie d'Odessos.

Sénosiris soupira alors un bon coup.

– Ça – va ? lui demanda le Râjâ.

– Oui, je vais très bien ! mentit l'Égyptien. J'avais très hâte que ce voyage commence, et toi ?

– Moi – aussi – beaucoup, mentit à son tour le garçon.

– Bon… tout est parfait dans ce cas, murmura Sénosiris pour lui-même.

Encore une nuit, une autre, à voyager dans le silence.

Comme l'avait prévu son créateur, le véhicule ne se mettait en marche qu'à la tombée du jour. Au petit matin, on le cachait dans les bois afin que les loups, qui faisaient office de chevaux, puissent prendre du repos. L'Égyptien en profitait alors pour trouver de l'eau fraîche, quelques champignons comestibles ou des fruits sauvages. Même s'ils avaient beaucoup de provisions, il valait mieux essayer d'en économiser le plus possible. De son côté, le Râjâ apprenait ses leçons d'égyptien en rêvant du jour où il reverrait le mégalithe d'Odessos. Parfois, il jouait aussi de la flûte pour tuer le temps ou s'amusait dans les bois à chasser les petits animaux. Depuis leur départ, les voyageurs avaient systématiquement évité tous les villages et n'avaient rencontré personne.

Puis, il arriva un soir où la lumière d'une dizaine de torches apparut au loin sur la route. Le conducteur s'arrêta et ordonna aux loups de regagner rapidement l'intérieur du véhicule. Il donna ensuite l'alerte aux autres hommes et avertit Sénosiris. L'Égyptien, encore tout endormi, s'habilla et marcha à la rencontre des nouveaux venus. Il s'agissait en fait d'une patrouille de soldats troyens, qui s'arrêta à quelques enjambées de lui.

— Qui êtes-vous ? Et où galopez-vous ainsi à cette heure tardive ? demanda l'un des hommes qui semblait être le commandant de la patrouille.

— Je suis un marchand…, répondit Sénosiris, l'air innocent. Je suis du Sud et j'ai eu le malheur de perdre mes chevaux… Mon frère devrait bientôt revenir avec d'autres bêtes pour tirer ma caravane. Vous pouvez partir, tout va bien ici !

— Que me racontes-tu là, marchand ? ! Nous avons bien vu que ton véhicule était en mouvement et qu'il était tiré par des bêtes ! Si, toi, tu as perdu tes chevaux, eh bien, moi, je suis Hector en personne ! Et que transportes-tu dans cette étrange charrette ?

— Je fais le commerce des pierres précieuses, voilà pourquoi mon véhicule est renforcé… Les routes sont dangereuses et les voleurs, nombreux. Il vaut mieux trop se protéger que de faire l'imprudent. Et pour ce qui est des chevaux, vous avez raison, je vous ai menti. Je ne croyais pas que vous aviez remarqué que nous les avions vite détachés afin de les mettre en sécurité.

— Eh bien, voilà un fieffé menteur ! Et marchand de pierres précieuses de surcroît ? ! fit le garde avec un éclat soudain dans les yeux. C'est bien dommage pour vous, mais j'ai le regret de vous informer que vous êtes sur les terres des Troyens et que vous devez acquitter un droit de passage pour avoir accès à la ville !

— C'est nouveau ? fit innocemment Sénosiris. Je croyais que nous étions encore dans le royaume de la reine de Veliko Tarnovo. C'est bien la première fois que j'entends parler de la présence de Troyens ici !

– Si vous venez de la Thrace, vous êtes des ennemis…, trancha l'homme en dégainant son épée. Ceux qui font du commerce avec les chiens n'en font pas ensuite avec les hommes!

– Je vous en prie, pour votre salut, laissez-moi passer, insista Sénosiris. Nous désirons uniquement traverser le Bosphore afin de…

– Ouvrez les portes de ce véhicule, nous allons procéder à une perquisition, ordonna le soldat. Qui sait, si vous obtempérez, peut-être oublierons-nous de vous tuer!

– Malheureusement, je crois bien que la chose sera impossible…

– Impossible, et pourquoi donc?!

– Parce que vous serez morts avant nous!

À ce moment, onze des douze guerriers de Veliko Tarnovo sortirent des bois et entourèrent la patrouille de Troyens. Sur le toit du véhicule, le douzième homme empoigna l'arc qui tirait à répétition et mit les soldats en joue.

– Vous ne savez pas ce que vous faites…, grogna le commandant des Troyens, dont les hommes brandissaient également leurs épées. Vous regretterez amèrement ce que…

L'homme n'eut pas le temps de terminer sa phrase qu'une volée de flèches partie du véhicule lui transperça le corps. En un rien de temps, les autres Troyens furent criblés de projectiles tirés par la garde de Veliko Tarnovo. Devant l'agitation soudaine, les chevaux déguerpirent en piétinant les corps de leurs anciens cavaliers. La patrouille de Troyens fut vaincue en quelques secondes seulement.

– Débarrassons-nous vite des corps, ordonna impérativement Sénosiris, pressé, et poursuivons notre chemin. Byzance ne doit pas être loin, et nous tenterons de la contourner ce soir. Si d'autres Troyens en patrouille découvrent trop rapidement les corps de leurs compatriotes, ils deviendront suspicieux et nous risquons d'avoir des problèmes. Plus vite nous aurons franchi le détroit du Bosphore, mieux ce sera…

Les cadavres furent cachés dans la forêt et les hommes-loups, jusque-là très sages, reprirent le collier afin de poursuivre le voyage.

Tout ce brouhaha n'avait pas réveillé le Râjâ qui dormait à poings fermés sur sa confortable paillasse. Sûrement parce qu'il rêvait à Misis et à leur prochaine rencontre près du mégalithe d'Odessos. Sans savoir que la petite était maintenant en prison et qu'elle attendait le jour de sa comparution devant le mystagogue, il l'imaginait se baignant dans la mer et s'amusant avec les coquillages.

– Viens me sauver, Pan…, demandait-elle à la lune et aux étoiles en espérant entendre le son de sa flûte. Viens, Pan, et nous partirons tous les deux, nous irons vivre dans la forêt, avec les loups si tu le veux! Viens me sauver, Pan, et je jure de ne plus jamais avoir peur des créatures de la forêt… Il fait froid ici, Pan, et j'ai faim…

Mais le Râjâ n'entendit pas cette supplication. Il n'entendit pas non plus celles qui suivirent au fil des jours, des semaines et des mois, et qui, nourries de désespoir, devinrent de plus en plus virulentes et désespérées.

– Pourquoi m'as-tu abandonnée, Pan? rageait Misis en frappant les murs de sa cellule. Nous avions une entente, Pan, tu m'avais fait une promesse et tu as trahi ta parole, tu n'es pas venu… Moi, j'étais là, mais toi, tu es resté caché dans l'ombre et tu n'as rien fait pour me venir en aide… Je croyais être ton amie, Pan… je croyais que tu avais de l'affection pour moi… Comment peux-tu me laisser ici? Comment peux-tu me voir souffrir sans me venir en aide? Au secours, Pan… Au secours…

Le Râjâ ne perçut pas les cris d'horreur de Misis lorsque le geôlier du temple d'Orphée entra une nuit dans sa cellule pour assouvir ses bas instincts. Les hurlements de la jeune fille ne parvinrent pas jusqu'à ses oreilles lorsque l'agresseur la prit comme une poupée de chiffon et la frappa violemment de ses grosses mains pour la réduire au silence. Dans ces moments de grande noirceur, Misis s'était attendue à voir surgir Pan venu la secourir, mais ce dernier n'entendit pas la douleur dans sa voix, ni ne ressentit sa détresse. La petite pria pourtant, de toute son âme et de tout son cœur, afin que se manifeste son sauveur, mais ses supplications demeurèrent vaines. Elle allait devoir subir encore longtemps ces humiliations répétées, ces viols presque quotidiens, l'odeur puante de son cachot. Mais le garçon, contrairement à ce que croyait Misis, n'était pas un dieu. Quoique très différent des autres humains, il n'avait pas le pouvoir d'entendre les lamentations de son amie, et encore moins celui de lui venir en aide.

Si le jeune Râjâ avait su que sa compagne était emprisonnée, il aurait tout tenté pour aller la retrouver et tout fait pour la sortir de sa cellule. Mais il ne pouvait que rêver à son sourire en espérant qu'elle se porte bien.

– Réveille-toi… Allez, paresseux… debout! Viens avec moi, nous allons assister à un extraordinaire spectacle… Viens me rejoindre sur le toit!

Le Râjâ reconnut la voix de Sénosiris, et malgré une très forte envie de rester au lit, il s'étira, puis se leva de sa paillasse. Il se dirigea ensuite en vacillant vers l'échelle de corde et monta sur le toit. Quelle ne fut pas sa surprise quand il respira l'air iodé de la mer et entendit le clapotis des vagues! Le véhicule conçu par Sénosiris flottait comme un bateau sur le détroit du Bosphore.

Sur le toit, les douze hommes de la garde ramaient en cadence alors que les loups, toujours attachés à la voiture, nageaient devant en la tirant à travers les vagues. Au loin, les premiers rayons du jour embrasaient l'horizon.

– Tu te rends compte? s'enthousiasma Sénosiris. Ce véhicule peut aussi bien rouler que flotter! J'ai réussi! Ce qui est le plus extraordinaire, c'est que je n'avais pas eu le temps de tester sa flottabilité avant notre départ! Mais j'ai eu raison! Mes calculs et mes plans étaient parfaits! Regarde comme il se comporte dans l'eau, on dirait vraiment un bateau…

Le Râjâ constata que son ami l'Égyptien avait raison. Le véhicule était aussi stable sur l'eau que sur la terre. Il y avait de quoi être fier!

– Excuse-moi de t'avoir réveillé, mais je voulais partager ma joie avec toi! lui confia Sénosiris. Je crois que bien que si Électra était ici, elle serait très fière de son conseiller, tu ne penses pas?

– Moi – penser – que – toi – aimer – beaucoup – ma – mère?

L'Égyptien se rembrunit un peu. Soudainement mal à l'aise, il baissa les yeux et toussota pour s'éclaircir la voix.

– Oui… tu as raison… je suis… je l'aime beaucoup en effet. Tu vois, je me sens un peu honteux de ne pas te l'avoir dit avant, puisque nous sommes de bons amis, toi et moi… mais je ne

savais pas comment trouver les bons mots, ni le bon moment...
Je ne voulais pas te troubler, encore moins te déplaire.

— Arrêter – ça aller – moi – être – content.

— C'est tout ?! s'étonna l'Égyptien. Tu ne veux pas en
savoir plus ? Tu ne veux pas que je t'explique davantage... les
circonstances qui ont fait que...

— Non – tout – parfait. Moi – comprendre – amour, dit le
Râjâ en quelques signes

— Ah oui ?! Bon... tu m'en vois ravi, alors. Moi qui avais
peur que tu sois blessé ou encore en colère contre moi... Je dois
avouer que ta réaction me surprend.

— Pas – meilleur – homme – que – toi – pour – mère.

— Merci bien... C'est un beau compliment que tu me fais.
Mais comment peux-tu comprendre l'amour, toi ? Tu m'as caché
l'existence d'une amoureuse ou quoi ?

— L'amour – être – comme – Osiris – et – Isis, non ? Toi –
avoir – raconter – souvent.

— Oui, c'est exactement comme ça..., fit Sénosiris, content.
Et tu te souviens de ce qu'Isis a fait quand Orisis a été démembré
par son méchant frère Seth et que celui-ci a dispersé son corps
aux quatre coins du pays ?

— Oui. Elle – chercher – lui.

— Précisément ! Isis commença un long pèlerinage afin de
retrouver un à un les lambeaux de son mari adoré. Chaque
fois qu'elle découvrait une partie de son corps, elle élevait un
sanctuaire à sa gloire. Depuis ce jour, des milliers de pèlerins
empruntent chaque année le chemin d'Isis et refont, pour honorer
sa mémoire, le douloureux périple que l'on nomme chez moi
« la quête d'Isis ». Tu vois, c'est aussi ça, l'amour. Ne jamais perdre
l'espoir de retrouver celui ou celle qu'on aime, malgré les
difficultés et la distance. Petit à petit, Isis a réussi à reconstituer
le corps de son Osiris.

— Belle – histoire, répondit le Râjâ qui pensait à son attachement pour Misis.

— Si nous avons le temps, j'aimerais beaucoup faire la quête
d'Isis avec toi... On dit qu'il y a des merveilles à voir sur cette
route !

— Oui – ça – être – bien.

– Enfin, nous verrons une fois là-bas! Notre périple ne fait que commencer et nous avons de grandes aventures à vivre avant de toucher les côtes de l'Égypte. Il nous faudra être prudents jusqu'à Troie, puis il faudra négocier notre passage sur un bateau et...

Sénosiris continua à parler, mais le Râjâ ne l'écoutait plus. Il contemplait le paysage avec félicité. Lorsque l'Égyptien s'en rendit compte, il se tut à son tour et tourna lui aussi les yeux vers le soleil levant.

Il n'y avait maintenant plus rien à dire, mais tout à voir.

Deuxième partie

Osiris-Path

I

Du balcon de son palais de Memphis, Mérenptah, treizième fils du grand Ramsès II, regardait le vaste pays dont il venait d'hériter. À la lumière du soleil qui mourait lentement au-dessus des pyramides, il admirait l'immensité de ses terres. Tout cela était maintenant à lui. Il possédait tout, de la grande mer du Nord jusqu'aux limites du pays de D'mt. Il avait maintenant, seul, la charge de la sécurité et du bien-être de centaines de milliers d'hommes, de femmes et d'enfants. Et cette lourde tâche, il n'avait pas été préparé à l'assumer. De nature plutôt volage et désinvolte, il aurait plutôt souhaité se consacrer entièrement à l'écriture de poèmes et aux intrigues amoureuses qu'il entretenait avec plusieurs femmes dans différentes villes du pays. Mais son père venait de lui léguer le trône et, selon la tradition, Mérenptah ne pouvait pas le refuser. Ses douze frères et sœurs aînés étant décédés, c'était à lui de prendre les commandes de l'Égypte et de poursuivre le travail de la dynastie. Lui qui, jamais, n'avait pensé occuper un jour une telle fonction vivait depuis sa nomination un véritable cauchemar éveillé.

Devant l'ampleur de ses nouvelles responsabilités, le pharaon fut irrésistiblement pris d'une crampe à l'estomac et vomit tout son dîner. Le corps penché en avant, il tenta péniblement de se relever, mais la nausée persistante le fit encore une fois régurgiter.

– C'est tous les soirs la même chose, murmura-t-il en essayant de se redresser. Horus, aide-moi à accepter les fonctions pour lesquelles j'ai été désigné. Je serai incapable de gouverner ce pays sans ton aide… Je t'implore de me donner la force qu'il faut pour suivre les traces de mon père.

Tout en implorant Horus, Mérenptah songea que Ramsès II avait été l'un des plus grands rois que l'Égypte ait connu. Tout au long de son règne, il avait fait de son pays un État dominant qui s'étendait de la lointaine Nubie jusqu'aux frontières hittites, et partout il était respecté et craint. Connu dans les autres royaumes comme un souverain guerrier, il avait mené lui-même de grandes batailles pour protéger l'intégrité de ses frontières. Celui qui n'hésitait jamais à tremper son glaive dans le sang de ses ennemis était reconnu comme un fin stratège et, même dans les pires conditions, il avait toujours triomphé. Combien de fois avait-il humilié les Hittites ou les Nubiens dans le but de les briser, mais surtout de leur démontrer la force et le courage de l'Égypte ? Beaucoup trop souvent pour rendre à l'aise un successeur potentiel. C'était un legs beaucoup trop lourd pour Mérenptah.

– À la bataille de Qadesh, alors qu'il était entouré de centaines de Hittites, prononça le pharaon comme s'il récitait une prière, Ramsès II invoqua la puissance d'Amon et celui-ci lui accorda la force de mille hommes. Armé de son bâton, le roi d'Égypte se lança à corps perdu dans la bataille et réussit à lui seul l'exploit de repousser les troupes ennemies. Au lendemain de ce jour glorieux, Muwattali, le souverain hittite, envoya un messager avec une proposition d'armistice. Implorant la clémence de Ramsès II, il lui offrit même sa fille, la toute jeune princesse de Bakhtan, afin qu'elle lui servît d'esclave. Magnanime, le grand souverain refusa de soumettre la jeune fille et accorda son pardon au peuple hittite. Voilà ce que les scribes enseignent aux enfants… Voilà ce qu'ils m'ont enseigné…

Mérenptah régurgita de nouveau. La pression était trop forte pour un homme aussi peu ambitieux que lui.

« Il suffit de voir les temples de Louxor et de Karnak, construits sous le règne de mon père, pour comprendre que je ne serai jamais à sa hauteur », se dit Mérenptah, complètement abattu.

Il avait bien raison, car toute l'Égypte témoignait du passage de Ramsès II sur terre. Sous son règne, une nouvelle capitale, celle de Pi-Ramsès, avait même vu le jour dans le delta du Nil. Dans toutes les villes, statues, obélisques et palais avaient poussé comme des champignons. Le souverain de la grande dynastie avait inspiré les artistes au dépassement, si bien que les arts, dans tout le pays, avaient atteint un raffinement jamais égalé. En plus de ses talents de guerrier et d'orateur, Ramsès II avait été, tout au long de sa vie, un habile négociateur capable d'unir les clergés de Memphis et de Héliopolis tout en évitant le courroux des prêtres de Thèbes. Un miracle en soi !

– J'aurai tout le pays sur le dos… constamment ! Et les prêtres me feront sentir avec raison que je n'ai pas ma place sur le trône. Cette bande de chiens galeux en viendra à me mettre le peuple à dos et on me renversera… Horus, écoute mon appel et viens à mon aide !

Lorsqu'il était prince, Mérenptah était le plus heureux des hommes. Il supervisait sur le terrain les différents travaux architecturaux commandés par son père et se prélassait au soleil en remerciant la vie. D'une nature peu agressive, il lui arrivait régulièrement de gracier des esclaves trop vieux ou trop malades et même, parfois, de réduire le nombre de coups de fouet donnés aux serviteurs récalcitrants qui tentaient de s'évader. Mais depuis qu'on avait porté le corps de son père dans la Vallée des Rois, tout avait soudainement changé. C'était désormais vers lui que se tournaient tous les regards et tout l'espoir d'une Égypte en pleine expansion.

Devant l'ampleur de la tâche, Mérenptah eut brusquement envie de s'ouvrir les veines. Il dégaina la dague qu'il portait à la ceinture et appliqua la lame sur son poignet. Il n'avait plus maintenant qu'un simple geste à faire pour sortir de son calvaire. Prêt à mourir, il ferma les yeux et appuya légèrement sur l'arme.

– Je ne suis même pas capable de m'enlever la vie, fit-il, se ravisant. Trop lâche pour gouverner et trop peureux pour mourir, voici le nouveau souverain de l'Égypte.

Mérenptah claqua des doigts et deux servantes s'avancèrent aussitôt vers lui. Les femmes déposèrent délicatement des serviettes de lin humides sur les genoux du roi afin qu'il se lave le visage, puis elles nettoyèrent rapidement les vomissures de leur maître. Une fois le travail terminé, les servantes se retirèrent sans le moindre bruit.

Le nouveau souverain profita de ce moment pour essayer de recouvrer ses esprits.

« Je serai capable de diriger ce pays si tu me viens en aide, Horus…, se dit-il, les yeux tournés vers le ciel. Je ne suis pas fait pour cette tâche… et je ne m'y suis pas préparé non plus, mais je devrai quand même l'accomplir. Le peuple croit peut-être que je suis un dieu, mais c'est faux… Il n'y a pas plus homme que moi… »

Pendant que Mérenptah priait en silence, un jeune serviteur âgé d'une quinzaine d'années déposa derrière lui un bloc de pierre sculpté représentant un fantassin. Il attendit, tête baissée, que le souverain daigne se retourner vers lui. Un autre garçon arriva à sa suite et déposa à son tour une statuette noire à l'effigie du dieu Thot.

Le pharaon, contrarié, cessa son invocation à Horus et se retourna en soupirant vers les deux messagers. Les garçons tremblaient de peur.

Mérenptah avait deux demandes d'audience, l'une de son conseiller militaire, l'autre du prêtre de Thèbes. Épuisé par ses émotions et abattu par les moments difficiles qu'il venait de vivre, il fit signe aux deux messagers de quitter les lieux. Comme ils allaient repartir avec leurs statuettes, il rappela le jeune homme qui portait celle du conseiller militaire. Par ce geste, le pharaon indiquait qu'il acceptait de le rencontrer.

Le garçon repartit au pas de course pour avertir son maître.

Quelques minutes plus tard, un grand gaillard à la barbe poivre et sel et aux muscles saillants se présenta devant Mérenptah. Il était vêtu d'une jupe longue, et son torse était couvert de cicatrices.

— Pharaon, merci de me recevoir…, dit-il respectueusement.

— Je t'écoute, répondit Mérenptah en lui rendant la statuette. Quelles nouvelles m'apportes-tu ?

— De bien mauvaises, je crois…

— Vas-y, je suis prêt à les entendre.

— Depuis que Ramsès II, votre père, est entré dans la grande chambre des morts pour son voyage vers les territoires des ombres, les Nubiens, nos supposés alliés, pensent à l'indépendance. Certains de leurs commandants lorgnent même du côté de l'Égypte pour étendre leur territoire. Nos espions m'ont révélé que le peuple du sud ne vous craint pas assez pour demeurer docile dans ses terres. Beaucoup parmi ces gens savent que vous n'êtes pas un guerrier, et ils ont envie de mettre votre patience à l'épreuve.

– Les Nubiens…, soupira Mérenptah. Nous aurions dû les réduire tous à l'esclavage lorsque nous en avions la possibilité Dès qu'ils en ont l'occasion, ces panthères se retournent contre l'Égypte et commencent à nous griffer dans le dos. Me faudra-t-il envoyer nos armées pour les mater ? Sache bien que si je le fais, ils mordront la poussière, et pour longtemps ! Je les écraserai comme des insectes ! Tu as raison, ce sont de bien mauvaises nouvelles. Est-ce là tout ce que tu m'apportes ?

– Non, j'en ai bien peur, Pharaon… Je tiens de source sûre que les Achéens regardent aussi vers nos terres et nous préparent un mauvais coup. Ceux-ci aimeraient bien mettre la main sur notre port et ainsi contrôler tout le commerce sur les terres du Nil.

– Les Achéens au nord et les Nubiens au sud ! Voilà qui nous place dans une fâcheuse position…

– Mais ce n'est pas tout, Pharaon.

– Pff ! Décidément, c'est mon jour !

– Je prévois que les Libyens leur emboîteront le pas pour conquérir nos territoires à l'est. De plus, il y a menace de rébellion sur nos terres cananéennes, un vent de liberté souffle dans les esprits de certains chefs de guerre. On les dit fatigués de la domination de l'Égypte.

– Et les Hittites ?

– Ce sont les seuls à ne pas avoir manifesté d'hostilité à votre arrivée au pouvoir. Ceux-là reconnaissent votre puissance et votre grandeur. Seulement, il ne faut pas se fier aux Hittites, car dès qu'ils en auront la chance, ils essaieront de forcer nos frontières. Cette race est composée de menteurs et de traîtres, uniquement ! Lorsque leur souverain Hattousili III sourit, c'est qu'il mijote quelque chose. Et on le dit très souriant par les temps qui courent !

– Tu m'en vois surpris ! s'exclama Mérenptah avec ironie. Quelle hyène, celui-là ! Ces parjures de Hittites ne révèleront leurs véritables intentions que lorsque l'Égypte sera à feu et à sang. Et comme d'habitude, ils joindront les rangs des plus forts…

— Votre sagesse est grande… votre clairvoyance aussi… mais je crois néanmoins que ce sont eux qui nous attaqueront les premiers. Je sais comment pensent ces chiens, et c'est sans doute par le royaume de Bakhtan qu'ils tenteront de nous envahir.

— Les empires ne se font pas de cadeaux entre eux, c'est bien connu! Enfin, c'est ce que répétait souvent mon père… Est-ce là tout, ou me réserves-tu encore une bonne surprise? Tout va bien au pays de D'mt?

Le militaire sourit de la blague du pharaon. Le pays de D'mt était une région quasi impénétrable où des hommes sauvages vivaient sans aucune organisation politique ou sociale. Il n'y avait absolument rien à craindre de ce côté.

— C'est tout pour les mauvaises nouvelles…, fit le colosse. Et rassurez-vous, le pays de D'mt ne présente pas de menace. Enfin, pas encore!

— Tant mieux, cela nous fera un endroit où nous réfugier si les choses tournent mal en Égypte! dit ironiquement le nouveau pharaon.

— Je peux? demanda l'homme en lorgnant vers la sortie.

— Oui… va! Merci pour ta franchise… Reviens-moi demain avec une proposition d'offensive pour mater rapidement les Nubiens. Si nous les rallions rapidement à notre cause, nous pourrons les utiliser contre les Achéens et les Libyens. Ce sont de solides guerriers dont l'Égypte ne peut se passer. Mais avant de te retirer… parle-moi du peuple. Comment me considère-t-il?

L'homme demeura silencieux quelques secondes. Trop craintif pour dire la vérité à son nouveau pharaon, il se contenta de le saluer respectueusement et quitta la pièce en silence. Après tout, il avait eu son congé, et la bienséance, même envers Mérenptah, ne le forçait pas à répondre. Mérenptah comprit que son conseiller militaire ne voulait pas commenter la situation et il l'en excusa tout de suite. Après tout, le souverain connaissait déjà trop bien la réponse à cette question.

— Me voilà fixé…, grogna-t-il pour lui-même. Je sais que le peuple qui a tant aimé mon père me regarde aujourd'hui avec déception. Les hommes et les femmes de ce pays voulaient un roi digne de Ramsès II et ils se retrouvent avec Mérenptah le poète! À leur place, je serais tout aussi déçu…

La nuit était tombée sur le balcon du palais, et le froid du désert commençait à se répandre sur Memphis. Seul, assis sur son siège, Mérenptah regarda les feux de la ville s'allumer un à un et l'animation nocturne s'installer sur les différentes places. La musique des tavernes et des spectacles monta jusqu'à lui dans un bourdonnement étouffé. Il y avait tant d'hommes, de femmes et d'enfants dans cette ville, tant de vie, tant d'odeurs et tant de fêtes qu'elle en devenait étourdissante. Artistes nomades, charmeurs de serpents et arracheurs de dents côtoyaient les dompteurs de singes et les vendeurs d'esclaves. De splendides femmes dansaient à la musique endiablée de percussionnistes déchaînés. Et tout cela était enveloppé de l'arôme de moutons grillés et de poulets cuisant à la broche.

« Il y a tant à faire dans cette ville pour se divertir, pensa Mérenptah, qu'il serait bien dommage de rester confiné dans ce palais. Si je m'évadais ce soir, je pourrais en profiter pour prendre directement le pouls de l'opinion publique à mon sujet. Rien de mieux qu'un bain de foule pour entrer en contact avec le peuple. C'est une idée fantastique… Ça me fera du bien ! »

Le pharaon claqua des doigts et ses deux servantes apparurent aussitôt. Il demanda à la première de lui trouver des vêtements de berger et un long bâton de marche, le tout très usé de préférence. Il ordonna ensuite à la seconde de lui retirer ses bijoux royaux et de lui couper les cheveux très courts, comme ceux d'un simple Égyptien. La femme hésita, mais, incapable de désobéir à son maître, se mit à l'ouvrage en versant des larmes de crocodile. Les cheveux du pharaon étaient si beaux, si longs et si bien entretenus qu'elle avait l'impression de commettre un crime contre son pays. Une fois la tâche terminée, Mérenptah enfila ses nouveaux vêtements et ne garda sur lui que la bague de son père qui l'identifiait comme souverain d'Égypte.

– Si on demande à me voir, dit-il à ses servantes, vous répondrez que je porte encore le deuil de mon père. Ainsi, je refuse toute visite jusqu'à ce que mes larmes soient sèches.

– Mais… mais où allez-vous ? osa demander l'une d'elles, déjà morte d'inquiétude.

– Je vais à Memphis incognito et je ne sais pas quand je reviendrai. Je me pose des questions et je ne serai pas de retour avant d'avoir trouvé des réponses. Si mon absence devait se prolonger durant quelques jours, vous ferez monter de la nourriture à ma chambre. Chaque fois, vous viderez entièrement le bol avant de le rendre! Je ne veux pas qu'il reste une miette de nourriture, sans quoi mes docteurs s'inquiéteront. Ceux-là me surveillent constamment et s'ils posent des questions à mon sujet, dites-leur que je prie avec ferveur, mais surtout que je vais très bien. Je ne sais pas combien de temps je m'absenterai… Seriez-vous capable de tenir votre langue quelques jours si c'était nécessaire?

Les deux femmes firent un signe de tête affirmatif.

– Je sais que vous serez très inquiètes pour moi, mais je vous assure que c'est pour le bien du royaume.

– Votre père aussi, ô grand Mérenptah, avait ses secrets et nous les avons toujours gardés, fit l'une des servantes. Nous emporterons ces mystères avec nous dans le royaume des morts.

Mérenptah gratifia chacune d'un baiser sur le front, ce qui les fit rougir comme des pommes bien mûres.

Le pharaon quitta ses appartements et emprunta un passage réservé à la royauté donnant directement dans les jardins. Voilé par la nuit, il s'assura de l'absence de gardes et se glissa ensuite discrètement hors des murs du palais. Toutes les résidences royales que Ramsès II avait habitées étaient truffées de passages secrets, et Mérenptah les connaissait bien. Son père les utilisait souvent pour faire monter à ses appartements des vendeurs d'opium venant des lointaines terres babyloniennes. Cette substance l'aidait à se détendre et à dormir lorsqu'il était trop tendu. Sous son emprise, il lui arrivait même de recevoir la visite de dieux anciens avec lesquels il discutait de longues heures durant. C'était là l'un des nombreux secrets de Ramsès II que ses servantes emporteraient avec elles dans la tombe. Un secret que ses proches connaissaient aussi.

Mérenptah marchait maintenant dans Memphis. En quelques minutes, il était passé de souverain d'Égypte à berger sans le sou. Mais tout n'était qu'apparence, car le pharaon, contrairement à un éleveur de bétail, avait dans ses bottes un petit sac de pierres précieuses et un assortiment de fines tablettes d'or afin d'assurer sa subsistance.

Ce fut ainsi qu'après quelques pas dans la pénombre d'une rue ensablée, il déboucha sur l'une des nombreuses places de la ville. Là, dans la lumière vacillante d'un grand feu de joie, une troupe de danseurs amusait des centaines de spectateurs qui frappaient joyeusement dans leurs mains. À travers la musique assourdissante des musiciens survoltés et les cris excités des chanteurs nubiens, Mérenptah se sentit observé. Il regarda furtivement autour de lui, mais personne ne semblait l'avoir reconnu.

— Du calme, se dit-il, ces gens ne peuvent pas savoir qui je suis… Aucun d'entre eux ne s'attend à croiser le pharaon. Je dois agir comme un citoyen normal, sinon j'attirerai l'attention sur moi. Néanmoins, je vais quitter cette place et chercher un endroit moins achalandé.

Mérenptah s'écarta de la foule et trouva une table libre dans une taverne à ciel ouvert. Habitué à plus de confort, le pharaon s'assit sur un coussin et attendit qu'un gros bonhomme à la bedaine atrocement gonflée vienne le servir.

— T'as de quoi payer? lui demanda le serveur bouffi qui suait à grosses gouttes. Parce que moi, les bergers puants comme toi, je les casse en deux s'ils n'ont pas de quoi régler l'addition!

Mérenptah eut un véritable choc. L'homme qui venait de lui adresser la parole avait un accent très prononcé qui démontrait clairement ses origines modestes. On ne parlait pas de cette façon dans la noblesse égyptienne, et encore moins à la cour de Ramsès II, où le pharaon avait été élevé. S'il voulait se fondre dans la masse et éviter d'attirer l'attention sur lui, le faux berger se devait de ne pas trop ouvrir la bouche.

Discrètement, Mérenptah sortit de sa bourse une petite pierre jaune et la tendit au serveur. Celui-ci la regarda longuement, la frotta, puis testa sa solidité en la glissant entre ses dents. N'importe quel expert aurait tout de suite vu qu'il s'agissait d'une authentique citrine et qu'elle valait au bas mot une centaine de tonneaux de bière. Seulement le gros bonhomme n'avait jamais vu ni tenu une telle pierre dans ses mains. Ce fut donc avec circonspection qu'il lança d'un air détaché:

— Je t'en donne cinq et du poulet tant que tu pourras en manger, ça te va? fit-il en montrant derrière lui des volailles qui cuisaient à la broche sur un lit de braises. Tu as compris? Cinq! Pas une de plus!

Le pharaon se demanda ce que ces cinq choses pouvaient bien être, mais il demeura muet. Il se contenta d'acquiescer de la tête.

Le gros homme tourna les talons et revint aussitôt avec un récipient contenant tout près d'un litre de bière. Il le déposa nonchalamment sur la table en aspergeant son client.

– Je tiens le compte… il en reste quatre ! Tu me feras signe quand t'auras faim, je t'apporterai le poulet. À la tienne, berger !

Mérenptah sourit en guise de remerciement, puis il trempa les lèvres dans la boisson. La bière, forte et ambrée, avait un goût d'épices très prononcé qui contrastait nettement avec ce que le souverain avait l'habitude de boire au palais. Ce premier essai ne fut pas très concluant, et le pharaon dut faire de gros efforts pour ne pas s'étouffer. Loin de la finesse et de la pureté auxquelles il avait été habitué, il pensa que ce rafraîchissement avait toutes les qualités pour ravir les cochons. Pour apprécier cette bière, il fallait être complètement dépourvu de goût ou ne pas avoir connu mieux. Cependant, l'alcool faisant déjà son effet, la deuxième gorgée lui parut moins difficile à avaler, et la troisième fut un charme à engloutir. À la quatrième, il avait presque terminé son verre et levait déjà le bras pour que le serveur lui en apporte un autre. Finalement, cette bière n'était pas si mal.

Autour de Mérenptah se pressait une foule panachée de commerçants et de militaires, de notables et de prostituées, ainsi qu'un bon nombre de serviteurs et de scribes du palais qu'il avait déjà croisés.

« J'espère que personne ne me reconnaîtra, pensa-t-il en essayant de cacher son visage sous le capuchon de sa cape. Si on apprenait qui je suis, ma vie pourrait être en danger… »

– Connaissez-vous la dernière rumeur qui circule en ville ? lança un fantassin qui profitait d'une soirée de congé.

Autour de lui, les clients amusés se turent pour l'écouter.

– Ce matin, continua-t-il, on a retrouvé un scribe du palais mort derrière son écritoire ! Pourtant, tout paraissait normal, il n'avait pas bougé depuis trois jours ! Encore un peu et il se momifiait sur place !!!

Comme les employés de l'État avaient une réputation de lourdauds et de paresseux, l'assemblée y alla d'un grand éclat de rire. Les quelques scribes qui partageaient une table un peu plus loin se contentèrent d'esquisser un sourire poli. Mais l'un d'eux, piqué au vif, se leva et demanda le silence.

– Quelle différence y a-t-il entre un Nubien et un fantassin égyptien ? lança-t-il aux clients ravis par la tournure des événements. Eh bien, aucune ! Tous les deux deviennent des eunuques devant le pharaon !

La foule applaudit à tout rompre cette blague grivoise qui fit monter d'un cran la tension entre les deux hommes.

– Tu veux jouer à ce jeu, mon petit ? ! grogna le soldat en colère. Très bien… Alors, comment fait-on pour briser l'index d'un scribe ? On lui donne un bon coup de poing sur le nez ! C'est bien connu, tout ce qu'ils savent faire de leurs dix doigts, c'est se les mettre dans le nez !

Mérenptah, grisé par l'alcool, sourit. La blague avait un fond de vérité indiscutable. Combien de fois avait-il reproché à ses scribes d'être lents et peu débrouillards ? La joute entre les deux hommes s'annonçait passionnante.

Les clients manifestèrent aussi leur approbation, et tous les regards se tournèrent vers le scribe offensé. Celui-ci respira un bon coup, puis lança :

– Nous ne savons rien faire de nos dix doigts, j'en conviens… mais quand les soldats sont en mission loin de Memphis, c'est avec leur onzième doigt que les scribes s'occupent de leurs femmes ! Et la tienne semble bien apprécier la plume de mon encrier…

– Tu vas voir, insolent, comment la lame de mon couteau te tranchera la langue ! s'exclama le fantassin en dégainant une dague.

– Est-ce une chèvre que j'entends ainsi brailler, ou est-ce le cri désespéré d'un cocu frustré ? ajouta le fonctionnaire pour mettre un peu d'huile sur le feu.

Le fantassin bondit sur le scribe, mais celui-ci ne se laissa pas dominer. Les deux hommes en vinrent aux coups et ils furent poussés à l'extérieur de la taverne par les spectateurs survoltés. Devant la scène, Mérenptah demeura assis et regarda les combattants et la foule s'éloigner de la place publique.

« Voilà ce à quoi ressemble mon peuple, pensa-t-il, encore sous le choc. C'est désolant de constater qu'ils se comportent comme des chiens qui n'ont rien de mieux à faire que se défier et se battre… Cependant, je ne peux leur en vouloir. Cette bière pourrait faire perdre la tête au plus calme des hommes. »

– Tu veux prendre un peu de bon temps ? suggéra soudainement la voix d'une femme, juste à côté de lui. Donne-moi un peu de bière, bel étranger, et je te ferai un petit cadeau dont tu te souviendras longtemps… Ensuite, nous parlerons de choses plus sérieuses.

La prostituée, dont la généreuse poitrine débordait de ses vêtements, glissa sa main sous la tunique de Mérenptah. Elle saisit habilement son sexe et commença à le manipuler vigoureusement. Offensé par cette méthode peu orthodoxe et trop directe, le pharaon se leva d'un trait et quitta la taverne sans demander son reste.

– C'est ça, hurla la racoleuse, va donc enculer une de tes chèvres, sale berger !

« Mais c'est impossible, grogna Mérenptah en empruntant sans faire attention une rue sombre. Voilà ce qu'est devenu mon peuple ? Une bande de chacals batailleurs accompagnés par des femmes de petite vertu ? Pas étonnant que les Nubiens, les Achéens et tous les peuples qui nous entourent veuillent leur part de l'Égypte. Eux aussi, ils veulent participer à la fête. Je n'ai jamais vu Memphis aussi décadente et sans… »

– Je vous en prie ! lança alors une voix derrière Mérenptah. N'allez pas par là, mon pharaon, c'est un quartier très dangereux… Si vous persistez, le malheur vous attend au bout de cette rue.

Les craintes de Mérenptah étaient maintenant fondées : il avait été reconnu. Lentement, il se retourna et aperçut un homme d'une quarantaine d'années, modestement vêtu, qui lui souriait. Lorsque celui-ci constata qu'il ne s'était pas trompé et que le fils de Ramsès II se trouvait bel et bien devant lui, il tomba à genoux et se prosterna.

– Votre Majesté ! fit-il, le nez dans la poussière. J'avais un doute, mais me voici rassuré. J'ai reconnu mon maître et béni les dieux qui m'ont fait suivre ses pas. Qu'Horus, protecteur de l'Égypte, soit loué…

– Debout, je t'en prie…, fit Mérenptah, un peu contrarié. Si tu continues à te prosterner ainsi, tu attireras l'attention sur moi. Ta ferveur va me trahir.

– Ainsi, c'est vous…, dit encore l'homme qui demeurait agenouillé. Je vous ai bien reconnu en passant devant la taverne… Je n'en croyais pas mes yeux! Et pourtant, ce n'était pas un mirage… ni même une apparition!

Rapidement, Mérenptah s'avança vers lui et l'aida à se relever.

– Va-t'en et n'ouvre pas la bouche…, ordonna le pharaon. Ma présence ici est un secret et je ne veux pas être reconnu. Si tu parles, je te ferai payer chèrement le prix de ton indiscrétion.

– Un secret, vous dites?! lui répondit poliment l'homme. Eh bien, soyez certain que celui-ci sera bien vite éventé si vous continuez à être aussi imprudent. Ce n'est pas ce simple accoutrement de berger qui vous sauvera la vie si vous tombez entre de mauvaises mains, et je dois vous avouer que Memphis en est remplie.

– Qui es-tu, toi? lui demanda le pharaon. Ton visage me dit quelque chose! Ce n'est pas la première fois que je te rencontre, non?

– En effet, maître! Je m'appelle Izzi et je suis sculpteur de pierre. C'est moi qui ai réalisé les ornements qui décorent votre grande chambre du palais… Je vous ai vu quelques fois venir admirer mon travail, voilà pourquoi je vous ai rapidement reconnu… Cela explique sans doute pourquoi mon visage vous est familier.

– Izzi?! répondit Mérenptah. Oui… ce brave Izzi! Je me rappelle de toi maintenant. Tu es un grand artiste et un ouvrier dévoué… Tu travailles la pierre d'une si belle façon! Peut-être ne te l'ai-je jamais dit, mais tu es un grand artiste.

– Grand Pharaon, dit nerveusement le sculpteur, je ne sais pas pourquoi vous êtes ici et cela ne me concerne en rien, mais, de grâce, permettez-moi de vous inviter dans ma modeste demeure. Nous continuerons cette discussion chez moi. Vous savez, il ne fait pas bon de circuler en ville la nuit, car…

Izzi hésita. Il venait peut-être de se mettre les pieds dans les plats.

– Continue…, fit le pharaon, très intéressé. Ne t'arrête pas!

– Car… car depuis que Ramsès II, votre père, est entré dans la Vallée des Rois, la sécurité s'est grandement relâchée et des voyous ont fait leur apparition. Comprenez bien qu'il ne s'agit pas d'une critique que je vous adresse, seulement d'un constat. Loin de moi l'idée de vous dire comment diriger l'Égypte, et encore moins la ville de Memphis.

— Ne t'inquiète pas, j'apprécie ta franchise. D'ailleurs, je suis ici pour cela.

— J'habite tout près d'ici. Venez avec moi, je vous en prie. Je tairai même votre identité à ma femme afin de préserver votre secret… mais je vous en conjure, il ne faut pas déambuler seul dans la nuit.

— Je suis capable de m'occuper de moi, merci, Izzi. J'ai des choses à faire et c'est une quête qui n'incombe qu'à moi. Rentre chez toi et dors sur tes deux oreilles, personne ne me fera de mal.

— La bière vous égare, mon souverain, dit Izzi. Vous jugez mal de la situation… Par Horus, accompagnez-moi.

— Tu crois que je manque de jugement?! lança le pharaon qui vacillait un peu sur ses jambes. Moi, le pharaon, je manque de jugement?! Eh bien, tu as du culot, Izzi!

— À la taverne, trois voleurs vous ont vu sortir une bourse de vos vêtements et ils ont l'intention de vous la ravir… Vous avez payé votre repas avec une citrine, et même si le serveur n'y connaissait rien en pierres précieuses, cela ne veut pas dire que les clients autour étaient aussi ignorants que lui. De plus, à table, vous avez par deux fois caché votre visage de façon maladroite. Seuls les nobles et les riches ne veulent pas être reconnus lorsqu'ils fréquentent des endroits un peu louches. Et puis, grand Mérenptah, pourquoi pensez-vous que la prostituée qui vous a agressé désirait tant avoir un simple berger entre ses cuisses?

— Pour mettre la main sur ma bourse! fit le pharaon, qui réalisait maintenant toute l'ampleur de ses maladresses. Elle voulait me détrousser, c'est évident! J'aurais dû m'en douter…

— Vous ne pouviez pas vous en douter, grand Mérenptah, car vous n'êtes pas de ce milieu. Vous n'en connaissez pas les codes, et vous ignorez quels sont les comportements à adopter.

Le pharaon soupira.

— Je vous en prie, continua Izzi, vous n'êtes pas fait pour vivre longtemps dans cette ville… Il vous faut de l'aide. Je ne vous demanderai rien en retour… je ne parlerai à personne de votre visite… mais ayez la sagesse d'écouter un simple tailleur de pierre qui vous respecte au plus haut point. Il en va de votre vie. Vous avez été charmant avec moi lors de mon travail au palais, je veux simplement vous rendre la pareille…

Mérenptah prit quelques secondes de réflexion. Après tout, Izzi avait peut-être raison. Il valait sans doute mieux l'accompagner. Malgré tout, un doute subsistait dans son esprit.

– Tu es peut-être l'un de ces voleurs qui désirent me tendre un piège ? fit-il d'un ton méfiant. Tu as vu trop de choses pour être simplement intéressé par ma sécurité. Comment puis-je te faire conf…

Le pharaon s'interrompit et vit trois hommes armés de longs couteaux s'arrêter au bout de la rue. Tout de suite, il comprit que le sculpteur de pierre avait dit vrai et qu'il pouvait avoir confiance en lui.

– Ça va, tu m'as convaincu, murmura-t-il en s'approchant de l'oreille de son sauveur. Tu avais raison, Izzi, j'ai bien été suivi, et ces brigands que tu vois là-bas, je pressens qu'ils ne sont pas là pour me souhaiter la bienvenue ou me faire des courbettes.

– Suivez-moi, Pharaon, nous allons les semer dans les ruelles du souk… Vous venez de prendre la bonne décision. Ne me perdez pas de vue !

Izzi et Mérenptah déguerpirent vers une petite rue noire. Derrière eux, les voleurs s'élancèrent à leur poursuite. Les deux hommes empruntèrent une ruelle, puis une seconde. Ils franchirent les ruines d'une maison abandonnée, puis continuèrent leur trajet dans un véritable labyrinthe d'étroits couloirs entre les habitations.

– Tu sais où nous sommes, Izzi ? demanda Mérenptah, un peu inquiet. Cette partie de la ville est un incroyable dédale… Je ne la savais pas aussi compliquée !

– Oui, je sais précisément où nous nous trouvons. Nous arriverons bientôt chez moi, répondit le sculpteur avec un brin de fierté dans la voix. Je suis né et j'ai grandi dans ce souk, Pharaon ! Je connais chaque coin de ce quartier de la ville et presque tous les gens qui y habitent. Pour me perdre ici, il faudrait que je reçoive un bon coup sur la tête et que j'en oublie jusqu'à mon nom.

– Cela veut dire qu'Horus était avec moi et que j'ai eu bien de la chance de te rencontrer…

– Non, c'est plutôt à moi que revient l'honneur d'avoir été choisi par Horus pour être votre guide ! Et soyez certain que je ne le décevrai pas ! Je crois bien que nous avons semé nos poursuivants.

Loin derrière eux, ils perçurent les voix des trois hommes qui, bien perdus dans le souk, essayaient de retrouver leur chemin.

– Écoutez-les ! se moqua Izzi. Ils en ont pour la nuit à tenter de s'orienter. Et encore, ils devront demander leur chemin aux gens du quartier qui, soit dit en passant, ne sont pas très sympathiques, mais très méfiants. C'est pourtant simple ; à partir d'ici, il faut tourner à droite à chaque intersection ! Voilà, cette porte… c'est celle de ma maison !

– Toujours à droite, tu dis ?

– Curieusement, c'est la seule façon de ne pas tourner en rond dans ce souk ! Allez, entrons !

Les deux hommes poussèrent la vieille porte de bois et aboutirent dans une toute petite pièce mal éclairée. Quelques lampes à huile et un petit feu de bois au-dessus duquel bouillait de l'eau faisaient danser un peu de lumière sur les murs.

– Il était temps que tu rentres, Izzi, dit une femme, venant à leur rencontre. Je commençais à être sérieusement inquiète ! Mais… mais tu nous amènes un visiteur ?

– Bonsoir, chérie. Désolé pour le retard, je vais t'expliquer, je te promets… mais avant, tu veux bien nous faire du thé et préparer un lit pour mon nouvel ami ? Il dormira avec nous ce soir et je veux qu'il se sente comme chez lui ! Enfin, qu'il se sente à l'aise, je veux dire…

La femme d'Izzi, un peu surprise de recevoir un étranger, demanda discrètement à son mari de la suivre dans une autre pièce.

Avant de la rejoindre, le sculpteur offrit au pharaon de s'asseoir. Mérenptah, content d'avoir terminé sa course dans le souk, accepta volontiers l'invitation et prit place sur le sol entre deux larges coussins.

– Tu aurais pu m'avertir que…

– Chérie, je t'en prie…, chuchota Izzi en faisant signe à sa femme de se taire. Prépare-nous aussi quelques-uns de tes gâteaux aux figues. L'homme qui dormira ici ce soir est très important, et je veux que son passage dans notre demeure soit agréable. Tu comprends? C'est très important pour moi… pour nous.

– Bon, très bien…, maugréa l'épouse, mais j'espère qu'il sait se tenir et qu'il est bien éduqué. Je me méfie de tes amis, tu sais! Ils sont souvent grossiers et peu reconnaissants de ce que nous faisons pour eux.

– Ne t'inquiète pas, ma douce Bithiah… Cet homme est aussi parfait que le pharaon en personne.

II

Pendant qu'Izzi parlait à sa femme dans une autre pièce, Mérenptah en profita pour examiner l'endroit. Il se trouvait dans un tout petit salon, sans fenêtres, mais heureusement muni d'un puits de lumière rectangulaire. Par ce trou grossièrement taillé dans le plafond, il lui était possible de voir la lune et les étoiles.

« Cette maison doit être particulièrement humide à la saison des pluies, se dit-il en observant les constellations. C'est néanmoins charmant de vivre sans toit et de pouvoir observer chaque nuit ce magnifique spectacle. »

Autour du pharaon, il y avait encore quelques coussins, un grand tapis de laine, une étagère à vaisselle, trois pots d'argile et une table de bois. Habitué à plus de faste, il sourit en pensant que seulement deux meubles composaient le mobilier de la pièce. Cette demeure n'avait rien à voir avec le palais luxueux de Memphis et n'arrivait même pas à la cheville des humbles quartiers de la moins importante de ses servantes. Mais, malgré la simplicité et la pauvreté de cette maison, Mérenptah s'y sentit beaucoup plus à l'aise que chez lui. Cette petite pièce avait quelque chose de rassurant et de confortable.

– Je vous en prie, fit Izzi, enfin de retour, faites comme chez vous. Ma demeure est modeste, mais elle est à vous… Prenez aussi ce coussin, il est très confortable. Nous aurons bientôt du thé et des petits gâteaux ! Vous verrez, ce sont les meilleurs de toute l'Égypte ! Ma femme cuisine très bien.

– Merci de m'accueillir, dit Mérenptah, reconnaissant. Tu es un homme bien, Izzi…

– Oh! ne dites pas cela, Pharaon… N'importe qui aurait fait la même chose pour vous.

– Je ne crois pas, Izzi… mais enfin, je me sens bien chez toi, voilà l'important.

– Tout le plaisir est pour moi. C'est un honneur, une bénédiction.

La femme d'Izzi fit discrètement son entrée dans le salon et posa soigneusement une théière sur la table, ainsi qu'une lampe à huile afin d'éclairer un peu mieux la pièce. Curieuse, elle jeta un coup d'œil furtif à l'invité de son mari, mais elle ne reconnut pas du tout le pharaon. Son visage lui disait bien quelque chose, son long nez aquilin aussi, mais… Les yeux perçants de l'homme et ses traits fins ne firent que piquer sa curiosité.

– Je peux vous servir du thé? proposa-t-elle en l'observant d'un peu plus près. Votre visage me dit quelque chose… Peut-être vous ai-je déjà rencontré au marché?

– S'il vous plaît, accepta poliment Mérenptah en lui présentant sa tasse. Je ne crois pas, je ne vais jamais au marché…

– Il y a aussi des galettes, mais votre femme en fait sûrement de meilleures.

Le pharaon sourit devant l'indiscrétion de la question. Il accepta volontiers la pâtisserie, la porta à sa bouche et poussa une exclamation de satisfaction. Le sculpteur n'avait pas menti, sa femme était effectivement une excellente cuisinière. Comme Izzi allait s'interposer et demander à son épouse de les laisser seuls, Mérenptah l'en empêcha d'un geste et répondit :

– J'ai plusieurs femmes, mais aucune n'a votre talent pour la cuisine… ni votre hospitalité, d'ailleurs. Ces gâteaux à la figue sont une pure merveille !

– Merci bien, mais ce n'est rien, fit Bithiah, enchantée. Je tiens la recette de ma grand-mère.

– Il vaudrait peut-être mieux laisser notre invité se reposer, fit Izzi, visiblement mal à l'aise. Installons-le pour la nuit et…

– Alors…, enchaîna la femme sans s'occuper des derniers mots de son mari, je comprends qu'avec toutes ces femmes, vous êtes un peu comme notre nouveau pharaon. On dit de lui qu'il se prélasse au lit toute la journée avec ses concubines…

– Ah! vraiment? s'étonna Mérenptah, très intéressé par le sujet. Je ne savais pas qu'on avait si piètre opinion de lui!

– Femme, je t'en prie, tais-toi! lança Izzi qui commençait à suer à grosses gouttes. Je crois qu'il est temps d'aller nous coucher, et notre invité a eu une dure journée...

– Non, ça va très bien, mon ami, l'interrompit le pharaon, laisse-la parler... Je veux savoir ce que les gens disent et ce qu'ils pensent du fils de Ramsès II.

– Manifestement, vous n'êtes pas de Memphis, continua l'épouse d'Izzi, motivée par l'intérêt soutenu de l'invité. Pour tout vous dire, j'en aurais sûrement pour la nuit à vous faire la narration de ses frasques et à vous parler de son incompétence.

– En effet, je ne suis pas d'ici..., mentit Mérenptah. J'ai été longtemps architecte chez les Nubiens, j'arrive à peine d'un long voyage.

Ce fut à ce moment que l'épouse d'Izzi comprit subitement l'importance de cette rencontre pour son mari sculpteur de pierre. Cet homme qui buvait lentement le thé était donc un important architecte capable de fournir du travail à son époux! Voilà pourquoi Izzi tenait autant à l'héberger!

– En fait, continua la femme dans l'espoir d'être agréable, le nouveau pharaon n'a pas du tout la trempe de son père et le peuple est inquiet. Ramsès II était solide comme le roc, alors que lui, il a à peine la force d'un roseau. Dans les rues, on ne parle que de ses poèmes de jeunesse, fort mauvais d'ailleurs, et je connais des familles entières qui croient que ce pharaon est le maillon faible de la dynastie. Ce n'est pas un artiste qu'il faut pour diriger l'Égypte, mais un vrai souverain! Un meneur, quoi!

Tout près d'eux, Izzi avait cessé de respirer. Le sculpteur se demandait s'il finirait ses jours pendu, écorché vif ou simplement lapidé.

– Oui... je m'en doutais..., murmura le pharaon, dépité. Mais c'est une chose de le penser et une autre de l'entendre dire. C'est tout ce qu'on dit de lui?

Izzi eut une bouffée de chaleur qui faillit bien le consumer sur place. Il voulut parler, mais n'y parvint pas. Sa bouche était trop sèche et ses mâchoires, trop crispées.

— Ah ça, monsieur l'architecte, ce n'est que le début! enchaîna promptement Bithiah. Tout le monde sait que Mérenptah n'a aucun talent pour la guerre, ni même pour la gouvernance de son propre palais. Je vous l'ai dit, c'est un poète qui aime mieux se balader dans ses jardins, profiter du charme des femmes et prendre des bains dans le Nil, que de seconder ses généraux. Je veux bien croire que des héritiers de Ramsès II, Mérenptah était le dernier en lice pour s'asseoir sur le trône, mais chacun sait qu'il y a des conséquences fâcheuses à remplacer du miel par des orties...

— Oui... je vois, répondit calmement Mérenptah. Ce pharaon-là n'a pas l'envergure pour remplacer son père. Ramsès II était si... si grand et si droit... je l'admirais tellement. Même à l'âge adulte, j'avais l'impression d'être encore un enfant à ses côtés... Non, c'est faux... je VOULAIS être encore son enfant. J'aurais aimé qu'il me prenne encore dans ses bras pour me serrer contre sa poitrine. Je désirais plus que tout entendre son cœur battre contre le mien et me sentir en sécurité dans la chaleur de sa tendresse. Cet homme avait un cœur si grand qu'il y portait tout son peuple... Oui, vous avez raison, il était le miel, et moi, je suis les orties.

— Ainsi, fit la femme, un peu déboussolée par la confession de l'architecte, vous avez connu Ramsès II personnellement? Je ne savais pas qu'il entretenait des liens d'amitié avec ses... ses architectes.

Izzi avala d'un coup sa tasse de thé et serra les dents. Il était livide.

— Que se passe-t-il, Izzi? lui demanda sa femme, un peu embarrassée. J'ai dit quelque chose que je n'aurais pas dû dire?

L'impolitesse de Bithiah avait été telle que le couple finirait sûrement décapité sur la place publique. Le sculpteur se contenta de hausser les épaules en soupirant, mais il demeura muet.

— Je n'aurais pas dû vous demander si vous connaissiez le grand Ramsès II, c'est ça? fit la femme en regardant son invité. Si j'ai été impolie, veuillez m'en excuser, mais je ne...

— Non, ce n'est pas cela, ne vous en faites pas..., répondit Mérenptah avec émotion. En effet, j'ai bien connu ce géant qu'était Ramsès II et, croyez-moi, je regrette cet homme autant que vous...

— Vous le connaissiez si bien, alors ?

— Oui, je l'ai bien connu, avoua finalement Mérenptah. Normal, car je suis son fils, madame... Je suis votre pharaon.

Bithiah afficha un sourire amusé et se retourna vers son mari pour voir s'il riait aussi de la plaisanterie. Mais devant la tête d'enterrement d'Izzi, elle eut tout à coup un doute. Était-ce vraiment le pharaon ? Non, c'était impossible ! Pour se rassurer, elle regarda de nouveau le visage de son invité. Le nez, les traits et la forme allongée du visage ne trompaient pas, il ressemblait effectivement au pharaon. Lorsqu'on y prêtait attention, cet homme lui ressemblait beaucoup. En fait, il lui ressemblait vraiment beaucoup. Tellement qu'on aurait dit le frère jumeau de Mérenptah.

— C'est bien... c'est bien vrai... vous..., balbutia-t-elle en esquissant un sourire forcé. Vous lui ressemblez comme... comme si... c'était vous... le... le...

— C'est bien moi.

Plus de doute, c'était bel et bien le pharaon en personne qui se trouvait dans le petit salon à boire le thé. C'était aussi à cet homme, son souverain, que Bithiah venait d'affirmer que le peuple ne croyait pas en lui, qu'il n'était pas fait pour le pouvoir, qu'il ne s'intéressait qu'aux femmes et que ses poèmes étaient, en plus, fort mauvais. Chacun des mots qu'elle venait de prononcer contre Mérenptah rejaillit à sa mémoire et ils commencèrent à s'entrechoquer telles des billes dans son esprit. La femme se mit alors à suer, puis à rire nerveusement, et finalement à trembler de tout son corps. Le visage inondé de larmes, elle se plaça à genoux devant le pharaon et implora son pardon en gémissant. De son côté, Izzi baissa la tête et se mit lui aussi à pleurer. L'homme et la femme pensaient être en train de vivre leurs dernières heures.

— Je vous en prie, dit Mérenptah, ému par tant de vulnérabilité, ne pleurez pas. Je ne suis pas contrarié, bien au contraire. Vous venez de me faire un cadeau précieux... Toi, Izzi, tu m'as sauvé la vie ce soir, et toi, charmante femme dont je ne connais pas encore le nom, tu m'as offert la vérité. Comment pourrais-je vous en vouloir ?

– Je me... je me nomme Bithiah... et je suis désolée... pour tout... Pardonnez-moi... je suis...

– Allons, ne pleure pas, charmante Bithiah..., la réconforta le pharaon, car tu as tout à fait raison, je ne sais rien faire dans la vie. Je n'ai pas l'âme d'un grand roi et je suis, effectivement, un mauvais poète! Regarde-moi, je ne sais même pas me déguiser convenablement en berger. La preuve en est qu'Izzi m'a immédiatement reconnu, même avec cet accoutrement sur le dos. Aucun malheur ne vous arrivera... Ramsès II, mon père, vous aurait fait pendre pour moins que ça, mais heureusement, c'est moi maintenant qui gouverne!

Mérenptah se leva et prit Bithiah dans ses bras. La femme inonda son épaule de larmes et de sécrétions nasales. Lorsqu'elle comprit enfin qu'elle et son mari ne seraient pas punis pour ses indélicatesses, elle tomba dans les bras de son mari en poussant un soupir de soulagement.

– Si je peux me permettre, puis-je vous demander ce que vous faites ici, ô grand Pharaon, dans notre modeste demeure, si loin de votre palais? s'enquit la femme avec des trémolos dans la voix.

– Disons simplement que j'ai quitté le confort de mon lit et de mes concubines, répondit Mérenptah avec un sourire malicieux, pour trouver des réponses à mes questions. Je voulais voir de mes yeux comment était la vie des gens ordinaires de Memphis. Je désirais aussi me divertir, mais par-dessus tout, j'avais besoin de savoir quelle vision le peuple avait de moi. Je sais maintenant que mes gens n'ont pas confiance en moi et que toute l'Égypte risque de s'effondrer si je n'arrive pas à m'imposer. Marcher dans les traces de mon père n'est pas une mince tâche... Je devrai trouver un moyen d'y parvenir.

Un lourd silence tomba sur la petite maison d'Izzi et de Bithiah. L'homme qui était devant eux avait tout à coup pris un visage plus humain. Dans ses yeux remplis de doute, le couple put voir le désir sincère qu'il avait d'apprendre le métier de pharaon et de triompher des épreuves.

– Vous savez, continua-t-il, philosophe, il faut plus que le titre de charpentier pour travailler correctement le bois. Aujourd'hui, je n'ai que le titre de souverain... Mais dis-moi, Bithiah, comment pourrais-je gagner un peu de lustre à tes yeux? Comment un roi aussi peu apprécié que moi pourrait-il, selon toi, obtenir la confiance du peuple?

– Je ne sais pas…, répondit la femme en essuyant ses yeux encore humides. Ramsès II a gagné l'admiration de l'Égypte en menant de grandes batailles, notamment contre les Hittites… Vous connaissez sûrement la bataille de Qadesh?

– Oui, je la connais, par cœur même! s'exclama le pharaon. Malheureusement, je n'ai aucune aptitude pour l'épée, la lance ou l'arc! De plus, je sais à peine conduire un char de guerre et je ne supporte pas la vue du sang… Vous voyez bien, personne ne fera de moi un grand guerrier…

– Mais Pharaon, l'interrompit Izzi, de par votre naissance, vous êtes un dieu… Enfin, vous êtes de la grande lignée d'Osiris et d'Isis! Et d'Amon aussi!

– Oui, en effet…

– Alors, réconfortez-vous en vous disant que les dieux, malgré tous leurs pouvoirs, ne savent pas tout faire! Corrigez-moi si je me trompe, mais c'est Thot qui s'occupe de la science et de la médecine, alors que Toueris prend soin des femmes enceintes et favorise leur grossesse… Chaque dieu a une fonction précise, et c'est cela qui crée l'équilibre du monde. Comme eux, vous devez bien avoir un talent particulier, bien à vous, une force que personne ne connaît, qui vous distinguerait de Ramsès II, votre père, et vous rendrait unique! Je crois qu'il suffit de trouver cette chose qui sommeille en vous…

– Tes paroles sont pleines de sagesse, mais surtout rassurantes…, fit le pharaon. Et toi, Izzi, comment as-tu découvert que tu avais du talent pour la sculpture?

– Je l'ai toujours su, grand Mérenptah… Je sculpte depuis que je suis petit. Je vois des images au cœur de la pierre et je m'efforce simplement de les libérer.

– Moi, mon cher Izzi, je ne sais rien faire depuis que je suis tout petit! rigola le pharaon. Je n'ai jamais fait la cuisine et je ne me suis jamais habillé moi-même. Je sais lire, écrire par contre… c'est tout! Je ne monte même pas à cheval. Tu vois, les chevaux ont un sixième sens et ceux-ci sentent que j'ai peur d'eux, alors ils refusent de m'obéir. Dans ma jeunesse, tout ce que j'ai entrepris a lamentablement échoué et je ne supporte pas l'effort physique prolongé. Je suis un bon à rien, Izzi… un véritable bon à rien qui n'arrive même pas à faire pousser des fleurs convenablement. Imagine, je ne sais pas comment faire du thé! C'est lamentable, non? De plus, je suis toujours ambivalent sur tout, je n'arrive tout simplement pas à prendre une décision… Je doute de moi, des autres…

– Je soupçonnais cette caractéristique chez vous…, lui confia Izzi. Lorsque j'ai travaillé dans vos appartements au palais, vous m'avez fait reprendre quatre fois les moulures de votre plafond. Vous n'arriviez pas à vous décider. C'est finalement une de vos servantes qui vous a convaincu d'adopter un style plus épuré…

– Tu vois comme je suis, Izzi! Et dis-toi bien que ce soir, si je n'avais pas vu ces truands qui en voulaient à mon argent, eh bien, nous serions encore dans la ruelle à discuter…

– Vous êtes dur avec vous-même, Pharaon, tenta-t-il pour le réconforter. Après tout, il vous a fallu beaucoup de courage pour prendre la décision de quitter le palais et venir à la rencontre de votre peuple. Ce ne sont pas tous les souverains qui auraient mené à terme un tel projet.

– Oui, mais je l'ai fait en désespoir de cause! objecta Mérenptah. Je n'ai guère de mérite. J'étais en train d'étouffer dans mes immenses appartements alors qu'ici, dans cette petite pièce, je respire beaucoup mieux. C'est grâce à vous, à votre hospitalité, mais surtout grâce à ces magnifiques petits gâteaux à la figue!

– Servez-vous encore, fit Bithiah, honorée, je vous en prie…

Le pharaon étira le bras et en choisit un bien gros. Il l'avala en quelques bouchées, puis respira un bon coup, à la façon d'un homme libéré d'un poids sur les épaules. Il empoigna ensuite une des bourses qu'il avait cachées si maladroitement dans ses vêtements et la déposa sur la table.

– Prenez ceci, elle est à vous…

– Non, je ne veux pas, rouspéta le sculpteur. Je ne veux rien de vous… que votre respect, c'est tout! Je ne vous ai pas aidé pour en tirer profit. Je suis un honnête travailleur et, croyez-moi, je…

– Je sais, Izzi! le coupa le pharaon. Et c'est précisément pour cette raison que je te la donne. Si tu le permets, j'aimerais rester quelques jours ici, avec Bithiah et toi, pour réfléchir à mon avenir. Vos conseils sont précieux et votre présence, apaisante. Avec cet or, tu pourras facilement vivre quelques années sans te soucier de trouver du travail. Accepte ce modeste présent et, rassure-toi, je ne manquerai de rien, toute l'Égypte est à moi!

– Merci… merci beaucoup… vous êtes très généreux, le remercia la femme en lui baisant les mains.

Mérenptah termina son thé et mangea encore quelques gâteaux, puis demanda à ses hôtes de le laisser dormir sur les coussins du salon, à même le sol. Tout d'abord, le couple refusa, mais après quelques minutes de discussion, ils acceptèrent enfin. Izzi et Bithiah se retirèrent ensuite dans leur chambre.

Couché sur le dos, le pharaon regarda un long moment les étoiles par le trou du plafond. Maintenant que les chandelles de la pièce étaient éteintes, la voûte céleste semblait encore plus brillante.

« Si je ne peux être aussi étincelant que l'a été mon père, se dit-il, je dois trouver la lumière qui éblouira toute l'Égypte… À défaut d'être l'astre rayonnant vers lequel se tournent tous les regards, je serai celui qui gouverne dans l'ombre. Ce pays a besoin d'un nouveau héros qui saura l'inspirer… Mais où trouve-t-on ce type d'homme de nos jours? Horus, entends-tu cette prière? Guide-moi vers lui… »

Sur cette demande restant sans réponse, le pharaon ferma les yeux et glissa dans un profond sommeil.

III

À leur réveil, Izzi et sa femme constatèrent rapidement l'absence du pharaon. Ils inspectèrent rapidement les quelques pièces de leur petite maison, mais ne trouvèrent aucune trace de sa présence, ni même de son passage.

– Es-tu certain, Izzi, que nous n'avons pas rêvé cette histoire ? dit Bithiah en regardant son mari. Maintenant que le jour est là, j'ai l'impression d'avoir tout inventé.

– Alors, nous serions deux à l'avoir fait ! lui répondit le sculpteur. Pourtant, non, regarde la bourse qu'il nous a laissée… elle est bien réelle ! Je n'ai jamais vu tant de richesses de toute ma vie !

– Vraiment, cette histoire me renverse, continua la femme en se frottant les yeux. Le pharaon était ici, avec nous ! Tu te rends compte ? Enfin, je suis bien contente qu'il soit parti, je déteste me lever en présence d'un inconnu.

– Mais quand même, fit Izzi inquiet, je vais faire le tour du quartier, juste pour être certain qu'il ne s'est pas perdu.

– Va, mon Izzi, je ferai du thé.

Comme à son habitude, Bithiah mit de l'eau à bouillir et prépara son mélange du matin. Pendant ce temps, le sculpteur, inquiet pour son pharaon, parcourut le souk d'un pas preste. Il questionna discrètement quelques amis sur le passage d'un étranger dans le coin, mais n'obtint aucun indice. Il rentra à la maison bredouille, mais toujours aussi préoccupé.

– Avons-nous rêvé, ma femme ? lui demanda-t-il en buvant son thé. C'est moi, maintenant, qui doute de ce qui s'est passé !

– Je ne crois pas, Izzi ! répondit Bithiah, maintenant sûre d'elle. Il était bien ici hier soir lorsque nous sommes allés dormir… Tu l'as toi-même dit, les songes ne laissent pas derrière eux des bourses remplies de richesses! Mais… mais à bien y penser, peut-être était-ce un djinn?!

– Je n'osais pas le dire, mais je crois que tu as raison! fit Izzi en se grattant la tête. Cette histoire est parmi les plus étranges. Un pharaon ne disparaît comme ça, sans laisser de traces, mais un djinn, oui! Tout le monde sait que ces esprits perdent leur forme dès les premiers rayons du soleil. De plus, les djinns sont riches, ça aussi, c'est bien connu!

– Pharaon ou djinn, personne ne quitte une maison où il a été reçu sans avoir remercié ses hôtes. C'est très impoli! Quoique, dans un cas comme dans l'autre, c'est peut-être mieux ainsi…, rigola Bithiah. Assurons-nous que cette bourse ne se dissout pas dans l'air et tout sera parfait! Je me dis qu'avec cette fortune nous pourrions peut-être envisager de démén…

Soudain, on frappa à la porte de la maison. Le bruit glaça d'effroi le sculpteur et sa femme qui pressentirent aussitôt une mauvaise nouvelle.

– Va ouvrir, Izzi…, dit nerveusement Bithiah. C'est peut-être lui?

– Le djinn ou le pharaon?

On frappa une seconde fois, plus violemment.

– Qui tu voudras, mais va ouvrir! Il va bientôt défoncer notre porte s'il continue!

L'homme avala sa salive. Il avait la curieuse impression d'avoir commis une faute grave ou de s'être mis les pieds dans les plats. Lorsqu'il ouvrit finalement la porte et qu'il aperçut une dizaine de soldats de la garde personnelle du pharaon, Izzi faillit bien s'évanouir. Aussitôt, il se lança dans une interminable explication un peu incongrue.

– Je suis désolé… Il était là hier, mais je crois bien que nous l'avons égaré. Je sais que nous aurions dû être plus attentifs, mais il était si… si troublé que… Enfin, vous pouvez fouiller ma maison… J'ai aussi un petit sac d'or qu'il m'a donné. Moi, je ne voulais rien, mais si vous insistez je vous le rends… je n'en veux pas… et… et je vois bien que ce n'était pas un djinn et… me voilà rassuré…

– Nous sommes bien chez Izzi le sculpteur et sa femme Bithiah? l'interrompit le soldat. Dans le souk, on nous a dit qu'ils habitaient ici. Vous êtes Izzi?

– Oui... oui, bien sûr, confirma l'homme. Vous désirez un peu de thé ? Nous allions justement nous en servir et, euh... Mais pour quinze ce sera un peu juste ! Pas de mal, nous ferons bouillir deux fois la...

– Mes hommes et moi avons l'ordre de vous escorter au palais, lança sèchement le fantassin. Vous devez immédiatement nous suivre.

– Ah ? ! Au palais ? Tout de suite ! Tu entends, Bithiah ? Euh, oui, mais pourquoi donc ?

– Mon nom ne figure pas sur la liste des confidents du pharaon, j'exécute ses ordres, c'est tout ! répondit le soldat impatient. Allez, vite !

– Très bien... très bien, nous... Je vais en parler à ma femme et nous...

– Laissez tout et accompagnez-moi immédiatement, c'est un ordre !

– BITHIAH ! Viens vite ici, nous partons tout de suite !

Le sculpteur et sa femme quittèrent leur maison sous les regards impressionnés des voisins. Tout au long de leur marche dans le souk, les marchands et les passants les dévisagèrent comme s'il s'agissait de criminels notoires. Rien de plus normal puisque, chaque fois que les soldats venaient dans ce quartier, c'était pour y appréhender des voleurs ou des assassins.

– Ce n'est pas grave, c'est une erreur ! lança Izzi à ses amis du souk. Nous serons vite de retour... Ne vous en faites pas ! Une simple erreur...

Avec un soulagement manifeste, Izzi et Bithiah quittèrent bientôt les quartiers populaires de la ville pour emprunter, non loin du marché, le long escalier menant au palais de Mérenptah.

Au sommet des marches les attendait un scribe. L'homme avait un œil au beurre noir et le nez cassé, les lèvres fendues et la joue droite enflée. Il était évident qu'il s'était battu la veille et n'avait pas eu le dessus sur son adversaire.

– Très bien, merci..., dit-il aux soldats en leur indiquant qu'ils pouvaient disposer. Izzi le sculpteur et sa femme Bithiah, c'est bien cela ?

– Oui... c'est nous, répondit l'homme.

– Veuillez me suivre, s'il vous plaît...

Le scribe les escorta à l'intérieur du palais. Il emprunta en boitant quelques couloirs et finit par aboutir dans une salle où un vieil artisan remit au sculpteur et à sa femme deux magnifiques médaillons en or. Le couple, inquiet et perplexe, n'osa pas poser de questions, et chacun accepta timidement le bijou avec gratitude. Le scribe les conduisit ensuite dans une section du palais réservée aux habitations et pénétra dans une grande pièce richement décorée.

– Vous êtes ici chez vous…, dit-il sur le ton exaspéré du type qui a passé une très mauvaise nuit. Vos objets personnels seront déménagés dans la journée. Le médaillon vous donne libre accès à toutes les commodités et activités ainsi qu'aux nombreux jardins du palais. Voilà, je vous souhaite la bienv…

Comme le scribe allait terminer sa phrase, une femme très élégante, dont les bras, le cou et les oreilles étaient parés de bijoux dorés, entra dans la pièce et lui fit signe de partir. Le fonctionnaire s'exécuta sans discuter.

– Bonjour, dit-elle gentiment à Izzi et à sa femme. Je suis l'une des concubines de Mérenptah, et celui-ci m'a demandé de m'occuper personnellement de vous. J'espère que vous aimerez votre nouvelle vie au palais et vos nouvelles fonctions à la cour.

– Euh… oui, tout ça est… magnifique! fit Izzi, déstabilisé. Nous ne nous attendions pas à… à tout cela! C'est si soudain que…

– Nouvelles fonctions?! se risqua à demander Bithiah. Et quelles seront ces charges que nous devrons assumer?

– Vous ne savez pas?! s'amusa la concubine en rigolant. Eh bien, vous, Bithiah, notre souverain vous a adoptée et vous trairera comme sa propre fille, et vous, Izzi, vous deviendrez dès aujourd'hui l'un de ses conseillers spéciaux. Votre tâche sera de le renseigner sur les humeurs du peuple à son égard. Dans l'exercice de vos fonctions, vous devrez vous fondre parmi la population et…

– Il m'a adoptée… Je suis sa… sa fille?! l'interrompit Bithiah pour être certaine qu'elle avait bien compris. JE SUIS LA FILLE DU PHARAON?!!

– Mais oui! Mérenptah a le pouvoir de choisir lui-même sa descendance et il vous a réservé cet honneur en faisant de vous sa neuvième fille. Vous êtes maintenant la princesse Bithiah!

– Oh… moi, princesse d'Égypte ! fit Bithiah en titubant vers une grande chaise de bois. C'est le plus beau jour de ma vie… je crois… que je vais défaillir !

Izzi la rattrapa aussitôt et l'installa sur le siège.

– Pardonnez-nous, mais tout cela est si soudain…, dit Izzi, complètement estomaqué. Nous ne nous attendions pas à cela… vraiment pas. Serait-il possible de voir Mérenptah pour le remercier de tant de bonté envers nous ?

– Ce sera impossible, puisque le pharaon a quitté le palais ce matin pour un très long pèlerinage dans tout le pays. Il sera de retour dans quelques mois, lorsqu'il aura mené à terme la quête d'Isis.

– La quête d'Isis ! s'exclama le sculpteur, un peu surpris de la décision soudaine du pharaon. Alors, nous serons patients et le remercierons à son retour.

Ce ne serait, en effet, qu'à la fin du long voyage que représentait la quête d'Isis que le sculpteur et sa femme auraient des explications sur le comportement du pharaon. Celui-ci leur confierait que durant la nuit, alors qu'il dormait paisiblement dans leur petite maison du souk, Horus lui était apparu en rêve. Le grand dieu à tête d'oiseau était alors descendu du firmament sous la forme d'un hibou pour se poser silencieusement à ses côtés.

– Je suis ici pour t'insuffler le courage d'accepter le rôle que les dieux ont dessiné pour toi, lui confia l'avatar. Mais j'apparais ce soir devant toi pour te demander aussi d'honorer la mémoire de mon père, Osiris, et de ma mère, Isis.

Horus suggéra alors à Mérenptah d'entreprendre un long périple aux quatre coins de l'Égypte afin de visiter tous les lieux sacrés de la quête d'Isis. Ce voyage, qui le conduirait de Byblos à Pa-Sin, en passant par le marécage de Chemnis, se terminerait ensuite sur l'île de Pharos. De ville en ville, de sanctuaire en sanctuaire, le pharaon devrait prier avec ferveur pour commémorer la peine de la déesse, mais surtout pour honorer les restes d'Osiris. Mérenptah raconterait en détail à sa nouvelle fille Bithiah et à son conseiller Izzi comment Horus lui avait promis qu'il trouverait, à la suite de ce long pèlerinage, la réponse à ses questions. Il n'aurait qu'à regarder la mer et à attendre que les eaux lui apportent la solution à ses problèmes.

— C'est dans les vagues que tu trouveras ta propre façon de gouverner l'Égypte et qu'ainsi tu inscriras fièrement ton nom tout près de celui du grand Ramsès II, ton père, lui promit Horus avant de s'envoler vers les étoiles.

Voilà qui expliquait pourquoi le souverain était parti de leur petite maison du souk au lever du soleil, sans prendre le temps de les remercier de leur hospitalité. L'apparition d'Horus expliquait également pourquoi Mérenptah avait choisi de les prendre avec lui au palais. Pour le pharaon, Izzi et Bithiah étaient maintenant bénis, la révélation ayant eu lieu dans leur demeure. L'endroit allait d'ailleurs être transformé en temple célébrant la rencontre du dieu avec le pharaon. On viendrait de partout au pays pour se recueillir sur la terre sanctifiée de leur ancienne maison. Le couple lui avait porté chance, et il désirait maintenant que cet homme et cette femme fussent au palais, avec lui, afin de profiter encore des faveurs du destin.

Malgré l'honneur que lui avait fait Horus en mandatant ce hibou pour lui parler, Mérenptah savait que la quête d'Isis n'était pas une mince affaire. Il lui faudrait mettre du temps, de l'ardeur et beaucoup d'humilité dans ce périple. Et cette promesse qu'il avait faite à Horus allait le conduire dans un long et fatigant voyage pour rejoindre tous les temples d'Égypte entre les murs desquels des fragments du corps d'Osiris avaient été conservés. Il allait devoir traverser des déserts et passer d'interminables heures à naviguer sur le Nil. De village en village, le pharaon devrait aussi s'arrêter pour saluer convenablement la population dans le but de gagner la confiance de ses sujets. Ramsès II l'avait fait tant de fois lorsqu'il sentait la ferveur du peuple lui glisser entre les doigts que la méthode était maintenant éprouvée. Pendant des mois, Mérenptah allait traverser ses terres du sud en remontant vers le nord. Heureusement, il aurait la chance d'admirer l'étendue spectaculaire du lac Nussuer ainsi que les vallées fertiles de la Haute et Moyenne-Égypte. Il en profiterait aussi pour se recueillir devant le Sphinx et visiterait les tombeaux de ses ancêtres dans la Vallée des Rois, pour terminer son périple, tel que le lui avait demandé Horus, sur l'île de Pharos. C'était sous le gigantesque phare qu'il allait attendre la révélation, en fixant les vagues.

C'était précisément à cet endroit que Mérenptah, épuisé par son voyage et impatient de voir la prophétie se réaliser, attendait depuis deux jours. Il avait achevé la quête d'Isis avec dévotion et rendu hommage à Osiris au cours de sa visite de chacun des temples. Heureux d'avoir réalisé ce pèlerinage, il désirait maintenant rentrer à Memphis afin de profiter du corps de ses concubines et des plaisirs de sa table. Malgré le grand luxe que lui avaient procuré sa trentaine de serviteurs, il avait néanmoins trouvé la route difficile et les conditions de voyage astreignantes.

Les deux pieds dans l'eau, le pharaon attendait maintenant qu'Horus exauce sa promesse et lui indique la manière de remplacer son père dans le cœur des Égyptiens.

– J'y suis, Horus… Mon voyage est maintenant terminé et j'ai prié pour la douleur d'Isis. Dans chaque sanctuaire, j'ai rendu hommage à Osiris, ton père, et me voici au bout de la route. J'ai tenu ma promesse et j'attends maintenant que tu honores la tienne. Je fixe les vagues et l'horizon, Horus, et je ne vois rien! Cela fait deux jours que je m'exerce à contempler la mer… mais je n'y vois rien qui puisse m'aider.

Mérenptah soupira et remonta vers la plage. Les orteils enfouis dans le sable chaud, il se surprit à douter de la promesse divine.

– C'est une épreuve… une autre! fit-il en fustigeant le ciel. Tu veux me confronter à mon impuissance et à ma petitesse, n'est-ce pas? Est-ce là le message que tu voulais que je comprenne, Horus? Qu'il n'y a finalement rien pour moi dans ce monde et que je n'égalerai jamais Ramsès II? Tu veux me faire comprendre que mon passage à la tête de ce royaume ne laissera pas plus de traces qu'une vague se brisant sur cette plage? Horus, je suis fatigué d'attendre…

Le pharaon grogna en scrutant encore une fois l'horizon. Il ne vit rien de plus que des oiseaux blancs volant autour d'un bateau de pêcheurs. Lui, si petit sous le phare, n'était finalement pas plus important pour Horus qu'un grain de sable sur cette petite île. Pourtant, il méritait plus de respect. N'était-il pas issu de la plus grande dynastie que l'Égypte ait connue?

«Pourquoi Horus m'aurait-il tendu ce piège? réfléchit-il en se trempant une fois de plus les pieds dans l'eau. Je n'arrive pas à comprendre ce que je fais ici et pourquoi j'ai fait ce long pèlerinage... Quelque chose de fondamental m'échappe... Je suis ici, sur l'île de Pharos, tout près du grand phare qui sert à guider les navires... et... et je suis, moi aussi, le phare qui guide le peuple, à moins... à moins que je sois ici pour attendre le guide, pour accueillir celui qui sera la lumière du peuple... Est-ce cela, Horus ? »

Le dieu demeura muet, laissant Mérenptah à ses pensées. Quelques heures s'écoulèrent encore avant que le pharaon, à bout de nerfs et en colère, hurle vers l'horizon :

– Très bien, Horus ! Tu restes muet et c'est ton droit ! Moi, j'ai terminé de t'attendre ! Je repars immédiatement pour Memphis !

Alors qu'il s'apprêtait à regagner la berge pour rejoindre son navire, le pharaon sentit quelque chose lui chatouiller la cheville. La surprise le fit bondir hors de l'eau comme s'il avait été mordu. Une fois rassuré sur l'état de son pied, il se pencha vers l'onde et jeta un coup d'œil sur l'animal ou la chose qui l'avait effleuré. Le mouvement des vagues lui révéla un poisson poilu flottant entre deux eaux. Avec précaution, il tendit la main vers l'animal qui resta étrangement immobile. Du bout des doigts il l'attrapa et ressortit non pas un animal aquatique, mais plutôt une touffe de poils détrempée.

– Voilà ce que tu m'envoies, Horus ? Des poils ? !

Interpellé par son étrange découverte, le pharaon pensa d'abord que le dieu désirait se moquer de lui, mais il se ravisa rapidement.

« À moins que..., pensa-t-il examinant l'étrange chose. À moins que ce ne soit une mèche des cheveux d'Osiris ? ! Serait-ce possible ? Est-ce cela, le cadeau que tu me fais, ô grand Horus ? Tu me confies une relique du roi des rois ? ! »

À ce moment-là, la mer rejeta sur la rive, non loin du pharaon, le corps désarticulé d'une créature entièrement poilue. Mérenptah demeura interdit devant la soudaine apparition.

– Il est dit, dans les écrits qui racontent la fondation de l'Égypte, que les longs cheveux d'Osiris pouvaient donner vie à des combattants d'une force et d'un courage à toute épreuve, chuchota le pharaon comme s'il s'agissait d'une prière. Et ces soldats avaient l'admiration de tous. C'est grâce à ces courageux guerriers qu'Osiris réussit si longtemps à maintenir ses ennemis hors des frontières de son royaume et qu'il assura pendant des siècles la paix sur les rives du Nil… Voilà que la légende renaît sous mes yeux.

Mérenptah s'approcha prudemment du corps poilu et inanimé. Il vit les longs bras, la petite queue et les larges cuisses de la bête rejetée par les flots. Ainsi, le dieu avait tenu sa promesse et lui avait fait un fantastique cadeau.

– Voilà ma récompense qui arrive de la mer, Horus ! Voici celui qui deviendra le nouveau phare de l'Égypte… Enfin, il est là, celui sur qui je pourrai asseoir mon règne et, ainsi, calmer les angoisses de mon peuple ! Aujourd'hui est un grand jour, pour moi et pour le royaume !

Comme le pharaon s'approchait encore d'un pas pour admirer de plus près son cadeau divin, il constata que la créature respirait, mais faiblement. Doucement, il se pencha vers elle. Les yeux de la bête s'entrouvrirent alors pour laisser voir à Mérenptah des iris d'un bleu si pur qu'on aurait dit deux topazes bien rondes. Mi-humain, mi-animal, le guerrier d'Osiris avait une allure canine amplifiée par une grande bouche remplie de crocs acérés. En guise d'ongles, la chose avait aux pieds et aux mains de solides griffes pointues.

– Bonjour, Osiris-Path…, prononça respectueusement le pharaon dans un égyptien que le Râjâ n'eut pas de mal à décoder. Tu arrives à point nommé pour venir en aide à ton peuple. Je sais que tu viens de loin et j'espère que tu as fait bon voyage. J'attendais impatiemment ton arrivée…

Le garçon, à moitié inconscient, essaya de se remémorer les événements qui l'avaient conduit jusque sur la plage, mais n'y parvint pas. De toute façon, ce n'était pas, pour l'instant, sa préoccupation première. Le soleil lui brûlait les yeux et il mourait de soif.

– Tu nous arrives de loin, de si loin, cher Osiris-Path, et je comprends que tu sois fatigué. Mais ne t'inquiète pas, grand guerrier, mes serviteurs s'occuperont de toi jusqu'à notre arrivée au palais de Memphis. Une fois là-bas, mes médecins te remettront sur pied…

Épuisé et confus, le Râjâ ferma les yeux et se laissa porter par la voix du pharaon.

– Bienvenue en Égypte ! conclut Mérenptah en souriant.

IV

Lorsqu'il ouvrit les yeux, le Râjâ constata qu'il dormait dans un lit très confortable, dans une chambre aux murs de pierre sobrement décorée. Une grande fenêtre laissait pénétrer un puissant rayon de soleil. Celui-ci, d'une luminosité presque irréelle, découpait la pénombre en un bloc translucide à l'intérieur duquel voletaient de petites poussières. De larges dessins ornaient les murs. À sa tête d'oiseau, le garçon reconnut Horus, puis Thot, dont Sénosiris lui avait maintes fois parlé.

Encore trop las pour essayer de se lever, le Râjâ sommeilla de longues heures avant de trouver la force de s'éveiller tout à fait. Une fois ses yeux bien ouverts et ses idées en place, il demeura étendu sur le lit et fixa le plafond en essayant de se rappeler les événements qui l'avaient conduit dans cette pièce. Malgré tous ses efforts, il n'y arriva pas. Ses derniers souvenirs remontaient à des semaines auparavant, alors qu'il naviguait en direction de l'Égypte. Il se rappela très clairement de la joie de Sénosiris qui, heureux d'avoir acheté un bateau au port d'une petite ville près de Troie, lui avait promis qu'ils verraient bientôt les côtes de son pays. Puis, il se remémora avec facilité leur départ, les difficultés qu'ils avaient eues à jucher la voiture blindée, en pleine nuit, sur le pont et les nombreux jours de navigation qui s'étaient ensuivis. Il faisait chaud et la mer était relativement calme. Tout allait bien à bord et, malgré l'exiguïté de l'embarcation, le voilier bondissait à grande vitesse sur les vagues. L'équipage, composé exclusivement des guerriers de Veliko Tarnovo, avait une excellente mine. La température était clémente et le poisson abondait au bout des lignes et dans les filets.

Le voyage s'annonçait comme une véritable partie de plaisir lorsque de gros nuages noirs s'étaient formés au-dessus de leurs têtes. En quelques minutes seulement, le vent s'était levé. Les petites vagues inoffensives s'étaient alors faites plus menaçantes, puis, rapidement, étaient devenues de véritables montagnes en furie. L'équipage était en déroute et chacun se tenait du mieux possible aux plats-bords du navire pour ne pas être éjecté. Le Râjâ se rappelait qu'à cet instant il avait senti une force incroyable le soulever de terre et le propulser dans les airs. Une lame de fond avait frappé de plein fouet le navire, l'expédiant par-dessus bord, vers le large. Puis... plus rien. Il n'avait aucun souvenir des événements qui l'avaient conduit de la tempête jusqu'à cette chambre. Entre la mer terrifiante et cette pièce où il se reposait, il y avait un trou noir.

Comme le Râjâ allait se lever pour jeter un coup d'œil par la fenêtre, il entendit des voix derrière la porte. Aussitôt, il se tourna sur son flanc et fit mine de dormir.

— C'est ici..., fit une femme en pénétrant avec précaution dans la pièce. Je crois qu'il dort encore... Entrez, ouâb, vous verrez qu'il ne vous a pas menti.

— Notre pharaon ne ment pas, je le sais, seulement je doute de ses allusions à Osiris-Path et aux récits anciens, grogna le prêtre sur un ton aigri. Il n'existe pas de choses telles que les soldats d'Osiris, c'est une allégorie... un conte qui doit nous enseigner que...

L'homme se tut brusquement lorsque son regard tomba sur le lit.

— Je... c'est impossible... Vous avez vu cela, Bithiah ? Il est complètement poilu et il... il a une queue ! Je n'arrive pas y croire ! Ainsi donc, Mérenptah n'a pas embelli la réalité ? C'est tout à fait saisissant ! Je suis renversé !

— Et comment, que je l'ai vu, ô grand prêtre-ouâb ! Cela fait déjà une semaine que je m'occupe de lui. J'ai amplement eu le temps de l'observer et je vous assure que ses dents sont aussi acérées que celles d'un tigre. Vous devriez voir ses griffes, elles sont à faire peur !

— Comment est son sommeil ? Agité ou profond ? Il ne risque pas de se réveiller, n'est-ce pas ?

– Oh, je ne crois pas. Il ne dort calmement que depuis hier… Mais si vous l'aviez vu à son arrivée! Il était dans un état lamentable, le pauvre! J'ai bien cru que les docteurs ne le sauveraient jamais. Heureusement, ils l'ont fait! Ne me demandez pas comment, je ne saurais vous répondre! Tout ce que je peux dire, c'est que depuis quelques jours Osiris-Path prend du mieux.

– Il avait de nombreuses blessures, donc?

– Oh! oui… des coupures et des lacérations. Je crois même qu'il avait quelques os de brisés, confirma Bithiah. Ce n'était pas très beau à voir! Mérenptah l'a trouvé à temps, car il était presque au bout de son sang. Mais ses plaies se sont toutes refermées et il dort paisiblement. J'ai vu son état s'améliorer d'heure en heure… Osiris-Path possède en lui une force hors du commun; pour moi, il est clair qu'il est de nature divine.

– Je souhaite que vous disiez vrai, Bithiah, fit le prêtre-ouâb avec conviction. S'il est vraiment l'envoyé d'Horus, c'est toute l'Égypte qui en profitera!

Le Râjâ, qui écoutait discrètement la conversation en faisant mine de dormir, avait compris que l'homme et la femme parlaient égyptien entre eux. Comme Sénosiris lui avait enseigné, depuis de nombreuses années, les rudiments de sa langue, il n'eut aucun mal à saisir les propos de ces gens. Une pensée traversa alors l'esprit du garçon qui n'avait pas encore bien réalisé où il se trouvait exactement. Si les murs de sa chambre étaient ornés de dessins représentant des dieux égyptiens et que les deux intrus parlaient cette langue, c'était qu'il devait logiquement se trouver en Égypte! Il était sans nul doute au pays des contes de Sénosiris! Le pays qu'il avait souhaité voir depuis son enfance!

À cette pensée, le Râjâ cessa de jouer la comédie et bondit de son lit. Il s'élança à toute vitesse vers la fenêtre dans l'espoir d'y voir un paysage semblable à ceux qu'il avait si souvent imaginés.

Affolés par ce mouvement soudain, Bithiah et le prêtre-ouâb poussèrent un cri de surprise et se ruèrent vers la sortie. En se bousculant dans l'embrasure de la porte, ils perdirent l'équilibre et tombèrent l'un sur l'autre dans le couloir du palais.

– Mais que fait-il? Il nous attaque?! lança le prêtre-ouâb, paniqué, en essayant de se relever. Où est-il? Mais où est-il?

– Je ne sais pas ! Cessez donc de m'écraser ainsi ! rétorqua la femme, tout aussi affolée. C'est la première fois que je le vois bouger ! Aidez-moi, s'il vous plaît, à me remettre sur mes jambes !

– Pardon… Donnez-moi votre main.

– Merci. Vous voyez ce qu'il fait ? demanda Bithiah une fois debout.

– Attendez là, je jette un coup d'œil dans la pièce, fit le prêtre-ouâb, maintenant remis de ses émotions. Voyez… venez voir, je crois qu'il… mais oui, il regarde simplement par la fenêtre !

– C'est tout ?

– Oui… il semble contempler le paysage !

Enfin l'Égypte ! Oui, l'Égypte comme dans ses rêves ! L'Égypte des histoires fantastiques de Sénosiris ! L'Égypte, aussi grande et grouillante qu'il l'avait imaginée ! L'Égypte mystique et mythique, démesurément belle et gigantesque, chaude comme un pain sortant du four et populeuse comme un nid de fourmis ! L'Égypte au ciel sans nuages, toujours baignée de lumière, le pays des pharaons immortels, de la sagesse et de la connaissance ! Le moment qu'il avait tant attendu était enfin arrivé. Elle était toute là, entière et tangible, qui se dévoilait sous ses yeux. L'Égypte était enfin à lui !

Dans toute sa splendeur et son éclat, la gigantesque ville de Memphis s'étendait aux pieds du Râjâ. Sur le sable, parmi les palmiers, des milliers de maisons tapissaient le sol poussiéreux du pays d'Osiris et d'Isis. De sa position, tout en haut du palais, le garçon pouvait voir des centaines d'esclaves en train de soulever d'énormes blocs de granit et de calcaire pour les déposer sur une structure carrée pendant que, non loin d'eux, des sculpteurs s'activaient à tailler frénétiquement la pierre. Plus loin, vers la vallée verdoyante, il aperçut un marché d'où s'échappaient des odeurs de viande grillée sur la braise. Dans les rues, d'élégants chameaux se promenaient, et d'énormes éléphants déambulaient sur les chantiers. Le grand spectacle de la vie quotidienne qui se déroulait sous ses yeux correspondait exactement à la description qu'en avait faite Sénosiris. Dans ses contes, l'Égyptien parlait de la chaleur enveloppante du soleil et de la brise rafraîchissante provenant du Nil, et voilà que le Râjâ pouvait enfin éprouver ces sensations.

– Je me demande ce qu'il fait, souffla Bithiah en observant Osiris-Path qui semblait paralysé devant la fenêtre. On dirait un enfant qui vient de naître et qui découvre le monde… Vous pensez qu'il parle notre langue ?

– Ne vous en faites pas, Bithiah. S'il est bien l'envoyé d'Horus, il saura comprendre la langue des dieux, notre langue ! répliqua l'homme comme s'il s'agissait d'une évidence. Je crois qu'il est juste de dire qu'il découvre, en effet, le monde des hommes. D'où il vient, les paysages sont sûrement très différents des nôtres. Il apprivoise son nouvel environnement…

– Il vaut mieux ne pas le déranger, qu'en pensez-vous ?

– Demeurons ici et soyons patients, fit sagement le prêtre-ouâb. Lorsqu'il sera prêt, nous serons là pour lui. Il ne faut en aucun cas le brusquer ! Osiris-Path a fait un long voyage et nous devons tout faire pour faciliter son adaptation.

Le Râjâ, trop heureux de contempler l'Égypte, entendit l'échange entre l'homme et la femme, mais ne s'en soucia pas. Il continua à se délecter du paysage, à manger des yeux cette formidable cité. Jamais il n'avait vu un ciel aussi bleu. Il était fasciné par ces dunes qui ressemblaient à de l'or et ces arbres longilignes, que Sénosiris appelait palmiers, où poussaient des châtaignes grosses comme des courges.

Une heure, peut-être deux, filèrent ainsi avant que le Râjâ n'arrive à détacher ses yeux de l'envoûtant paysage. Ce fut à ce moment-là qu'il tourna la tête et vit, assis sur son lit, un homme au crâne rasé, richement habillé, accompagné d'une charmante femme au large sourire.

– Bienvenue parmi nous, Osiris-Path ! fit le prêtre-ouâb en le saluant d'une profonde révérence. C'est avec une immense joie que je t'accueille au royaume de Mérenptah, fils de Ramsès II et nouveau pharaon d'Égypte.

Le Râjâ fut surpris d'apprendre que Ramsès II n'était plus le souverain et que son descendant lui avait succédé. Sénosiris lui avait toujours parlé du grand roi des terres du Nil sans jamais évoquer qu'il était vieux et qu'il pourrait un jour être remplacé.

– Je suis le conseiller spirituel du pharaon, continua l'homme, son prêtre-ouâb. Ma mission auprès de toi est simple. De par ma science et mon savoir, je dois m'assurer que tu n'es pas un imposteur. Je dois être certain que tu es bien l'envoyé d'Horus, que tu es bien celui qui, selon la légende, est né des cheveux d'Osiris pour venir en aide aux hommes.

– C'est un homme très puissant, Osiris-Path, ajouta Bithiah. Tout ira bien si tu n'as rien à cacher.

Le garçon avait déjà entendu Sénosiris lui raconter que la vie entière de l'Égypte fonctionnait autour du pharaon et que celui-ci avait des dizaines de conseillers pour tout. Ces hommes qui entouraient le souverain avaient parfois une très grande influence sur ses décisions, et il valait mieux se ranger à leur avis. Si ce prêtre-ouâb désirait que le Râjâ fût Osiris-Path, c'est-à-dire le pou d'Osiris, eh bien, il ferait tout en son pouvoir pour éviter de le décevoir.

– Es-tu bien celui qui vient du royaume de Râ, tout là-haut? demanda le prêtre-ouâb en le dévisageant.

Comme on l'appelait le Râjâ et que Veliko Tarnovo était située au nord, bien au-dessus de l'Égypte, ce n'était pas mentir que de répondre positivement à cette question. Le garçon fit donc un signe affirmatif de la tête.

– Tes pupilles ne sont pas dilatées, fit l'homme, c'est la preuve que tu ne mens pas!

– Je vous l'avais dit, fit Bithiah, ravie. C'est bien l'envoyé d'Horus.

Un peu las de ces gens et de l'interrogatoire qu'ils lui faisaient subir, le Râjâ tourna la tête pour admirer une fois de plus le paysage. Il leva un peu le menton pour exposer son visage au soleil, et tous ses poils se mirent à luire de façon surnaturelle. Une grande quantité de sel de mer, toujours prisonnier de son pelage, reflétait la lumière en créant un halo autour de sa tête. Interprétant ce signe comme une confirmation des dieux, le prêtre-ouâb en déduisit qu'il avait bien devant lui un être divin. Plus aucune vérification n'était désormais nécessaire.

– Ainsi, tu es bien celui que tu prétends être. C'est… c'est fantastique! C'est merveilleux…, fit le prêtre, abasourdi.

Le Râjâ ne répondit pas et se contenta de tourner la tête vers lui. Arborant un large sourire qui laissait paraître ses canines et ses incisives, le garçon était heureux. Comme dans un rêve, il avait l'impression que tout ce qu'il vivait n'était pas réel. Devant ses yeux, les contes et les personnages de Sénosiris prenaient forme. Toutes les histoires qui avaient bercé son enfance prenaient soudain vie. Même le prêtre-ouâb, chauve et richement paré, était physiquement identique aux personnages d'hypocrites et de ladres qui apparaissaient dans les récits de son ami. Tout était là! La fiction venait de s'ancrer dans la réalité.

– Sais-tu parler? Peux-tu communiquer avec nous, ô grand Osiris-Path? demanda solennellement le prêtre-ouâb.

Ne sachant que répondre, le garçon fit d'abord quelques signes indiquant qu'il était muet. Mais devant le visage interrogateur de l'homme, qui ne semblait rien comprendre à ses gesticulations, le Râjâ leva la tête pour essayer de trouver un objet avec lequel il pourrait écrire. Il aperçut alors des dizaines de signes peints sur l'un des murs de la chambre. Intrigué, ils s'approcha des idéogrammes et les regarda attentivement.

– Que fait-il? chuchota Bithiah au prêtre. Vous croyez qu'il sait lire? C'est impossible qu'il puisse déchiffrer ces symboles! Tout cela est beaucoup trop compliqué…

– C'est un envoyé des dieux… Rien ne lui est impossible! fit le prêtre, admiratif, en observant le Râjâ. Regardez ce qu'il fait… il découvre notre langue… il apprend… Je ne serais pas étonné qu'il nous parle sous peu… Il est fascinant à regarder! Regardez, Bithiah, comme il observe ces dessins! Il les scrute un à un… avec minutie.

– S'il est vraiment un envoyé des dieux, l'interrompit Bithiah, sa voix sera si puissante qu'elle fera s'effondrer le palais… Vous savez comme moi ce que l'on raconte à ce sujet. Rappelez-vous l'histoire de Thot qui apparut au scribe Mar-Mât dans le désert près de Louxor! Le dieu ne prononça qu'un mot et le pauvre scribe devint sourd. Il ne faudrait pas qu'une telle chose nous arrive!

– Non, je suis certain qu'il n'en sera pas ainsi avec lui! avança le prêtre-ouâb. Osiris-Path n'est pas lui-même un être divin, mais plutôt l'envoyé d'un dieu, ce qui fait toute la différence.

Il est exceptionnel à sa façon, mais ne possède pas les pouvoirs d'Horus et encore moins ceux de Thot. Ne soyez pas inquiète, Bithiah, il trouvera une façon de communiquer avec nous… et ce, sans nous faire de mal.

– J'espère que vous dites vrai… Regardez, on dirait qu'il est sur le point de trouver quelque chose !

Au moment où la femme terminait sa phrase, un déclic se fit dans l'esprit du Râjâ. Comme par magie, la signification de tous les hiéroglyphes devint subitement claire, et il put lire avec facilité les inscriptions dessinées sur le mur. Le garçon éclata de rire en constatant qu'il pouvait déchiffrer la prière à Thot qui ornait le mur au-dessus de son lit. Sénosiris avait inventé sa langue gestuelle en se basant directement sur ce modèle d'écriture. Chaque petit dessin correspondait à un mouvement de main. L'œil, le chat, la mer, le serpent, tout y était ! Il ne restait plus qu'à faire les liaisons entre les signes pour comprendre la phrase. Comme d'habitude, Sénosiris avait été génial !

– Pourquoi, selon vous, s'amuse-t-il autant ? demanda Bithiah, intriguée.

– Je crois qu'il comprend…, fit le prêtre, médusé. Regardez comme ses yeux travaillent… Il est train de lire… oui, il sait déjà lire notre langue. Cet être est d'une intelligence supérieure ! Vous avez vu ? En quelques instants seulement, il a découvert notre façon d'écrire !

– Mais pourquoi a-t-il ri, alors ?

– Parce qu'il doit nous trouver bien simples d'esprit !

Une fois sa lecture terminée, le Râjâ se retourna vers Bithiah et lui fit un large sourire. La femme, troublée par ses longues dents, lui répondit par un rictus crispé.

– Qu'est-ce qu'il me veut ? chuchota-t-elle au prêtre. Pourquoi me regarde-t-il comme ça ? Vous croyez qu'il a soudain envie de me manger ?

– Je ne sais pas… c'est la première fois que… que je rencontre un être aussi exceptionnel ! Entre nous, je ne crois pas que nous ayons à le craindre ! Il semble tout à fait amical, non ? D'ailleurs, il vient vers nous…

Le garçon contourna le lit et s'approcha tout doucement de Bithiah. Quand il fut près d'elle, il la saisit par la main et la tira doucement vers le mur aux hiéroglyphes.

Osiris-Path

- Que dois-je faire? demanda-t-elle sur un ton anxieux. J'espère qu'il n'aura pas l'idée de me croquer un doigt!

- Ne résistez pas, Bithiah! l'enjoignit le prêtre. Ayez confiance... Je suis certain que tout se passera bien!

- On voit bien que ce n'est pas votre main qu'il tient!

Le poignet de la femme toujours entre ses doigts, le Râjâ posa la main de Bithiah sur un dessin, puis sur un second, et finalement sur un troisième.

- Que se passe-t-il? Je ne comprends rien à ce qui m'arrive..., bredouilla-t-elle.

Elle était sur le point de paniquer et de s'enfuir en courant.

- Pourquoi me fait-il toucher le mur?! Désolée, Osiris-Path, mais je ne saisis pas ce que vous attendez de moi! Peut-être que si vous essayiez avec le prêtre-ouâb, vous auriez plus de succès?!

Devant l'incompréhension et l'embarras de la femme, le garçon relâcha sa main. Aussitôt, Bithiah se calma un peu et le Râjâ indiqua très clairement, avec son doigt, trois dessins sur le mur. Pour mieux se faire comprendre, il recommença son manège à quelques reprises.

- Je vois! s'exclama brusquement le prêtre. Il communique avec nous! Oui, c'est cela!!! Que je suis bête, j'aurais dû m'en douter! Pouvez-vous recommencer, Osiris-Path? Pointez une fois de plus les symboles...

Pour une énième fois, le Râjâ s'exécuta.

- Alors, voyons cela! s'exclama le prêtre-ouâb tout en se concentrant sur les hiéroglyphes comme si l'avenir de l'Égypte en dépendait. Il nous montre le signe de la médecine, des soins et du remerciement. C'est fort simple, Bithiah, il vous remercie simplement d'avoir pris soin de lui.

Le Râjâ confirma l'interprétation du prêtre d'un mouvement de tête. C'était bien ce qu'il voulait dire à celle qui s'était si bien occupée de lui.

- Oh! fit la femme en rougissant. Ce n'est rien, Osiris-Path, ce fut un réel plaisir... Je suis... je suis si émue... Moi qui croyais que vous désiriez me manger la main! Mais que je suis bête... pardonnez-moi.

De nouveau, le Râjâ se tourna vers le mur et pointa cette fois cinq idéogrammes du doigt.

– Le compas, l'abeille, la mer, Shu et le soleil…, énuméra le prêtre en suivant l'index du garçon. Hum… fort simple! Il vient de nous dire qu'il arrive d'un long voyage par les eaux et qu'il est heureux d'être dans le pays de Râ, en Égypte. C'est bien cela?

Le Râjâ acquiesça de la tête. Il venait de trouver une façon de communiquer qui le sortirait enfin de son isolement. À Veliko Tarnovo, seul Sénosiris parlait parfaitement le langage des signes. C'était bien normal, puisqu'il l'avait inventé. Électra arrivait à le déchiffrer avec peine, alors que Phoebe n'en connaissait que les rudiments. Impossible alors de parler avec quiconque et d'exprimer ses sentiments et ses désirs. Mais ici, grâce à cette technique, le Râjâ pouvait même espérer entretenir une conversation avec des inconnus, pour peu qu'ils sachent lire, bien entendu. Une nouvelle vie l'attendait en Égypte.

– Si je peux me permettre, Osiris-Path, fit le prêtre-ouâb, seriez-vous prêt à rencontrer le pharaon d'ici quelques heures?

Le garçon indiqua un hiéroglyphe représentant une fleur épanouie. Aussitôt, le prêtre en déduisit qu'Osiris-Path en serait ravi, qu'il était même très ouvert à cette rencontre.

– Quelle joie! s'exclama-t-il. Je vais tout de suite en informer Mérenptah afin qu'il se prépare! Bithiah? Peux-tu t'occuper de faire vêtir notre invité avec les honneurs dus à son rang? De mon côté, je préparerai les convocations et ferai parer la grande salle pour ce moment historique!

– Ce sera avec plaisir, répondit la femme, ravie. Lorsque vous le reverrez, il aura l'air d'un véritable prince d'Égypte.

Satisfait, le prêtre-ouâb quitta la pièce en coup de vent. Bithiah fit signe au Râjâ de l'attendre quelques minutes, avant de déguerpir elle aussi dans le couloir. Le garçon demeura seul dans la chambre et il en profita pour retourner à la fenêtre, désireux de s'enivrer encore une fois de la beauté du paysage. Mais il fut subitement saisi d'un malaise. Rien de très grave, un simple pincement au cœur. Une inquiétude en pensant à ses compagnons de voyage. Lui était là, dans un palais égyptien, à admirer le paysage, alors que Sénosiris était peut-être blessé quelque part sur les côtes d'une contrée hostile. Était-il encore vivant seulement? Tout l'équipage était sans doute mort noyé, avec lui, dans la grande mer! Comment le Râjâ allait-il rentrer au bercail sans eux? Retournerait-il chez lui un jour? Reverrait-il la neige recouvrant les toits de Veliko Tarnovo?

Le garçon soupira en pensant à toutes ces questions.

Dans son esprit, il y avait aussi sa mère, Électra, qui devait s'inquiéter à mourir pour lui. Et puis Misis. Son amie devait se poser des questions à son sujet et se demander si Pan ne l'avait pas abandonnée pour de bon. Malgré tout le bonheur qu'il éprouvait de se retrouver en Égypte, il était aussi affligé à l'idée d'avoir perdu une partie de sa vie, de son pays et de son enfance. Tout à coup, Memphis était moins jolie, et l'Égypte, plus aussi féerique.

Une dizaine de servantes accompagnées de deux esclaves nubiens portant une baignoire recouverte d'or entrèrent dans la chambre. Toute la troupe s'agenouilla devant Osiris-Path et attendit patiemment dans cette position que Bithiah fasse son entrée.

– Très bien, dit la fille adoptive du pharaon en pénétrant dans la pièce. Vous commencerez par faire la toilette de notre invité. Ensuite, je désire qu'il soit somptueusement vêtu. Vous le parerez des amulettes d'Horus afin que chacun sache que sa lignée, comme celle du pharaon, est de nature divine. Exécution!

Aussitôt l'ordre donné, les servantes préparèrent les essences de bain et les huiles parfumées, puis elles invitèrent le Râjâ à se glisser dans l'eau. Le garçon, un peu remis de sa mélancolie, se plongea dans la cuve dorée avec plaisir. Il remarqua que tous les gens qui s'activaient autour de lui n'osaient regarder son visage et qu'ils évitaient le plus possible de croiser son regard. Cette façon de faire ne lui déplut pas et le fit sentir encore plus important et unique. À l'instar des membres d'une meute qui ne croisent jamais le regard du mâle dominant afin d'éviter de le défier, la cohorte de serviteurs respectait avec soin cette règle implicite.

Le Râjâ eut droit au nettoyage et au polissage des griffes de ses mains et de ses pieds, à un très long bain parfumé à l'essence de lotus, ainsi qu'à une séance sous le peigne fin d'habiles coiffeuses. Celles-ci démêlèrent son poil en profondeur et s'assurèrent qu'il soit lisse et bien peigné. En s'aidant d'un peu d'huile d'olive, elles réussirent à redonner lustre et éclat à un pelage qui n'avait jamais reçu beaucoup de soins. Les habiles femmes coupèrent ensuite les cheveux et la barbe du garçon, puis elles égalisèrent les repousses rebelles de ses bras et de ses jambes. Enfin, elles saupoudrèrent de fines poussières d'or sur tout son corps.

Une fois le travail terminé, les habilleuses du pharaon prirent la relève et vêtirent Osiris-Path d'une longue robe de coton et d'un large ceinturon aux couleurs vives. On lui glissa les pieds dans de solides sandales dont les sangles de cuir enveloppaient tout le mollet. Puis, on le couvrit d'une longue cape surmontée d'une peau de guépard et agrémentée d'épaulettes de bronze, qui donna au Râjâ l'allure d'un véritable héros de légende.

La touche finale fut confiée à deux vieilles femmes aux mains habiles qui tressèrent les cheveux et la barbe d'Osiris-Path en fines petites nattes. Elles y insérèrent des bijoux et des bouts de fil d'or, puis terminèrent leur travail en le coiffant d'un long foulard rayé rouge et blanc, signe de la plus haute distinction militaire de l'Empire égyptien.

Enfin, pour achever le tableau, l'armurier du pharaon vint offrir au Râjâ une longue épée. Celle-ci, de forme inusitée, ressemblait à une serpe géante, mais plus allongée. Jamais le garçon n'avait tenu une telle arme entre ses mains. Même avec beaucoup d'imagination, les forgerons de Veliko Tarnovo, pourtant réputés, n'auraient jamais eu l'idée de façonner une lame aussi courbe. À quoi pouvait-elle bien servir ? C'était un mystère complet.

Lorsqu'il fut fin prêt à paraître devant le pharaon, l'armurier céda sa place à un scribe chargé de vérifier le travail qui venait d'être fait. Très sérieusement, l'homme inspecta Osiris-Path des pieds à la tête et fit retoucher légèrement le poil de ses mollets. Il demanda ensuite à l'habilleuse de mieux étendre la peau de guépard sur ses épaules et félicita les deux vieilles femmes pour la qualité de leurs tresses. En terminant, il replaça délicatement le fourreau dans lequel reposait l'étrange épée, puis, satisfait, déclara l'invité conforme aux normes du palais. Avant de quitter la pièce, il accorda officiellement au Râjâ le droit de se présenter devant le pharaon.

À sa suite, la pièce se vida de tous les serviteurs, et ce fut le prêtre-ouâb qui fit ensuite son entrée. Lorsqu'il vit Osiris-Path, l'homme poussa une grande exclamation de bonheur. Il était parfait! Aussi beau et impressionnant qu'un envoyé des dieux puisse l'être!

– Tu es splendide, Osiris-Path! J'ai rarement vu une telle élégance chez un guerrier. Je te prie de me suivre, afin que je puisse te guider vers Mérenptah. Nous pénétrerons ensemble dans la grande salle, puis tu marcheras seul vers le pharaon qui sera assis sur son trône. Allons-y... Les invités t'attendent avec impatience.

Soudain, le Râjâ sentit une boule se former dans son estomac. L'heure de la grande rencontre était venue, le premier contact entre un royaume du Nord et l'Empire égyptien allait enfin avoir lieu. Le garçon trouva dommage que Sénosiris ne pût être là pour savourer ce moment historique. Il aurait été si fier de lui.

– Que se passe-t-il? Tu sembles troublé! fit anxieusement le prêtre-ouâb. Quelque chose ne va pas?

Osiris-Path lui fit un signe pour lui indiquer que tout allait bien et, ensemble, ils quittèrent la chambre en direction de la grande salle du trône. Après quelques minutes de marche, de couloir en couloir, ils arrivèrent devant une porte à laquelle le prêtre-ouâb frappa trois coups bien distincts. Durant tout le trajet, le Râjâ et le prêtre n'avaient croisé personne. Pas un noble, ni même un serviteur. On aurait pu croire que le palais avait été complètement abandonné.

– C'est à toi..., lui dit l'homme quand les portes s'ouvrirent. Je ne t'accompagne pas plus loin. Marche droit devant toi jusqu'au trône et ne te presse surtout pas. Les gens veulent te voir, t'admirer, te contempler... Plus tu prendras ton temps, plus ton entrée sera jugée comme réussie! Rappelle-toi que l'on n'a jamais une seconde chance de faire une bonne première impression. Va, maintenant!

Lorsque la porte fut grande ouverte et qu'Osiris-Path entra dans la pièce, le Râjâ comprit tout de suite pourquoi les couloirs du palais étaient vides; tout le monde était réuni dans cette salle et attendait son arrivée.

Un peu intimidé, il fit quelques pas en avant, puis s'arrêta un instant devant la gigantesque foule qui l'observait. Un murmure général de surprise, parsemé de petits cris d'étonnement, émana de l'audience pour se répandre comme une vague jusqu'au pharaon. Mérenptah en profita pour se lever de son siège et, d'un geste théâtral, invita Osiris-Path à s'approcher. Le garçon commença alors sa lente marche vers le pharaon.

La pièce était gigantesque et pouvait contenir toute la ville de Veliko Tarnovo. Des milliers de personnes, réparties des deux côtés d'une longue allée centrale menant au souverain, l'examinaient avec attention. Subjugués par l'allure animale de l'envoyé d'Horus, les spectateurs n'en croyaient pas leurs yeux. Ils avaient devant eux l'authentique puce d'Osiris, un pur guerrier de légende, une arme divine venant d'au-delà de leur univers. Cette chose poilue qui s'avançait lentement vers le pharaon pouvait, à elle seule, soumettre des armées et conquérir des territoires ennemis.

Le Râjâ remarqua que plusieurs femmes pleuraient d'émotion sur son passage. De nombreux guerriers, le dos droit comme un pin et la main droite sur le cœur, le saluèrent respectueusement d'un mouvement de tête. Tous ces hommes d'armes rêvaient de combattre à ses côtés. Dans la foule, différents pays conquis et annexés étaient représentés par des délégations composées d'hommes à la peau noire, de barbus hirsutes et d'individus enturbannés dont on ne voyait que les yeux. Ces ambassadeurs arboraient des visages rembrunis et des regards sombres. De toute évidence, le nouveau héros mythique de l'Égypte ne leur plaisait guère. Dans leur esprit, leurs conquérants égyptiens étaient déjà suffisamment puissants ; ils n'avaient pas besoin, de surcroît, d'une aide divine pour étendre encore plus loin leur pouvoir. Avec l'arrivée d'Osiris-Path s'envolaient leurs plans pour regagner rapidement l'indépendance de leurs royaumes. Cet être extraordinaire, capable d'inspirer les armées du pharaon, confisquait toutes leurs chances de victoire et leurs espoirs de liberté.

Ce ne fut qu'après être passé sous le regard froid de ces hommes irrités que le garçon se rendit compte qu'une pluie de pétales de roses tombait du ciel, exactement comme s'il s'agissait de la première neige sur le pays des Thraces. Le Râjâ étira le bras et en capta quelques-uns dans la paume de sa main. Sénosiris lui avait dit qu'il ne neigeait pas en Égypte, il s'en souvint alors. Son mentor lui avait aussi confié qu'il avait cru que les nuages se décomposaient lorsqu'il avait vu, pour la première fois, les flocons du pays des Thraces. Le sourire qu'amena cette pensée sur le visage d'Osiris-Path enchanta les spectateurs. Leur nouveau héros était capable de s'émouvoir et d'apprécier la poésie de cette pluie de pétales. C'était de bon augure !

Puis, comme il s'approchait enfin du trône, des musiciens entonnèrent une douce mélodie aux accents légers. Sous les pétales qui dansaient légèrement en suspension dans l'air, le Râjâ eut l'impression qu'il pourrait étendre les bras et s'envoler. Il aurait tant souhaité que Misis fût là, avec lui, pour s'émerveiller en sa compagnie. La jeune fille aurait ouvert grand les yeux et aurait certainement poussé des exclamations de joie devant la féerie de la scène. Mais ce moment unique, personne de l'entourage du Râjâ ne le verrait, et jamais celui-ci n'arriverait à le décrire avec précision.

Amusé par tant de faste, le garçon s'arrêta devant l'escalier menant au pharaon et salua par de légers mouvements de tête les conseillers qui encadraient le souverain. Sénosiris avait bien formé le Râjâ, et celui-ci savait que les rois d'Égypte, vu leur complexe tâche, étaient conseillés par tout une batterie de gens importants, mais surtout très influents. Il valait donc mieux être de leur côté que contre eux. À Veliko Tarnovo, les choses étaient bien différentes et le protocole, beaucoup moins important. Comme le lui avait enseigné Sénosiris en prévision de ce grand moment, le garçon s'agenouilla, puis se coucha face contre terre. Comme l'essence divine d'Osiris coulait dans les veines du pharaon, il était de mise de présenter devant lui une soumission complète. Ce que Mérenptah sembla grandement apprécier.

Le Râjâ, suivant le rituel qu'il avait appris, se releva et monta la première marche du grand escalier menant au trône. Cérémonieusement, il tira de son fourreau son étrange épée et, sous le regard inquiet de quelques gardes, la déposa devant lui. Encore une fois, il se prosterna et attendit que le pharaon se manifeste. Par ces gestes, il venait de faire savoir au souverain qu'il lui offrait son corps, son âme et son épée. C'était maintenant au tour de Mérenptah d'accepter ou de refuser la faveur.

– Brave Osiris-Path ! s'exclama le souverain en prenant la foule à témoin. Ce palais est maintenant ta maison et j'accepte que tu me serves avec dévotion et courage. Que le peuple d'Égypte soit informé que le grand Horus nous envoie aujourd'hui un guerrier d'exception qui veillera à mes côtés sur l'Égypte. Grâce à son aide, les frontières de notre pays seront protégées et les peuples hostiles se joindront à l'Empire ou seront exterminés...

À ce moment, les Nubiens se regardèrent les uns les autres avec un air angoissé. Eux, qui avaient déjà semé les germes de la révolte sur leurs terres, commençaient maintenant à douter de leur force. Allaient-ils se lancer dans une guerre contre l'Égypte alors que les troupes du pharaon disposaient d'un Osiris-Path pour les commander ? Sûrement pas.

De son côté, le Râjâ déglutit en entendant prononcer les derniers mots du souverain. Le garçon, qui pensait bien naïvement que le titre d'Osiris-Path ne comportait que des avantages et aucun inconvénient, comprit brusquement ce qu'on attendait de lui. Les Égyptiens croyaient qu'il était un grand guerrier et, pour les satisfaire, il devrait certainement se battre. Lui, qui n'avait jamais connu la guerre et dont la chasse aux lapins avait été le plus important fait d'armes, se demanda alors ce que Mérenptah ferait de sa personne une fois la supercherie mise au jour. Selon la légende, des poux guerriers seraient tombés des cheveux d'Osiris, et tous ces gens réunis dans la salle du trône croyaient qu'il était un de ces parasites divins. Jamais le Râjâ ne s'était battu autrement qu'avec des épées de bois, et toujours avec le maître d'armes de Veliko Tarnovo. Il ne connaissait aucune stratégie militaire et ne savait pas commander aux hommes.

– À partir de ce jour, continua le pharaon, s'il réussit l'épreuve que je lui proposerai et nous prouve aujourd'hui, par sa victoire, qu'il mérite cet honneur, Osiris-Path commandera un bataillon de nos meilleurs soldats. Sa tâche sera de protéger, mais aussi d'étendre les frontières de l'Égypte. Il sera le poing vengeur du pharaon.

La foule se mit à applaudir et à pousser des cris de joie. Mérenptah les arrêta.

– Gardons notre joie pour plus tard, car l'heure est maintenant grave. Afin de rassurer le peuple sur tes extraordinaires capacités, es-tu prêt, Osiris-Path, à nous faire la démonstration de tes fabuleux talents ?

Médusé, le Râjâ comprit qu'il devrait se battre, là, tout de suite, devant la foule de curieux. Dans sa jeune existence, s'il avait pu choisir un seul moment pour parler, c'est à cet instant qu'il aurait aimé pouvoir dire quelque chose. Il aurait expliqué au pharaon, ainsi qu'à l'assistance, qu'il n'était pas réellement l'envoyé d'Horus, et encore moins un guerrier tombé de la chevelure d'Osiris. Mais cela n'aurait peut-être pas servi sa cause. Un vieil adage, à Veliko Tarnovo, disait qu'il valait mieux suivre le courant de la rivière que d'essayer de l'empêcher de couler. Le Râjâ savait qu'il était trop tard pour revenir en arrière. Même s'il avait pu parler, il n'aurait pas pu changer le cours de son destin. Conscient des risques qu'il encourait, le garçon se contenta de sourire en haussant les épaules.

Devant cette bonhomie, que les spectateurs interprétèrent comme une confiance inébranlable, la foule applaudit chaudement son nouveau héros.

Au signal du pharaon, un colosse deux fois plus grand, plus large et plus costaud que le Râjâ émergea de l'assistance. L'homme à la mine patibulaire s'avança devant l'escalier menant au trône et déposa un genou sur le sol en signe de respect. Torse nu et les muscles saillants, ce guerrier avait le corps marqué de larges cicatrices sur la poitrine, les bras et le dos. Manifestement, il avait participé à de nombreuses batailles, et ces marques représentaient autant de trophées de guerre. Un simple coup d'œil suffisait à voir qu'Osiris-Path n'avait aucune chance de le vaincre.

— Voici Pouateh, lança Mérenptah avec fierté, l'orgueil de l'Égypte qui, au cours des nombreuses batailles auxquelles il a pris part, a tranché plus de têtes qu'il n'y en a dans cette salle. Tous les ennemis du royaume connaissent son nom et tremblent à sa seule évocation. Serviteur docile de mon père Ramsès II, c'est en partie grâce à son courage que les Hittites ont été maintes fois repoussés.

— Pouateh ! Pouateh ! Pouateh ! commença à scander la foule.

— Qu'on donne une arme à notre meilleur soldat, ordonna le pharaon.

Le Râjâ, terrorisé par la montagne de muscles qui se dressait devant lui, regarda subtilement autour de lui, mais ne vit aucun passage pour fuir. Pas d'échappatoire possible, il allait devoir affronter le géant.

— Pouateh! Pouateh! Pouateh! crièrent encore les spectateurs.

À ce moment, le garçon fut certain que sa dernière heure était venue. Pendant que des sueurs froides lui glaçaient le dos, ses genoux commencèrent à s'entrechoquer. Le mouvement incontrôlable de ses jambes, imperceptible aux yeux des spectateurs, lui fit pressentir qu'il n'allait pas tenir très longtemps devant son adversaire. Il valait peut-être mieux en finir et se mettre à pleurer en implorant la pitié de Mérenptah! Des étourdissements, accompagnés d'une crampe dans le bas du ventre, le clouaient sur place. C'était la première fois que le Râjâ faisait face à une situation aussi critique. Cette fois, pas d'Électra pour le protéger ni de Sénosiris pour le conseiller. Sans eux, il était perdu, paniqué et incapable de trouver une façon de se sortir de ce pétrin. Désormais, tout dépendait uniquement de lui et de ses propres décisions.

Sous les cris nourris de l'assistance, le guerrier égyptien reçut une épée dentelée de la main d'un serviteur. Il l'accepta avec calme, puis la fit virevolter pour épater la galerie. L'effet fut immédiat; des applaudissements fusèrent de partout. Une fois sa petite démonstration terminée, il se tourna ensuite vers le Râjâ, prêt à bondir.

— Sauras-tu, Osiris-Path, grand combattant envoyé par Horus, mettre à terre un des plus puissants serviteurs de l'Égypte? Le peuple doit connaître ta valeur, Osiris-Path, pour répandre avec admiration et fierté la nouvelle de ta venue. Es-tu prêt, puce d'Osiris, à enseigner à ce mortel comment les dieux manient l'épée?

Cette dernière question, qui fit taire l'auditoire, résonna dans la pièce comme un écho lointain. Le garçon n'avait rien à répondre et le souverain attendait un signe. Ce fut alors que le Râjâ posa les yeux sur son adversaire et remarqua que celui-ci suait déjà à grosses gouttes. Une odeur âcre, qui trahissait sa peur, avait commencé à émaner de lui. Il s'agissait des mêmes exhalaisons que dégageaient les lapins qu'il chassait dans les bois de

Veliko Tarnovo. Le colosse qui se trouvait devant lui était terrorisé à l'idée de l'affronter. Malgré son apparente confiance et son impressionnante taille, les effluves de son corps le trahissaient. Et pour cause, car le pauvre homme avait la mission d'affronter nul autre que la puce d'Osiris en personne. La légende prenait vie devant lui, et Pouateh savait que ses chances de vaincre la créature étaient nulles.

En quelques secondes, le garçon comprit qu'il avait un avantage sur son adversaire et qu'il devait en tirer profit s'il voulait se sortir de cette délicate situation. Il lui fallait jouer le tout pour le tout et accentuer le sentiment de terreur chez son vis-à-vis. Une solution s'imposait : lui en mettre plein la vue !

Le Râjâ opta aussitôt pour l'intimidation et, imitant un loup enragé, il poussa un cri guttural en montrant ses dents. L'image frappa l'assistance comme un coup de poing, et le public poussa une lamentation. Osiris-Path était certes petit, mais il avait la fougue d'un animal sauvage. Devant les canines pointues de son jeune adversaire, Pouateh recula d'un pas, déjà sur la défensive.

– Osiris-Path a répondu ! s'exclama Mérenptah. Il est prêt ! Que le combat commence !

Le colosse s'avança vers le Râjâ en faisant tourner son épée dans les airs. Celui-ci ne bougea pas. Étonné de voir qu'Osiris-Path ne semblait pas avoir l'intention de sortir son arme de son fourreau, Pouateh pensa qu'il était perdu. Cette constatation décupla son angoisse, et ses mains se mirent à trembler de façon incontrôlable. Lui, le plus grand guerrier de toute l'Égypte, affrontait un combattant qui n'avait même pas le souci d'une arme pour le terrasser ! Il y avait de quoi mourir de peur. Tuer une armée de Nubiens à mains nues n'était rien en comparaison de devoir se battre contre une divinité. De plus, il était de notoriété publique que les humains qui osaient défier les dieux en payaient chaque fois le prix. Pouateh n'était pas de taille.

De son côté, le Râjâ perçut avec encore plus d'acuité que le colosse se savait perdu d'avance. Ses yeux trahissaient le vide de son âme. Ce valeureux guerrier, qui avait espéré faire un peu d'effet, n'avait pas l'intention de gagner ce combat. Il s'y livrait uniquement parce qu'on l'y avait obligé et s'en serait volontiers passé. Si Pouateh hésitait à porter le premier coup, c'était par peur de la réplique d'Osiris-Path.

Patient, le Râjâ sut qu'il devait continuer à entretenir le doute quant à ses réelles capacités. Il devait paraître en pleine maîtrise de la situation. Devant l'incertitude du colosse, il se contenta d'ouvrir grand la bouche et de bâiller. Un petit rire nerveux se répandit dans la foule. Le public en déduisit que, manifestement, Osiris-Path n'avait pas peur du géant.

Finalement, devant l'impossibilité de se dérober à ce combat, Pouateh se décida enfin et lança une attaque sur le Râjâ. Agile comme un fauve, le garçon évita avec facilité le premier coup, puis le deuxième. Au troisième assaut, l'épée du colosse fendit encore une fois l'air et celui-ci, déséquilibré par son propre mouvement, se retrouva face contre terre. L'épée toujours dans son fourreau, le Râjâ leva les yeux vers Mérenptah qui semblait ravi de la tournure des événements. Tout comme les spectateurs, le pharaon applaudit l'envoyé d'Horus. Sans le toucher une seule fois, il avait réussi à projeter le plus redoutable guerrier d'Égypte sur le sol. C'était grandiose ! De plus, comme il l'avait fait sans se servir de son épée, l'exploit était encore plus prodigieux.

Impressionné lui aussi par la rapidité du Râjâ, Pouateh se releva et trouva le courage de bondir de nouveau sur lui. Le garçon évita tous les coups de cette deuxième attaque et le mastodonte mordit une fois de plus la poussière.

Du haut de son trône, Mérenptah eut une exclamation de joie.

Comme Pouateh, essoufflé, se relevait pour poursuivre le combat, le Râjâ fonça sur lui à vive allure et lui enfonça sa tête directement dans le ventre. Le choc fut si violent qu'on entendit le bruit sec d'os qui se cassaient. Le guerrier, le souffle coupé, recula de quelques pas, puis sentit une douleur aiguë l'envahir. Manifestement, quelques-unes de ses côtes s'étaient brisées.

Incapable de chasser la douleur, Pouateh préféra tout abandonner. Il n'avait plus envie de reprendre le combat. Heureux de n'avoir pas subi plus de dommages, le colosse tomba à genoux et déposa son arme aux pieds d'Osiris-Path. Son sort était maintenant entre les mains de l'envoyé d'Horus.

Un lourd silence tomba sur la gigantesque salle du palais. Tous les yeux des spectateurs étaient fixés sur le Râjâ et chacun se demandait comment il allait réagir. L'issue du combat était prévisible, mais il n'était pas encore terminé. Osiris-Path allait-il sortir l'épée de son fourreau pour trancher la tête de Pouateh? En tant que vainqueur, c'était son droit. La vie du colosse lui appartenait. Il pouvait même, s'il en avait le désir, lui épargner la mort pour en faire son esclave.

Soulagé que cette bataille fût enfin terminée, le garçon s'approcha du vaincu et, spontanément, lui fit une grimace suivie d'un large sourire. Le colosse leva la tête et, devant l'expression comique de son adversaire, eut un fou rire nerveux. Le grand guerrier, délivré d'une terrible tension et épuisé par la nervosité, se mit à rire comme un dément sans pouvoir s'arrêter. Le public, charmé par la réaction sympathique et originale d'Osiris-Path, commença lui aussi à s'amuser et à rire.

Tout aussi charmé que ses sujets, Mérenptah applaudit. Il se leva ensuite de son trône pour réclamer le silence.

À ce moment, le rire incontrôlé de Pouateh accéléra rapidement les effets d'une hémorragie interne provoquée par le coup que le Râjâ lui avait donné au ventre. Une côte brisée ayant transpercé l'enveloppe du poumon, le colosse commença par cracher un peu de bile, puis vomit ensuite une grande flaque de sang sur le plancher. Toujours hilare, Pouateh eut quelques spasmes stomacaux, puis il tomba face contre terre en tremblant comme une feuille dans le vent. Quelques secondes plus tard, il poussait son dernier souffle.

Troublé par ce qu'il venait de voir, le pharaon comprit toute la puissance d'Osiris-Path. Il avait demandé à Horus de l'aider et celui-ci avait répondu à son appel. De toute évidence, il avait maintenant à son service une exceptionnelle créature avec laquelle il devrait être prudent. Les pouvoirs de la puce d'Osiris étaient grands!

Mérenptah balaya la foule du regard et vit les regards angoissés des spectateurs. Tous ses invités étaient ahuris et n'osaient même plus respirer. Ils avaient vu, de leurs yeux, un homme hilare mourir. Le contraste de la mort et du rire était si troublant, si loin de tout ce qu'ils avaient déjà vu, que personne ne savait quoi penser. Osiris-Path était si puissant qu'il pouvait mettre fin à la vie d'un homme en lui insufflant une simple émotion. Rien d'étonnant dans ce cas à ce qu'il laisse son épée au fourreau!

Mérenptah sentit qu'il était temps de rompre la lourdeur de ce grave moment. Lui, qui désirait qu'on parlât du cadeau d'Horus dans tout le pays, avait atteint son objectif. Après cette démonstration, on colporterait de bouche à oreille, dans toute l'Égypte, les extraordinaires pouvoirs de la puce d'Osiris. En quelques semaines, Osiris-Path deviendrait le plus redouté de tous les serviteurs du royaume.

– Qu'il soit dit aux quatre coins de mes terres, clama le pharaon d'un ton ferme, qu'Osiris-Path aura au cours des prochains mois la mission de consolider les frontières de notre royaume et de protéger la population d'éventuels envahisseurs. Qu'il soit répété, de ville en village, qu'Horus nous a fait le cadeau d'un guerrier plus puissant que toutes les armées de nos ennemis réunies. Qu'il soit enfin compris que malgré le départ de Ramsès II, nous sommes plus forts et plus solides de jour en jour. L'Égypte émerge aujourd'hui de son deuil et relève la tête ! Au-delà des déserts et par-delà les montagnes, que l'on rapporte ce qui, aujourd'hui, a été vu et dit dans cette salle !

Le pharaon se tut et la pièce se vida dans le plus profond silence.

V

Dans les heures qui suivirent l'étonnant premier combat d'Osiris-Path, Mérenptah ordonna qu'on l'installe dans les somptueux appartements d'Izzi et Bithiah. Il jugea que sa fille adoptive et son mari étaient, de tout le palais, les personnes les plus susceptibles de cohabiter en harmonie avec le nouvel arrivant. Après tout, le couple vivait sous la protection d'Horus puisque ce dernier était apparu dans leur demeure. Izzi et Bithiah n'allaient sûrement pas être embêtés par la présence de l'une de ses créatures divines.

Le pharaon avait vu juste, car le couple accueillit avec honneur Osiris-Path et fit en sorte qu'il se sentît rapidement chez lui. Izzi dirigea lui-même les opérations d'aménagement d'une grande pièce où le garçon pourrait avoir son intimité. Il demanda aussi que non pas une, mais plutôt deux servantes lui fussent assignées. Ainsi, de jour comme de nuit, il y aurait toujours quelqu'un pour répondre à ses besoins. Plus de tracas. S'il avait envie de festoyer sous les étoiles, il le pourrait ! Ces femmes, chargées de satisfaire ses moindres désirs, pourraient aussi lui donner son bain, le peigner et l'habiller.

Comme cadeau de bienvenue, Izzi sculpta même un buste du Râjâ qu'il plaça à l'entrée de la pièce. De cette façon, pas d'équivoque possible sur l'identité de l'occupant de l'endroit.

Afin qu'il ne manque de rien, le pharaon accorda une permission de circulation dans tout le palais à Osiris-Path et demanda à ses propres couturiers de lui fournir de nouvelles tenues chaque jour. Les vêtements usés ne seraient jamais lavés, mais plutôt brûlés afin qu'il rejoignent Horus dans les cieux. Ainsi, le dieu verrait toute l'attention portée à son envoyé et gratifierait peut-être encore une fois le pharaon de ses largesses. Il valait mieux mettre la chance de son côté et offrir à Osiris-Path une vie de rêve. Pas question non plus de le nourrir comme un homme ordinaire ; il aurait tous les jours dans son assiette les meilleurs plats que l'Égypte pouvait offrir.

Très timide aux premiers jours de son arrivée chez Izzi et Bithiah, le Râjâ gagna vite en aplomb. Il dut tout d'abord établir un système de communication efficace entre eux et lui afin de se faire comprendre. Comme le langage gestuel que lui avait enseigné Sénosiris correspondait parfaitement aux hiéroglyphes de l'écriture égyptienne, le garçon s'efforça de mieux définir ses signes et de préciser les images qu'il exécutait avec ses mains. Son succès fut instantané. Habiles, rapides et précis, ses gestes avaient parfois l'allure d'une danse très agréable à regarder. Après quelques heures seulement, le couple et les serviteurs commencèrent à bien le comprendre et, du même coup, à prendre beaucoup de plaisir à converser avec lui. Contrairement aux gens de Veliko Tarnovo, les Égyptiens de la classe dirigeante étaient tous éduqués. Ils savaient lire et écrire, mais avant tout, ils étaient curieux d'apprendre. Ce fut ainsi que plusieurs nobles du palais se lancèrent le défi de mémoriser les figures gestuelles d'Osiris-Path, et qu'ils se plurent énormément, par la suite, à mener des discussions silencieuses en sa compagnie.

Dans les jours qui suivirent l'arrivée de la puce d'Osiris, Izzi lui fut d'une aide précieuse. Il lui servit de guide dans toute la ville de Memphis. Des fumeries d'opium en passant par la grande bibliothèque, des souks des bas-fonds de la ville jusqu'aux ateliers de sculpture royaux, il lui fit tout visiter. Il l'initia aussi à la cuisine locale et à la vie quotidienne des gens ordinaires. Tout en essayant de préserver le plus possible son anonymat afin de ne pas provoquer de désordre en ville, il le promena dans les meilleurs endroits de la cité. Ensemble, ils goûtèrent d'excellentes huiles d'olive ainsi que la bière des brasseurs les plus renommés. Du mouton à la menthe en passant par de la viande de serpent, le Râjâ goûta à tout ce que l'Égypte avait à lui offrir.

Toutefois, pendant toutes ces heures passées auprès d'Izzi, le garçon ne pouvait s'empêcher de penser à Sénosiris. Était-il encore vivant ? Si oui, peut-être avait-il deviné quelle était la véritable identité d'Osiris-Path! Serait-il là, au prochain coin de rue, pour le serrer contre lui et lui souhaiter la bienvenue en Égypte? Le garçon avait tant de questions, et si peu de réponses…

– Ça ne va pas, Osiris-Path? lui demanda Izzi alors qu'ils venaient de prendre place à une table chez un brasseur réputé. Depuis quelques heures, je trouve que tu as la mine sombre. Je sais que ce ne sont pas mes affaires, mais si je puis faire quelque chose pour toi, il me fera plaisir de le faire. Tu es peut-être fatigué? Allons-nous-en, alors, nous reviendrons une autre fois…

Le garçon sourit et lui signifia d'un geste de ne pas s'inquiéter. En quelques signes, il fit savoir à son guide qu'il était simplement nostalgique. Il lui avoua qu'il pensait beaucoup à un ami disparu et qu'il espérait de tout cœur le retrouver bientôt.

– Oh, je comprends… Ton ami est un grand guerrier comme toi? s'enquit Izzi qui mourait de curiosité. Je demande cela, mais ne te sens pas dans obligation de me répondre. Il existe certainement des secrets dans le monde des dieux qui ne doivent pas venir aux oreilles des humains.

Osiris-Path pouffa en essayant de se maîtriser. Pour éviter de blesser Izzi, il réussit heureusement à maquiller son rire en une toux sèche. Exactement comme Misis qui, dans les bois d'Odessos, croyait avoir rencontré Pan, tout le monde en Égypte le prenait pour une créature divine. Et chacun s'adressait à lui comme s'il était un immortel. Même Izzi n'en démordait pas. Les Égyptiens avaient décidément une étrange conception des rapports entre les forces célestes et le monde réel. Même le grand Mérenptah, qui avait pourtant tout d'un homme ordinaire, était lui aussi considéré comme une divinité. Le pharaon était un être de chair et de sang. Son odeur ne trompait pas un nez aussi fin que celui du Râjâ, car d'après ses exhalaisons, le garçon savait qu'il suait, mangeait et excrétait comme tous les Égyptiens. Malgré toutes les essences de fleurs dont on le parfumait, rien ne pouvait masquer les émanations de son corps. Mais il valait mieux ne rien dire de cette évidence et continuer de jouer le jeu. Sénosiris lui avait souvent répété de ne pas juger les autres peuples et leurs coutumes, mais plutôt d'essayer de les comprendre.

– Tout va bien? demanda nerveusement Izzi. Tu t'es étouffé? Je vais tout de suite demander à boire, d'accord? Cela t'aidera… Rien de mieux que la bière pour rafraîchir les gorges sèches!

Le garçon ravala son fou rire et fit un signe affirmatif de la tête. Aussitôt, Izzi commanda à boire et deux bières atterrirent sur la table. Le Râjâ en prit aussitôt une longue gorgée qui lui fit grand bien. Même s'il ne s'était pas vraiment étouffé, la chaleur de la journée lui avait quand même asséché la bouche.

– Ça fait du bien, n'est-ce pas? Alors, que me disais-tu sur ton ami? le relança Izzi, toujours aussi curieux.

Ce fut avec plaisir que le Râjâ raconta que son compagnon disparu n'était pas un grand guerrier, mais plutôt un homme remarquablement intelligent et bon. Il lui dit que cet ami, avec qui il avait passé son enfance, était très doué pour la diplomatie aussi bien que pour les langues, et qu'il lui devait toutes ses connaissances sur l'Égypte. Il avait été son professeur et son mentor, et c'était grâce à lui qu'il se trouvait aujourd'hui sur les terres du Nil. Au fil des années, il lui avait enseigné beaucoup plus que l'astronomie et la géométrie. C'était en sa compagnie qu'il avait appris à respecter les êtres humains et à ressentir de la compassion pour les déshérités et les démunis.

– Je vois…, répondit Izzi, charmé par la description. Malheureusement, il n'y a que les dieux, comme toi et ton ami, qui soient aussi parfaits. Les hommes, eux, c'est autre chose… Ils se font la guerre et désirent toujours plus de richesses! Même si cela se fait au détriment des autres, n'est-ce pas? L'Égypte n'est-elle pas un pays d'esclaves?! Mais je te le demande, Osiris-Path, comment pourrions-nous faire sans eux? C'est la sueur de ces hommes et de ces femmes qui tient le royaume debout.

Osiris-Path se contenta de sourire et ne répondit rien. S'il avait dit à Izzi que l'homme dont il lui avait parlé était un simple Égyptien comme lui, il ne l'aurait pas cru. Après tout, Izzi avait un peu raison, et le Râjâ savait que la nature était ainsi faite. Dans une meute, c'était le loup dominant qui mangeait le premier. Les forts d'abord, les faibles ensuite.

– Moi, de mon côté, je ne cherche ni la richesse ni la gloire, continua le sculpteur en toute confidence. Je désire simplement avoir des enfants. Depuis des années que Bithiah et moi essayons d'en concevoir, mais rien ne fonctionne! Parfois, j'ai l'impression que les dieux sont contre nous… Une fois, ma femme a presque réussi à donner naissance, mais le bébé est mort dans son ventre quelques semaines avant l'accouchement. C'était terrible! J'aurais eu une fille, une charmante petite fille! J'ai prié Toueris afin qu'elle m'explique pourquoi elle avait rappelé mon enfant, mais… mais la déesse n'a jamais daigné me répondre. Ni en vision, ni même en rêve…

Le Râjâ baissa la tête et ses pensées glissèrent naturellement vers Misis. Peut-être que la fille d'Izzi aurait été aussi belle et gentille, et qu'ils auraient pu devenir de bons amis?

– Mais je ne vois pas pourquoi je t'entretiens de mes problèmes! s'exclama le sculpteur en essayant de retrouver un peu de gaieté. Après tout, tu as maintenant toutes les frontières du royaume à défendre, et les prochains mois ne seront pas de tout repos. J'ai même entendu dire que tu partiras sous peu avec une délégation de nos meilleurs hommes. Tu verras que défendre l'Égypte n'est pas une mince affaire et que nos ennemis sont nombreux. À ta santé, Osiris-Path!

Alors même que le Râjâ levait son verre, deux gardes de Mérenptah entrèrent dans l'établissement et interrompirent la petite célébration. Ceux-ci enjoignirent Osiris-Path de se rendre immédiatement au palais. Le pharaon demandait expressément à le voir. Sur ces mots, Izzi et le garçon se levèrent aussitôt de leur siège et suivirent les soldats au palais.

Le sculpteur accompagna le Râjâ jusqu'à la salle d'audience, puis le quitta pour retourner chez lui. En pénétrant dans les lieux, le garçon vit un homme prostré aux pieds du pharaon qui, sur un gigantesque siège taillé dans la pierre et couvert d'or, attendait impatiemment son arrivée.

Le souverain était entouré de présents: coffres remplis de pépites d'or, plantes exotiques, colliers et bijoux, sculptures, pierres précieuses et tissus de grande qualité. Il y avait aussi, enchaînés les uns aux autres, trois esclaves mâles aux muscles saillants et à la peau foncée.

– Enfin, le voilà! lança Mérenptah avec un certain agacement dans la voix. Approche-toi, Osiris-Path, et écoute cet homme qui implore notre aide. Il s'agit d'un messager qui nous arrive des hauts plateaux hittites!

Respectueusement, le Râjâ se prosterna d'abord devant le pharaon, puis se tourna vers l'étranger. L'homme leva la tête et eut un soudain mouvement de recul en apercevant cet être poilu comme une bête sauvage, mais dont les yeux avaient la couleur de l'azur.

– Ne t'inquiète pas, messager..., le rassura le pharaon. À première vue, Osiris-Path n'inspire pas confiance et peut même être repoussant pour les cœurs fragiles. Tu as devant toi une des fameuses puces d'Osiris!

– Euh, oui... oui, je... je suis désolé de ma réaction... je ne m'attendais pas à... à cela, balbutia-t-il en essayant de cacher son malaise. Je viens de la part de la princesse de Bakhtan dont le royaume est menacé par un de ses frères, le grand Hattousili III...

– La princesse est une Hittite, expliqua le pharaon au Râjâ. Un peuple avec lequel nous sommes en paix depuis que mon père, l'immortel Ramsès II, l'a vaincu à la frontière de l'ouest, lors de la bataille de Qadesh. Depuis la mort du roi, c'est son fils aîné, Hattousili III, qui a repris les commandes, et celui-ci n'a de grandes que sa prétention et son envie d'anéantir l'Égypte tout entière.

Osiris-Path fit signe au souverain qu'il avait bien compris les enjeux.

– Et voici que sa sœur, continua Mérenptah, la princesse de Bakhtan, me demande aujourd'hui de l'aide pour combattre son propre frère qui menace de la renverser. Par l'entremise de son messager, elle me propose de joindre son royaume au mien. De toute évidence, elle désire me mêler à ses histoires de famille!

– Ce sont bien les paroles de la princesse que vous répétez avec autant de justesse à Osiris-Path, confirma le messager. Je me prosterne devant vous, au nom d'Arméris, la plus belle des reines, et implore votre aide. Vous n'êtes pas sans savoir que Hattousili III, son frère aîné et nouveau roi des Hittites, est un puissant guerrier qui désire en découdre avec vos armées. Lui infliger une défaite au cœur même de son pays serait une excellente façon de calmer ses ardeurs.

Ne saisissant pas pourquoi cette situation requérait sa présence, le Râjâ se contenta de froncer les sourcils et de faire quelques hochements de tête affirmatifs. Dans les circonstances, il n'y avait rien d'autre à faire.

– Hattousili III croit que... que..., hésita le messager. Il croit que depuis la mort de Ramsès II, l'Égypte est en déclin... qu'elle n'aura plus le courage de se battre pour son nouveau souverain... et qu'il vaudrait mieux, dans ces circonstances, que les Hittites en prennent la gouvernance...

– Manifestement, cet homme n'a pas une très haute estime de moi ! s'exclama le pharaon, bouillant de colère. Ainsi, Hattousili III ne me considère pas comme un souverain capable de défendre adéquatement ses frontières !

– Il faut savoir, expliqua le messager, que si notre reine Arméris ne se soumet pas à la volonté de son frère en lui confiant la régence de son royaume et la totalité de ses armées, Hattousili III viendra tout prendre de force. Une fois en bonne position à Bakhtan, il pourra ensuite facilement gagner les frontières de l'Égypte afin d'y mener des raids sur les villages et les fermes environnantes. Lentement, il rendra cette partie de la frontière poreuse, puis il disposera ensuite d'une situation stratégique idéale pour commencer sa guerre de conquête.

– Mais rien de cela ne se produira ! l'interrompit Mérenptah en affichant un petit sourire arrogant. Il semble bien que les Hittites n'aient pas encore entendu parler d'Osiris-Path ! En tout cas, pas ce bâtard de Hattousili III ! Alors, voici mes conditions, messager. Note-les bien !

L'homme se tut et ouvrit grand les oreilles.

– Comme tu me le demandes, j'enverrai le plus grand de tous les guerriers d'Égypte, Osiris-Path, à la tête de mes meilleures troupes de cavaliers et de chars de guerre. Lorsque Hattousili III se présentera, nous serons là pour l'accueillir. Cependant, je désire en échange un présent plus grand que toutes ces babioles dorées que tu m'apportes. J'exige que la princesse de Bakhtan devienne mon épouse. Elle rejoindra mes autres femmes dans mon harem et je l'honorerai de façon à ce qu'elle porte rapidement un de mes enfants. On dit que votre jeune souveraine est d'une remarquable beauté, n'est-ce pas ?

— Oui, elle l'est…, confirma le messager. Elle est plus belle que la plus belle des étoiles.

— Très bien, fit le pharaon. Alors, retourne chez toi et informe ta princesse que le marché est conclu.

— Et si notre reine Arméris refuse de vous épouser ? s'enquit le messager. J'imagine que vos armées demeureront à Memphis, si tel est le cas ?

— Pas du tout ! lança le pharaon, amusé. Si la princesse refuse de partager mon lit, mes armées prendront ses terres de force et nous occuperons Bakhtan. Tu comprendras qu'avec les nouvelles que tu m'apportes aujourd'hui, je ne puis laisser en aucune façon les troupes de Hattousili III s'emparer de cette région. Il en va de la sécurité de l'Empire égyptien et de l'intégrité de mes frontières. À partir de cet instant, Bakhtan est à moi, avec ou sans la princesse. Si elle accepte mon offre, tant mieux pour elle et pour son peuple ! Tout se fera calmement, de façon pacifique. Je lui laisse le choix entre la douceur de mes caresses et la fermeté de mon poing.

— Oh ! fit le messager, embarrassé. Je ne croyais pas que… que cette demande d'aide se transformerait en ultimatum.

— Peu m'importe ce que tu crois, messager, fit le pharaon en indiquant à ses gardes de le faire sortir. Mes hommes seront prêts à partir dans quelques jours… Mes armées t'accompagne-ront jusqu'à Bakhtan, et c'est Osiris-Path qui portera ma réponse jusqu'aux douces oreilles de ta princesse.

— Puis-je implorer votre grandeur d'âme et vous demander de reconsidérer votre décision ? tenta timidement le messager, en désespoir de cause.

— Non ! trancha Mérenptah en lui indiquant de sortir.

Pendant que les gardes conduisaient le Hittite désespéré vers la sortie, le Râjâ demeura sur place et se contenta de baisser la tête en signe de respect envers son pharaon. Comme un jeune loup devant le mâle alpha, il se montra disposé à recevoir les ordres du souverain.

— Voici ta première mission officielle, Osiris-Path, lui dit Mérenpath. Tu commanderas mes armées jusqu'à Bakhtan et tu écouteras la réponse de la princesse à ma proposition. Si elle consent à me léguer gentiment ses terres et à devenir l'une de mes femmes, tu protégeras son royaume et repousseras son stupide frère. Ensuite, une fois Hattousili III écrasé, tu escorteras la belle Arméris jusqu'à moi.

Le garçon ferma les yeux en espérant que le pharaon serait magnanime advenant un refus. Malheureusement, ce ne fut pas le cas.

– Par contre, si la princesse décline ma proposition, continua-t-il, je t'ordonne de la tuer et de préparer le trône pour qu'un nouveau régent soit investi. Dans un cas comme dans l'autre, le roi hittite et ses armées ne doivent pas passer. N'hésite pas à envoyer un messager si tu vois que les troupes ennemies sont trop nombreuses, j'enverrai du renfort à ta rescousse. Est-ce clair ? Crois-tu pouvoir mener à bien cette tâche ?

Troublé par l'ampleur de cette première mission, Osiris-Path faillit avouer modestement qu'il ne se sentait pas capable d'entreprendre une telle action. Bien qu'il eût l'air plus vieux qu'il ne l'était en réalité, le garçon n'avait que quatorze ans. Cependant, il avait suffisamment d'expérience pour savoir que les faibles et les peureux n'avaient pas leur place en Égypte. Entretenir des doutes quant à ses propres capacités – et, surtout, le laisser paraître – aurait été une grave erreur, voilà pourquoi il dissimula ses états d'âme et acquiesça sans broncher aux demandes du souverain. Il était temps pour lui de devenir un homme et d'entreprendre de grandes choses. Mérenptah lui offrait une occasion en or de se faire valoir et d'aider le royaume.

– Très bien, fit le pharaon. Ta réaction m'enchante, grand guerrier. Je suis maintenant rassuré et je sais que tu triompheras rapidement de Hattousili III. Prépare-toi rapidement, car tu quitteras Memphis dans trois jours, juste avant la pleine lune. Va !

Le garçon prit congé et passa la grande porte de la salle d'audience en tremblant comme une feuille. Pour se motiver, il se répéta de nombreuses fois que si Sénosiris était là, il serait certainement fier de lui.

Malgré ces pensées positives, le Râjâ ne put fermer l'œil de la nuit. Il était nerveux, angoissé et troublé par ce qu'il aurait à annoncer à la princesse de Bakhtan. Le pharaon était un être intransigeant aux décisions implacables, et pour bien représenter son souverain, il devrait à son tour adopter cette attitude devant Arméris. Mais comment dire à une princesse que son royaume est maintenant sous tutelle et qu'elle n'a d'autre choix, si elle veut survivre, que de s'offrir à un inconnu ? Et si Hattousili III décidait d'attaquer pendant qu'il était là, à Bakhtan ? Le garçon n'avait aucune expérience de commandement de troupes et il ne saurait que faire pour repousser ce féroce ennemi. En fait, sa situation pouvait se résumer à ceci : aucune expérience diplomatique et aucune expérience militaire. Il y avait de quoi demeurer les yeux ouverts toute la nuit.

Malgré toutes les attentions d'Izzi et de Bithiah à son égard, les quelques jours qui suivirent sa rencontre avec Mérenptah furent catastrophiques pour le Râjâ. Agressif et de mauvais poil, il commença à tourner en rond dans sa chambre. Exactement comme un animal en cage, le garçon, angoissé, ne pouvait pas s'arrêter de marcher. Haletant, tendu et lunatique, il faisait les cent pas, grognant d'animosité quand on osait le déranger. Il perdit l'appétit. Il faillit aussi, par deux fois, attaquer l'une de ses servantes qui lui apportait de l'eau. Pendant ce délire anxieux, il souhaita de toutes ses forces se retrouver ailleurs, dans un autre pays ou simplement chez lui, à Veliko Tarnovo. Mais il résista à l'envie de fuir.

L'estomac à l'envers et la mine grave, le Râjâ sauta dans son char quelques jours plus tard afin de mener les armées de Mérenptah. Heureusement, son humeur massacrante lui fut salutaire. Elle contribua à lui donner un air sévère que les soldats interprétèrent comme de la détermination.

Comme s'il avait fait cela toute sa vie, Osiris-Path fit claquer son fouet et l'armée se mit en route vers Bakhtan. Pilotés par un guide compétent, les hommes du pharaon voyagèrent durant de longues journées avant d'atteindre le royaume d'Arméris où ils furent accueillis en héros par la population locale. Durant tout le parcours dans des zones désertiques et des montagnes rocailleuses, le Râjâ ne s'adressa pas une seule fois à ses officiers subalternes, ni même à son commandant en second. Cette attitude renforça l'idée selon laquelle Osiris-Path était un meneur si sûr de lui qu'il n'avait besoin des conseils de personne. Malgré l'angoisse qui lui tordait les boyaux, il aurait aimé apprendre à connaître ses hommes, mais il ne savait pas comment engager la conversation avec eux. Trop timide pour avouer qu'il était muet et qu'il ne s'exprimait que par des signes, il se contenta de faire oui ou non de la tête si quelqu'un lui posait une question. Et puis, s'il désirait cacher son incompétence dans le domaine militaire, il avait intérêt à s'enfermer le plus longtemps possible dans son mutisme.

Ce fut habillé comme un prince des pieds à la tête qu'Osiris-Path se présenta au palais de Bakhtan accompagné du messager de la princesse et des généraux égyptiens. Lorsqu'il la vit, radieuse sur son petit trône de bois d'ébène, le Râjâ fut ébloui par la beauté d'Arméris. Les conseillers et les nobles qui l'entouraient lui semblèrent disparaître. Ses yeux clairs et vifs, sa peau blanche comme du lait de chèvre, ses longs cheveux bruns bouclés et son fin parfum de fleur d'oranger le firent soupirer de désir. Cette femme était l'incarnation même de la beauté et du mystère, de l'élégance et de la finesse. Tout en demeurant féminine jusqu'au bout de ses longs ongles, elle semblait aussi forte, sinon plus, que Mérenptah. À la voir ainsi assise, le dos droit, les épaules bien relevées et la tête haute, le Râjâ sut tout de suite qu'elle ne se plierait jamais à la demande du pharaon. Cette femme était une vraie princesse, pas une putain avec laquelle on pouvait marchander.

De son côté, la souveraine n'éprouva pas la même attirance pour Osiris-Path lorsqu'elle le vit s'agenouiller devant elle. Celui-ci, couvert de poils, les ongles aussi longs que des griffes et les crocs saillants, ne produisit pas le même effet sur elle. De toute évidence, cette créature était trop hideuse pour venir lui annoncer de bonnes nouvelles. Elle était le reflet de la laideur des sentiments de Mérenptah. Devant cet hominidé, la belle Arméris perdit son sourire pour arborer une mine angoissée qui ne la quitta plus.

— Princesse de Bakhtan, dit le messager à sa souveraine, j'arrive avec les troupes du pharaon afin de protéger votre royaume. Plusieurs centaines de valeureux combattants sont là...

— Mérenptah a donc consenti à me venir en aide? demanda-t-elle sans quitter le Râjâ des yeux. C'est gentil, j'enverrai quelqu'un le remercier de sa grande générosité. J'espère qu'il a apprécié mes cadeaux.

– Oui, il les a beaucoup aimés…, répondit le messager avant de s'éclaircir la voix. Mais il semble bien que vos présents n'aient pas comblé son appétit pour les trésors de Bakhtan. Le pharaon en désire un de plus et… et il pose quelques conditions à sa collaboration avec notre royaume…

– Je m'en doutais bien! s'exclama la princesse, mécontente. Et quelles sont-elles, ces conditions? Un tribut annuel? Des esclaves? Un droit de passage? Vas-y, je t'écoute!

– Bien plus que cela, princesse… Le pharaon d'Égypte désire votre main ou… ou votre mort. Mérenptah, dans toute sa magnanimité, désire ardemment s'unir à vous par les liens du mariage et vous promet une place de choix parmi ses épouses. Sachez que si vous refusez cette proposition, Osiris-Path, ici présent à ma gauche, a l'ordre de vous exécuter et de préparer le trône pour un remplaçant…

– Sympathique! commenta ironiquement Arméris. Je demande de l'aide à mon voisin et voilà qu'il me répond par une injonction de viol! C'est charmant!

– Le pharaon, jugeant que la menace de votre frère Hattousili III est trop sérieuse pour s'en remettre à votre seul jugement, continua le messager à contrecœur, a ordonné à ses soldats de prendre le contrôle la ville. À l'heure où je vous parle, les généraux de l'armée de Bakhtan ont été passés par les armes et tous vos hommes sont sous les ordres des Égyptiens.

– Osiris-Path! lança la princesse avec dégoût. N'est-ce pas là un trop joli nom pour un être aussi affreux que vous? Qu'avez-vous à dire pour défendre votre pharaon? Rien, sûrement! On ne demande pas au chien qui sert son maître de penser par lui-même, seulement d'obéir aux ordres, n'est-ce pas?

Le Râjâ baissa la tête, honteux de son apparence animale. Malgré la brutalité de ses propos, Arméris avait raison. Il n'était bel et bien là que pour exécuter les instructions de Mérenptah.

– Si je comprends bien, continua-t-elle en dévisageant le garçon, ce monstre odieux est là pour me transformer en prostituée ou en momie, c'est bien cela? Eh bien, prépare-toi à me tuer,

Osiris-Path, car je ne coucherai jamais avec le pharaon et je ne me joindrai pas non plus à son bordel.

Le moment tant redouté était arrivé pour Osiris-Path. Cet instant qui lui avait fait faire les cent pas dans ses appartements et qu'il aurait tout fait pour éviter se présentait maintenant à lui. Acculé au pied du mur, mais se refusant à tuer la princesse, le garçon demeura immobile. Devant la provocation d'Arméris, il se mordit la lèvre et haussa légèrement les épaules.

– Est-ce là ta réponse à ma moquerie, teigne d'Osiris? demanda la princesse, surprise. Je t'encourage à m'assassiner et à voler mon trône, mais tu restes là sans bouger! Te dégoûterais-tu toi-même jusqu'au point de douter des ordres de ton maître?

Le Râjâ ne broncha pas. Il ne répondit rien.

Un lourd silence embarrassant tomba sur la salle. Personne ne savait exactement ce qui était en train d'arriver. Selon les usages, Osiris-Path aurait dû sortir son épée et transpercer la princesse de sa lame. Elle serait morte dignement devant les gens de sa cour, et pendant des siècles on aurait chanté le triste événement dans de grandes complaintes lyriques. Le déroulement des choses annonçait cette inévitable fin, mais Osiris-Path refusait de bouger.

Après un long moment, la princesse toussota pour attirer l'attention du Râjâ qui semblait perdu dans ses pensées. Celui-ci leva la tête et la regarda droit dans les yeux. Il y avait tant d'humanité dans ce regard que la femme en fut profondément renversée. Malgré son allure animale, le monstre qui se tenait devant elle avait une âme humaine.

– Laissez-nous seuls! ordonna la princesse. Que l'on quitte cette salle immédiatement et qu'on ferme la porte.

Osiris-Path fit aussi signe à ses hommes de quitter les lieux.

Aussitôt, les gens de Bakhtan et les généraux égyptiens évacuèrent la pièce.

VI

Une fois la lourde porte refermée, la princesse demeura seule avec le Râjâ. Un silence, encore plus lourd que le précédent, s'immisça entre elle et son bourreau supposé. La femme, humiliée de s'être fait piéger aussi facilement par le pharaon, essaya néanmoins de garder un peu de dignité.

— Et maintenant ? demanda-t-elle. Tu m'assassines, ou nous attendons ici, tous les deux, que je meure de vieillesse ?

Tête haute et dos bien droit, Arméris ne savait pas à quoi s'attendre, mais elle était prête à tout. Depuis que Hattousili III, son propre frère, l'avait menacée de lui ravir son royaume, la princesse de Bakhtan vivait tous les jours dans l'angoisse et la peur. L'arrivée du Râjâ et l'ultimatum lancé par Mérenptah n'étaient qu'un autre échelon de sa descente aux enfers. Elle, qui avait cru tenir la solution pour sauver les siens, se rendait bien compte maintenant de sa naïveté et de son manque de jugement.

— Je n'ai jamais vu un Égyptien remettre en question les ordres de son pharaon, même s'ils sont absurdes. Tu ne me croiras peut-être pas, mais j'ai assisté au suicide collectif de tout un bataillon d'infanterie. Les soldats se sont donné la mort uniquement parce que Ramsès II n'était pas content de leur performance au combat. Plutôt que de risquer de décevoir une fois de plus leur souverain, ces hommes ont préféré se jeter du haut d'une falaise. Mais toi, tu me sembles plus intelligent que ces guerriers, non ?

Impassible, Osiris-Path demeura muet. Comme un animal tourmenté par une décision critique, il attendait patiemment que la situation évolue. Il ne voulait pas tuer cette femme, puisqu'en toute logique elle ne représentait pas une menace pour l'Égypte, mais il en avait reçu l'ordre, et il devait impérativement l'exécuter. De plus, il ne comprenait pas pourquoi le pharaon voulait la forcer à se joindre à son harem. Quoique d'une rare beauté, cette princesse méritait mieux que de finir ses jours prisonnière au palais de Memphis.

– Mais quelle étrange créature es-tu ? fit-elle en devinant le combat intérieur que vivait Osiris-Path. Manifestement, tu n'es pas un Égyptien. Tu viens d'ailleurs, c'est cela ? Tu arrives d'un pays où l'on t'a enseigné à penser par toi-même et à prendre tes propres décisions ! Où as-tu vu le jour ? Dans le nord, peut-être ?

Le garçon ne répondit rien, car il n'écoutait plus la princesse depuis un moment. Tiraillé entre ses propres convictions et son devoir, il réfléchissait, paralysé par sa propre incertitude.

Un long moment passa ainsi, sans qu'Arméris ne lui adresse la parole.

– Manifestement, tu ne vas pas me tuer, constata la princesse. C'est une excellente nouvelle pour moi, mais désastreuse pour toi. Tu sais sans doute que si tu désobéis à ton maître, il sera impitoyable avec toi. Tu seras sûrement torturé avant d'être lapidé sur la place publique de Memphis. Je ne connais pas très bien Mérenptah, mais je sais que les hommes de la lignée de Ramsès II n'aiment pas beaucoup les traîtres. Comme tous les grands rois de ce monde, ils détestent qu'on se moque de leurs ordres.

Osiris-Path haussa les épaules.

– Ah, je vois… Tu es un monstre, mais doté d'une conscience, fit-elle, rassurée. C'est tout à ton honneur. Cependant, tu sais comme moi que ton action est illégitime et que tu ne peux me ravir ainsi mon royaume…

La princesse reçut un soupir en guise de réponse, comme une approbation tacite.

– Alors, le dilemme n'est pas le mien, mais bien le tien ! Agiras-tu selon ta conscience, au risque de te mettre le pharaon à dos, ou lui obéiras-tu comme un bon soldat ? Voilà une grave question qui mérite réflexion. Je suis touchée de ton hésitation à me mettre à mort…

Encore une fois, un long silence s'immisça entre le Râjâ et la princesse. Sans en avoir l'air, le garçon cherchait une solution, une façon d'accomplir sa mission tout en épargnant la vie de cette femme. Si Sénosiris avait été là, il aurait tout de suite trouvé un moyen, mais, cette fois, le Râjâ était seul pour se sortir du pétrin. Malgré toute sa bonne volonté, il n'y arrivait pas.

– Et si nous concluions un marché, toi et moi ? Tous les problèmes ont une solution, n'est-ce pas ?

Le Râjâ releva subitement la tête et regarda la princesse dans les yeux. Il y avait un espoir ! Il existait donc une façon plus humaine de régler cette délicate situation ! Manifestement, le garçon était très intéressé par ce qu'Arméris s'apprêtait à dire.

– Comme tu sembles réceptif, je peux peut-être te proposer une façon de m'éliminer tout en me laissant la vie sauve. Tu vois, le roi nubien est un allié depuis de nombreuses années et nous entretenons des relations diplomatiques très cordiales. Si je m'exilais chez lui, en ses terres, je crois bien qu'il me recevrait à bras ouverts. De là, je pourrais prendre un peu de recul et trouver une façon de reconquérir mon royaume et de l'arracher des mains de Mérenptah. Si je te le demandais, me laisserais-tu partir ?

Osiris-Path acquiesça sans hésiter.

– En échange de ma vie, je m'engage à t'aider si, un jour, tu as besoin de moi…, promit la princesse. On ne sait jamais ce que la vie nous réserve. En ce sens, il est toujours bon d'avoir des alliés, n'est-ce pas ? Si tu m'accordes un peu de temps, j'emprunterai le passage secret qui se trouve derrière mon trône et je quitterai le palais déguisée en servante. Ainsi, je fuirai facilement vers l'ouest.

Un large sourire fit comprendre à Arméris que son bourreau lui accordait la liberté.

– J'estime que, pour exécuter ce plan, il faudra faire attendre mes nobles et tes hommes encore un bon moment. Cependant, une question se pose ! Comment vas-tu expliquer que je t'aie filé entre les doigts ? Personne ne voudra croire que j'ai eu la force de te combattre !

– Mouton – mort, fit le Râjâ en deux gestes précis.

– Mais que fais-tu là ?

– Mouton – mort, recommença-t-il.

– Pourquoi bouges-tu ainsi ? Oh ! Je vois… tu ne… tu ne parles pas ? !

Du coup, la princesse comprit que son interlocuteur était muet et que ces longs silences entre eux étaient peut-être justifiés par son incapacité de communiquer.

– Je suis désolée… je ne te comprends pas… je ne vois pas ce que tu veux me dire.

Le Râjâ regarda la pièce autour de lui et fixa son regard sur une lampe à huile éteinte. Il s'en approcha, en recueillit la suie et dessina sur le sol l'idéogramme du mouton et celui de la mort. La princesse, intriguée, se pencha vers les dessins et déchiffra un peu maladroitement l'écriture.

– Je ne comprends pas… Tu veux tuer un mouton ?! Ou plutôt, chasser le mouton… mais ça n'a pas de sens. Ce symbole, c'est la mort, non ? La mort d'un mouton ?! Oh, je vois, tu désires avoir un mouton mort ? C'est bien cela ? Un cadavre de mouton ?

Osiris-Path acquiesça.

– Mais pourquoi ? C'est tout à fait ridicule ! Je ne vois pas…

Le garçon fit signe à la reine que le temps pressait et qu'il avait besoin du corps d'un mouton immédiatement. Intriguée par cette singulière demande, la reine obtempéra et s'élança vers le passage secret conduisant à ses appartements. De là, elle demanda à deux servantes de se rendre discrètement aux cuisines et de lui procurer secrètement l'animal en question. Elle leur ordonna aussi de préparer ses affaires pour un long voyage. Les deux domestiques se plièrent aux demandes de leur maîtresse, mais elles insistèrent pour l'accompagner dans sa fuite. La princesse accepta avec plaisir de quitter le royaume en leur compagnie, mais elle les pria d'exécuter rapidement ses ordres. Et sans poser de questions !

Pendant ce temps, le Râjâ, demeuré seul dans la salle du palais, commença à émettre de petits sons agressifs. Il renversa quelques chaises, poussa des hurlements, puis sauta à pieds joints sur le trône. Derrière la porte, les dignitaires de Bakhtan exigèrent d'entrer dans la pièce, mais les hommes d'Osiris-Path leur bloquèrent le passage.

– Notre reine est en danger ! lança l'un des dignitaires de la cour de Bakhtan. Laissez-moi passer immédiatement !

– Nos ordres sont clairs. Osiris-Path ouvrira lui-même la porte lorsqu'il jugera bon de le faire.

– Ce qui se passe ici est inadmissible ! s'exclama l'homme en colère. Nous n'accepterons aucun ordre venant de...

Le noble personnage, étrangement pris d'une atroce douleur au ventre, cessa de parler. L'Égyptien venait de clore la discussion en lui passant son épée à travers les tripes. Le dignitaire chancela quelques instants, puis tomba face contre terre dans une mare de sang.

– Cette porte demeurera fermée tant et aussi longtemps qu'Osiris-Path le désirera, fit le haut gradé en essuyant le sang de sa lame sur le revers de sa cape. Celui ou celle qui insistera pour entrer connaîtra le même sort que cet homme. Ce royaume et ses habitants ne sont plus sous la gouverne de la princesse de Bakhtan, mais plutôt sous l'autorité suprême du grand Mérenptah et de son armée.

Alors même que le soldat faisait son discours à l'extérieur de la salle, la princesse surgit à l'intérieur, accompagnée de ses deux servantes et portant le corps encore chaud d'un mouton fraîchement égorgé.

– Voilà ce que tu désirais..., dit la femme en présentant l'animal au Râjâ. Que comptes-tu faire maintenant ?

Sans prendre la peine de répondre à la question, il commença à dépecer la bête avec son épée. Tout en aspergeant bien les murs de sang, il fit voler çà et là des bouts de cervelle et des morceaux de viande.

– Oh, je vois..., fit la princesse. Tu veux faire croire à mon assassinat ! Alors, vite, prends ma robe et imbibe-la de sang ! Coupe-moi aussi les cheveux... ainsi, la mise en scène sera plus vraisemblable !

La femme se déshabilla entièrement et sans pudeur, puis s'agenouilla devant le Râjâ afin qu'il la tonde comme une brebis. Une fois le travail terminé, elle lui donna ses vêtements et lui embrassa les pieds.

– Mes remerciements pour ton aide Osiris-Path. Je te confie la défense de mon royaume. Je suis rassurée et me dis que tu protégeras ses frontières mieux que moi. Ce sera sans doute mieux ainsi. Pour ma part, je suis trop naïve, et mes armées ne sont pas de taille à se mesurer aux milliers de guerriers hittites qui menacent d'envahir mes terres. Prends bien garde à Hattousili III, mon frère, car il dispose depuis peu d'une impressionnante machine de guerre qui le rend invincible. Au revoir. Si un jour tu as besoin de moi, je serai chez les Nubiens.

Toujours nue, la femme, escortée de ses servantes, quitta rapidement la pièce par le passage secret. Pendant ce temps, le Râjâ acheva son travail morbide de décoration.

Une fois son œuvre terminée, la salle d'audience ressemblait à un véritable abattoir. Il y avait du sang partout sur les murs et sur le plancher. Les os de l'animal avaient été broyés, afin qu'ils fussent méconnaissables, et ses viscères, transformés en une infecte bouillie, étaient entassés à quelques enjambées du trône. Tout juste devant la porte, la robe de la princesse, déchiquetée et parsemée de lambeaux de peau, attendait de faire son impression.

Lorsqu'il fut tout à fait certain que sa mise en scène était bien rodée, Osiris-Path se rendit à la porte de la salle et l'entrouvrit. En faisant mine de manger les derniers morceaux comestibles de la princesse, il s'installa confortablement sur son trône et attendit que quelqu'un se décide à pénétrer dans la pièce. L'un des généraux égyptiens poussa lentement la porte pour demander s'il pouvait entrer et découvrit la scène avec horreur. Il vit même son chef, Osiris-Path, en train de ronger de la viande crue autour d'un os. L'Égyptien eut tout de suite un haut-le-cœur et se retourna pour vomir sur les sandales d'un noble. Quelques dignitaires de Bakhtan, angoissés et craintifs, en profitèrent pour ouvrir grand les portes et découvrirent, eux aussi, l'abominable spectacle.

– Ce n'est pas vrai ! Mais ce n'est pas vrai ! cria un homme en pleine crise de nerfs. Il a mangé la princesse ! Ce monstre a avalé notre souveraine ! AAAAAHHH ! ! C'EST TERRIBLE ! TERRIBLE !

À ce moment, le Râjâ poussa un retentissant rot qui glaça d'effroi les gens de Bakhtan aussi bien que les soldats égyptiens. Tout le brouhaha se calma d'un coup.

On aurait pu entendre une mouche voler.

Osiris-Path en profita pour faire signe à ses hommes d'entrer. Ceux-ci refusèrent d'emblée de pénétrer dans la pièce ; seuls les deux plus gradés de l'armée s'avancèrent de quelques pas. Le Râjâ, content de son effet, leur sourit et les soldats virent couler de ses commissures deux longues gouttes de sang. Il leur présenta l'os encore couvert de viande et les invita, d'un geste amical, à se joindre à lui pour terminer son repas.

– Merci… Osiris-Path, de… de cette belle générosité, balbutia l'un des hommes en mesurant ses mots. Mais nous n'avons pas tellement faim… Si vous le désirez, nous vous laisserons terminer ce que vous… ce que vous avez commencé. Il y a encore beaucoup à faire pour sécuriser convenablement la ville et… et le temps nous manque. Merci encore… beaucoup.

Le Râjâ haussa les épaules, comme s'il leur disait: «C'est bien dommage pour vous!» D'un geste, il les enjoignit de quitter la pièce. Une fois qu'il fût seul, il ne put s'empêcher de pouffer de rire en se repassant mentalement la scène. Les yeux exorbités des nobles et les figures angoissées de ses hommes en disaient long sur ses qualités de mystificateur. Son plan avait fonctionné à merveille!

– L'avez-vous vu, ce… ce… monstre? murmura une femme en pleurs derrière la porte. Écoutez, il rit! Je l'entends s'esclaffer! Il vient de dévorer notre reine, et cela l'amuse en plus! Cette chose qui est sur le trône est… inhumaine. Osiris-Path est si répugnant que… que je vais m'évanouir!

– Il faudra vous y faire, lui répondit un soldat égyptien, aussi choqué qu'elle, car il est le nouveau maître de Bakhtan.

La nouvelle de la mort horrible de la princesse se répandit comme une traînée de poudre dans la petite cité. En quelques heures, chacun avait sa version de l'histoire.

VII

La journée même de l'assassinat sauvage de la princesse, un homme quitta furtivement la ville et galopa à toute vitesse dans le désert rocailleux des terres arides de Bakhtan. Poussé par l'envie de fuir au plus vite les images affreuses qu'il venait de voir, il atteignit rapidement un campement hittite bien dissimulé derrière une colonne naturelle de pierres stratifiées. De là, il bondit de sa monture et entra dans une grande tente ronde où Hattousili III, le roi hittite, était entouré de ses meilleurs hommes et discutait passionnément de stratégies militaires.

– Je dois vous parler, lança l'intrus, essoufflé, sur un ton paniqué. Il est impératif que je m'entretienne tout de suite avec vous… j'ai de… j'ai de bien mauvaises nouvelles à vous annoncer.

Hattousili III, incommodé par l'intrusion soudaine de son espion, se retourna vers lui en maugréant :

– J'espère que tes nouvelles en valent la peine, car je ne suis pas d'humeur à être dérangé… Parle, nous t'écoutons.

L'espion hésita.

– Ne crains pas ces hommes, il n'y a pas d'oreilles indiscrètes dans ce lieu…, fit impatiemment le roi. Alors ?

– Les Égyptiens sont à Bakhtan et ils ont pris possession de la ville ! expliqua l'espion.

– Ah, les chiens ! ragea le souverain. Ce doit être ma stupide sœur qui les a alertés ! Cette harpie, si je mets la main dessus, elle va payer pour sa trahison !

– Ce ne sera pas possible, car elle est morte…

– Quoi ?! Ils l'ont tuée ?!

– Non… plutôt oui… mais ce n'est pas un homme qui l'a tuée… Elle a perdu la vie d'une horrible façon !

– Explique-toi!

– Les troupes égyptiennes sont menées par une créature inhumaine qui a… qui a découpé votre sœur en morceaux pour… pour ensuite… la manger.

En entendant la nouvelle, Hattousili III secoua la tête d'incompréhension, puis se demanda s'il avait bien compris.

– Répète ce que tu viens de dire! fit-il, incrédule. Tu m'as dit qu'elle avait été… quoi?

– Mangée! Avalée complètement! Le commandant en chef des armées égyptiennes, un monstre poilu et sanguinaire, a complètement dévoré votre sœur! Les os, le crâne, tout! Il ne restait plus rien d'elle! Et en plus… il ne l'a même pas fait cuire!!!

– Mais qu'est-ce que cette nouvelle que tu m'apportes, imbécile! hurla le Hittite en colère. Tu es fou ou quoi?! Tu dis qu'il a englouti ma sœur au complet?

– OUI, JE VOUS LE JURE! fit l'espion. Il a complètement dévoré votre sœur! J'étais là et j'ai tout vu! J'ai vu le sang sur les murs, les os sur le plancher, sa robe déchirée et pleine de sang, et puis je vous ai même rapporté une mèche de ses cheveux. C'est tout ce qui reste d'Arméris! Des cheveux bouclés! Ce n'est pas un homme que le pharaon a envoyé contre nous, mais un démon! Il se nomme Osiris-Path, ce monstre sans foi ni loi! On dit qu'il s'agit d'un envoyé d'Horus venu sur terre afin de servir le pharaon. La puce d'Osiris, vous connaissez? C'est une créature de la pire espèce, un mangeur de… de…

– Attends! le coupa Hattousili III. Tu dis qu'il se nomme Osiris-Path? Il porte le même nom que les guerriers de la légende d'Osiris?! Tu me jures qu'il est une des créatures tombées des cheveux du dieu? C'est une créature divine?

– Oui, je vous le jure! répéta l'homme, qui ne pouvait être plus sincère. Il est couvert de poils et sa gueule est pourvue de canines acérées. De plus, il a des griffes aux doigts et ses yeux sont… sont aussi perçants que ceux d'un tigre! Il est petit, mais d'une force prodigieuse! En Égypte, on dit qu'il est capable de tuer un homme sans le toucher, uniquement par sa pensée!

– Et tu es certain qu'il est un envoyé de…

– D'Horus!! l'interrompit brutalement l'espion. C'est un monstre venu d'un monde obscur et dont la seule mission est de protéger les frontières de l'Égypte. Malgré tout le respect que je dois à votre force et aux armées qui vous accompagnent, je vous déconseille fortement de vous rendre à Bakhtan.

– Il a mangé ma sœur?! murmura de nouveau Hattousili III, complètement déconcerté. Tout entière?

– Il ne restait plus rien... Je vous le répète, il ne restait de la princesse que sa robe, quelques lambeaux de peau, des os et des cheveux.

– Et tu as vraiment vu, de tes yeux, ce que tu me racontes là? Tu sais que si tu me mens, je te ferai torturer des jours entiers avant de t'abandonner aux chacals du désert!

– Je l'ai vu comme je vous vois, grand Hattousili III. J'ai vu le sang sur ses commissures et dans son poil. C'était pire qu'un cauchemar...

– Je n'arrive pas à croire que ma sœur, si belle et si douce, ait terminé sa vie dans d'aussi terribles conditions... Je me dois de la venger!

– Je vous supplie d'éviter de vous approcher de Bakhtan. Vous le regretteriez.

Hattousili III se cala sur son siège et prit quelques instants de réflexion. Bien qu'il n'eût jamais cru aux créatures fantastiques, pas plus qu'aux interventions divines, le souverain hittite était cependant perplexe. Se pouvait-il qu'un tel monstre existât réellement? Son espion avait l'air si convaincu qu'il semblait difficile de mettre en doute sa parole. Cette histoire était trop grossière pour que quiconque pût l'avoir inventée.

– Merci pour tes conseils, mais on ne gouverne pas un royaume en ayant peur de ses ennemis! lança fièrement Hattousili III.

Il se retourna vers l'un de ses généraux.

– J'enverrai trois cents de mes plus habiles cavaliers et les ferai accompagner de ma machine de guerre. Nous verrons ce que cet Osiris-Path a dans le ventre! Je te charge personnellement de cette mission!

– Je vous en conjure, dit l'espion, désespéré, ne faites pas cela... Nous subirions sa colère, et le peuple hittite ne...

– Tais-toi! lui ordonna le souverain. Ma décision est prise. Prends cette bourse et va-t'en, je ne veux plus te voir dans mon campement. Surtout, ne parle de cette aventure à aucun de mes hommes, je ne voudrais pas saper leur moral !

– Je vous aurai prévenu…, laissa tomber l'espion en quittant la tente.

* * *

– LES HITTITES ! LES HITTITES SONT LÀ ! hurla la voix de la vigie, du haut de la forteresse de Bakhtan.

L'alerte se répandit comme une traînée de poudre et on fit aussitôt chercher Osiris-Path. Celui-ci, fortement angoissé par la nouvelle, accompagna ses hommes jusqu'à la tour d'observation de la grande porte. Au loin, il vit une armée de cavaliers s'approcher prudemment. Derrière eux, six chevaux tiraient une grosse voiture sombre montée sur quatre roues. L'apparition du véhicule fit sursauter le Râjâ qui, incrédule, se frotta les yeux. Mais oui ! C'était bien elle ! C'était effectivement la création de Sénosiris qui avançait lentement vers la forteresse !

La machine de guerre amphibie de l'Égyptien de Veliko Tarnovo avait été récupérée par les hommes de Hattousili III sur la plage d'un village hittite. Elle était vide et à moitié remplie d'eau mais, malgré les avaries, ses mécanismes de défense fonctionnaient à merveille. Rapidement, forgerons et charpentiers l'avaient remise sur pied et l'armée hittite s'en servait maintenant comme arme secrète. C'était d'ailleurs après cette trouvaille que Hattousili III avait formellement décidé de s'attaquer à l'Égypte. Grâce à cette technologie, il pouvait aisément faire une brèche dans la frontière du pays et maintenir ses troupes en position pendant des lunes. Avec son arc qui tirait à répétition, cette petite forteresse ambulante venue de la mer était en mesure de résister longtemps si elle était suffisamment alimentée en projectiles. Un cadeau du ciel !

Le cœur du Râjâ fit un tour dans sa poitrine et le garçon se jeta dans le vide sans réfléchir. Sous le regard médusé de ses hommes, il atterrit au pied de la tour d'observation en exécutant une roulade, puis détala à toute vitesse vers les cavaliers ennemis. Courant à quatre pattes comme un animal sauvage, il ressemblait à un fauve filant à vive allure vers sa proie. Pour le Râjâ, plus rien ne comptait que de revoir Sénosiris, qu'il espérait retrouver aux commandes de sa machine. Le garçon ne touchait presque plus le sol. Entre lui et le véhicule, il n'y avait plus d'ennemis. La joie de retrouver Sénosiris lui avait fait oublier les flèches et les épées des guerriers hittites. Pendant qu'il filait vers le danger, le garçon s'imaginait sautant dans les bras de son mentor. Ensemble, ils riraient de se retrouver ainsi, dans de si précaires conditions, et prendraient ensuite le temps de partager leurs aventures. Le Râjâ brûlait d'envie de lui révéler qu'il avait rencontré le pharaon et de lui raconter comment il était devenu Osiris-Path. Que de beaux et de bons moments à vivre!

Les cavaliers de Hattousili III eurent à peine le temps de sonner l'alarme qu'Osiris-Path était déjà sur eux. Bondissant tel un tigre dans les pattes des chevaux affolés, le Râjâ évita avec facilité quelques coups d'épée avant de se réfugier sous le véhicule. Comme il connaissait tous les secrets de la machine de Sénosiris, le garçon ouvrit une porte dissimulée et s'engouffra dans la voiture.

Lorsqu'il émergea du plancher, deux Hittites poussèrent un cri de surprise et se plaquèrent contre une paroi pour le laisser passer, trop surpris pour tenter de l'arrêter. Le Râjâ en profita pour actionner l'ouverture de portes dérobées, et les hommes se retrouvèrent du coup propulsés à l'extérieur. Le nez dans la poussière, ils se demandèrent longtemps comment ils avaient fait pour traverser la cloison!

Une fois les deux Hittites expulsés, le garçon monta rapidement sur le toit dans l'espoir d'y trouver son mentor, mais il fut plutôt accueilli par deux soldats de forte taille. Ceux-ci, responsables de l'arc à répétition, dégainèrent leurs épées.

Tel un chat sauvage, le Râjâ bondit au visage du premier et lui creva les yeux à l'aide de ses griffes. L'homme tomba de la voiture en hurlant comme un dément et se brisa le cou en touchant le sol. Devant l'affreux spectacle de la mort de son camarade, le second préféra se lancer de lui-même en bas de l'engin. Pour lui, il valait mieux abandonner la machine que de risquer un affrontement au corps-à-corps avec cet animal sauvage sorti de nulle part.

Une fois qu'il fut le seul maître à bord, le Râjâ ferma de l'intérieur tous les accès et se cloîtra comme une tortue dans sa carapace. De toute évidence, Sénosiris n'était pas à bord, mais il avait peut-être laissé derrière lui des indices de son passage. Avec de la chance, il aurait gravé un code, une formule quelconque qui pourrait lui donner un indice de l'endroit où il se trouvait. L'intelligence de l'Égyptien n'était plus à prouver. Il avait sans doute marqué une des cloisons de sa création. Il suffisait maintenant au garçon de trouver le signe.

Motivé, le garçon examina l'intérieur du véhicule avec minutie. Il scruta chaque planche et tous les endroits où Sénosiris aurait pu laisser un message, mais il ne trouva rien. Après un long moment de recherches, il se laissa choir sur le plancher et, déçu, commença à pleurer. Lui qui croyait pouvoir se lancer à la poursuite de Sénosiris et le retrouver vivant ne pouvait que constater la déchirante vérité : son mentor avait bien disparu, et plus jamais il ne le reverrait. Une douleur aiguë saisit le Râjâ à la gorge. Pour s'en libérer, le garçon poussa quelques petits sons, puis hurla carrément. Tel un loup rendant hommage à la lune, il chanta sa peine afin de se libérer de sa tristesse, mais surtout de sa détresse.

Autour du véhicule, les troupes hittites ne savaient trop comment réagir. Les généraux étaient incertains, et les hommes n'avaient pas très envie de se lancer à l'assaut de cette créature étrange et violente qui avait apeuré leurs chevaux. Tout en demeurant à bonne distance, les soldats se contentèrent d'encercler la voiture de guerre, jugeant plus prudent d'attendre la suite des événements.

Depuis la muraille de la forteresse de Bakhtan, les hommes de l'armée égyptienne regardaient la scène avec anxiété. Ils avaient vu Osiris-Path se précipiter vers l'armée ennemie pour ensuite disparaître à l'intérieur du véhicule. Où était-il maintenant, et que faisait-il ? Allait-il attaquer les Hittites à lui seul, ou désirait-il que les Égyptiens s'apprêtent à livrer bataille ? Ces derniers devaient-ils préparer les chars de guerre ou sortir les arcs et les flèches ? Comme le garçon n'avait pas donné d'ordre avant de sauter de la tour, l'armée était bloquée et attendait, à l'instar de ses ennemis, la suite des événements.

Le visage inondé de larmes, le Râjâ eut tout à coup une révélation. Il pensa au coffret secret, encastré dans l'une des parois de la petite chambre de Sénosiris, et s'y rendit sans perdre de temps. Le garçon retira une planche de la cloison et atteignit l'écrin. À l'intérieur, il découvrit quelques babioles, mais aussi un petit rouleau de papyrus. Il le déroula, puis regarda attentivement les hiéroglyphes. Il s'agissait du testament de son mentor.

« Mes dernières volontés.

À ma mort, je désire que mon corps repose auprès de la reine Électra, la femme que j'aime.

À ma mort, je désire que tous mes biens soient donnés au Râjâ, que je considère comme mon fils.

À ma mort, je désire que l'on grave sur mon tombeau cette phrase de mon maître : "Il n'y a que le changement qui soit permanent dans la vie. Ceux qui s'adaptent survivent, les autres meurent."

Sénosiris »

Ce fut à ce moment précis que le Râjâ comprit tout l'amour qu'avait eu pour lui l'Égyptien. Le garçon ferma les yeux et se remémora tout le temps que lui avait consacré Sénosiris, toute la patience dont il avait si souvent fait preuve à son égard. C'était grâce à lui que le garçon savait lire et écrire, mais surtout, qu'il pouvait communiquer par signes. Il lui avait aussi appris à comprendre la position des étoiles dans le ciel et enseigné quelques principes de chimie, de physique et de mathématiques. Et toutes ces histoires qu'il lui avait racontées, toute cette magie dont il l'avait entouré durant son enfance, quel cadeau ! Sénosiris lui avait offert une jeunesse riche et épanouissante et, pour cette raison, il garderait toujours une place pour lui dans son cœur.

Toutefois, même si l'Égyptien n'était plus, la vie ne s'arrêtait pas pour autant. Il fallait au Râjâ trouver la force de continuer seul, mais surtout, de s'adapter rapidement à sa nouvelle vie dans ce nouveau pays. La dernière phrase du testament était claire : « Ceux qui s'adaptent survivent, les autres meurent. »

Le Râjâ comprit alors qu'il lui fallait faire le deuil de Veliko Tarnovo, de Sénosiris, de sa mère et, surtout, de Misis. Jamais il ne retournerait sur sa terre natale, et plus jamais il ne chasserait le lapin dans les bois. Ce testament marquait une étape dans sa vie, celle qui avec soudaineté transforme les enfants en adultes.

Il était maintenant Osiris-Path et avait l'immense privilège d'être le protégé du plus grand des souverains du monde. Si le pharaon croyait qu'il était l'envoyé d'Horus, eh bien, il le serait pour le reste de ses jours.

Animé d'une force nouvelle, Osiris-Path prit le testament de Sénosiris et découpa le papyrus en fines lanières. En s'aidant d'une tige de bois, il alluma un feu qu'il nourrit ensuite avec la paille des lits et quelques petits morceaux de bois. Une fois les flammes assez hautes, il distribua le feu partout dans le véhicule et monta ensuite sur le toit.

Les troupes de Hattousili III reculèrent de quelques pas lorsqu'ils virent Osiris-Path surgir au sommet de la voiture et, dans un nuage de fumée, leur faire quelques signes de provocation. Tandis que de longues flammes commençaient à jaillir de tous les côtés du véhicule, le jeune homme en colère dégaina ses deux longues épées et invita la centaine de cavaliers à venir l'affronter. Dans les rangs hittites, personne n'osa bouger, ni même respirer. Malgré les efforts de Hattousili III pour cacher à ses hommes qu'Osiris-Path avait mangé la princesse de Bakhtan, ils avaient tous entendu la rumeur. Et personne n'avait envie de finir comme la pauvre femme. La puce d'Osiris était aussi laide que dans les histoires qu'ils avaient entendues et semblait aussi inhumaine qu'on la leur avait décrite. Pour eux, il valait mieux ne pas bouger et subir le courroux du souverain, que de se suicider en attaquant de front le grand Osiris-Path.

À l'image d'un démon sortant du feu de l'enfer, le Râjâ bondit de la voiture qui flambait tel un bûcher et atterrit à quatre pattes sur la terre rocailleuse. Il était prêt à se battre et à mourir, prêt à prouver sa valeur.

Ce fut le moment que choisit Hattousili III, le grand roi hittite, pour se découvrir. Le souverain enleva son casque et, l'air grave, descendit de son cheval. Au sein de ses troupes, ce fut la surprise générale. Personne ne savait que leur illustre chef avait joint secrètement leurs rangs et qu'il avait chevauché tout ce temps en leur compagnie. Curieux, le souverain voulait voir de ses yeux le fameux Osiris-Path et s'assurer que son espion ne lui avait pas menti. Si un monstre capable d'avaler sa sœur existait bel et bien, il voulait le voir de ses yeux.

— Ainsi, c'est toi, la puce d'Osiris, dit-il en s'avançant sous les courbettes de ses hommes. C'est bien toi qui as mangé la princesse de Bakhtan ? Tu es bien l'assassin de ma sœur ?

Osiris-Path se releva et fixa le roi dans les yeux. Par cette attitude, il défiait son autorité et l'invitait directement à se battre.

— Mais qui es-tu, toi, pour venir sur mes terres et y faire la loi ? Tu assassines ma sœur, brûles ma machine de guerre et me défies de ton regard arrogant ! Te crois-tu invincible ? Es-tu un dieu ou un démon, monstre ?

Comme d'habitude, le Râjâ demeura muet et se contenta de fixer son adversaire.

— Je vois, fit Hattousili III, tu as si peu de respect que tu ne daignes même pas me répondre. Un animal, voilà ce que tu es ! Mais le peuple hittite ne traite pas avec des êtres comme toi. Tu diras à ton pharaon qu'il m'envoie un ambassadeur afin que nous puissions négocier les terres de Bakhtan. Je n'ai que faire de ce bout de pays rocailleux que ma sœur affectionnait tant ! Tu as compris, animal, ce que je te demande ?

En insultant aussi agressivement Osiris-Path, Hattousili III essayait de sauver la face devant ses hommes. Le souverain avait vu de ses yeux la course de son ennemi vers sa machine de guerre, et il avait aussi observé avec quelle facilité il s'en était rendu maître. L'adversaire qu'il avait cette fois devant lui était un être extraordinaire issu tout droit de la légende égyptienne. Pour rien au monde il ne désirait l'affronter. Mérenptah avait gagné cette manche, et il valait mieux, pour le roi hittite et pour ses hommes, quitter le royaume de Bakhtan la tête haute.

Osiris-Path confirma d'un signe de tête qu'il avait bien compris.

— Il semble que ton maître t'a bien dressé, se moqua le souverain, essayant toujours de faire de cette défaite une victoire. Comme un bon chien que tu es, tu lui lécheras la main afin qu'il t'accorde ses faveurs. Rentre chez toi, vermine d'Horus, et digère bien ma sœur ! C'est tout ce qu'elle méritait, cette petite sotte !

Dignement, Hattousili III remonta sur son cheval et fit signe à ses troupes de le suivre au galop. Les cavaliers abandonnèrent

Osiris-Path auprès de la voiture enflammée. Sans avoir à se battre, le jeune homme venait de triompher de l'un des plus puissants ennemis de l'Égypte. Content de lui, il rangea ses épées et rentra à pied au fort de Bakhtan.

Lorsqu'il passa les portes, tous les soldats dont il avait la charge s'agenouillèrent pour l'accueillir. Du haut de la muraille, ils avaient été témoins du prodigieux échec de Hattousili III qui, refusant de se battre, avait abandonné aux Égyptiens le royaume de sa sœur. Ce roi, aussi belliqueux que son père, n'avait même pas osé s'en prendre à Osiris-Path tant il était certain de sa défaite. C'était du jamais vu !

VIII

Les exploits d'Osiris-Path eurent tôt fait de faire le tour de l'Égypte. Partout sur les terres du Nil, on ne parlait plus maintenant que de la puce d'Osiris, le guerrier de légende qui avait tué un homme sans le toucher, dévoré la princesse de Bakhtan et fait fuir de peur le grand Hattousili III et ses troupes. Le plus naturellement du monde, l'effigie du nouveau héros apparut en hiéroglyphe, et les artistes commencèrent à le dessiner ou à le sculpter dans des scènes grandioses de victoire. Les Égyptiens avaient une nouvelle idole pour les protéger contre les envahisseurs, et les familles pouvaient dorénavant dormir en paix.

Le peuple avait maintenant confiance dans son nouveau pharaon. Puisque Horus lui avait fait la grâce de lui confier Osiris-Path, Mérenptah était donc digne de gouverner. Sans faire de lui un Ramsès II, ce nouveau souverain était devenu un honorable représentant de sa dynastie.

Même l'ambassadeur nubien, reconnu pour son arrogance et ses allégeances au mouvement d'insurrection, fit envoyer une missive aux chefs des armées rebelles. Il leur recommanda d'attendre avant de prendre les armes contre les envahisseurs égyptiens. De leur côté, les espions achéens comprirent que le moment n'était pas encore venu de s'emparer des terres du Nil. La rumeur des prouesses d'Osiris-Path franchit même les montagnes de la Haute-Égypte pour aller rejoindre les oreilles du roi de Kouch. Du pays de Moab, des régions de l'est, jusqu'aux nomades vivant par-delà les oasis du désert de Libye, toutes les conversations furent monopolisées pendant des mois par les pouvoirs de la puce d'Osiris.

Durant les six années qui suivirent l'arrivée du Râjâ sur le continent africain, tous les ennemis du royaume de Mérenptah qui regardaient l'Égypte avec envie demeurèrent discrets. Pendant tout ce temps, le pharaon envoya Osiris-Path défiler à la tête d'une armée de milliers d'hommes dans les principales villes d'Égypte et les capitales des royaumes annexés. Ce fut ainsi que le Râjâ sillonna le pays du nord au sud et qu'il put voir les merveilles de cette terre de légendes. Du magnifique golfe d'Hiéropolis en passant par la Vallée des Rois jusqu'aux îles de la grande mer, il voyagea sans jamais avoir à dégainer son épée. Heureusement pour ses ennemis, car le Râjâ était devenu au fil du temps un guerrier hors du commun. Il s'entraînait tous les jours avec les plus grands maîtres d'armes et apprenait sans cesse de nouvelles techniques de combat.

Maintenant âgé d'une vingtaine d'années, il était devenu un extraordinaire symbole de la puissance de l'Égypte. Si bien qu'il était plus en demande que le pharaon lui-même. Aussi agile et vif qu'un animal, il courait aussi rapidement que le jaguar et possédait la force d'un bonobo. Ses sens, toujours en alerte, pouvaient lui révéler la présence d'humains, de nourriture ou encore d'une oasis à des lieues à la ronde. Il conduisait son quadrige avec adresse, et, bien que les chevaux ne semblassent jamais en sécurité à ses côtés, ils lui obéissaient au doigt et à l'œil. Puisqu'il vivait toujours chez Izzi et Bithiah lorsqu'il était à Memphis, Osiris-Path en conçut une grande amitié pour le couple. Tous les trois aimaient particulièrement jouer aux dés. Comme les époux ne pouvaient pas avoir d'enfants, le Râjâ prit un peu la place d'un fils adoptif dans leur cœur.

Grâce à cette nouvelle existence, où il se sentait libre, aimé et respecté de tous, l'héritier du trône de Veliko Tarnovo oublia ses terres lointaines, ainsi que la rudesse du climat qui l'avait vu naître. Ses souvenirs d'enfance, remplacés par de nouvelles expériences et par le faste de sa vie égyptienne, s'effacèrent un à un comme des châteaux de sable emportés par la mer. Il oublia le visage de Misis et la tendresse de Sénosiris. La grosse Phoebe, qu'il avait tant détestée jadis, fut reléguée au rang des mauvais souvenirs, et ses chasses aux lapins dans la forêt furent aussi rangées dans un coin sombre de sa mémoire. Sur les rives du Nil, la vie était plus belle, plus simple et mieux organisée. Mérenptah dirigeait un empire mille fois plus imposant que celui des Thraces. Il valait mieux être valet dans ce royaume que souverain d'un bout de terre sans intérêt et sans avenir.

Ce fut par une journée d'été particulièrement chaude que le pharaon fit venir Osiris-Path sur les rives du Nil, là où une aire de baignade pour le souverain avait été aménagée. Le pelage fraîchement coupé, couvert de bijoux des pieds à la tête, le Râjâ se présenta devant son roi qui l'invita à prendre place à ses côtés. À l'ombre de la tente royale où des eunuques nubiens agitaient de grands éventails tissés de feuilles de palmier, Osiris-Path s'installa auprès de son maître.

– Je suis content que tu sois là, lui dit Mérenptah en faisant signe à une servante d'apporter à boire, car j'ai une immense faveur à te demander.

Très intéressé, Osiris-Path fit un mouvement de tête pour signifier au pharaon qu'il avait toute son attention.

– Mes fonctionnaires me rapportent que nous avons des problèmes dans la province du Goshen, là où le Nil se divise en plusieurs branches. Les esclaves qui travaillent dans cette région sont en train de s'organiser afin de défier l'autorité de mon trône. Ces exaltés, en grande partie de la tribu de Lévi, refusent de travailler malgré les coups de fouet et commencent à s'opposer à mon pouvoir. J'aimerais que tu te rendes là-bas et que tu mates rapidement cet embryon de révolution.

Osiris-Path acquiesça de la tête.

– Tu vois, continua le pharaon, il n'y a rien de vraiment inquiétant, mais il vaut mieux tout de suite s'occuper de ces choses avant qu'elles dégénèrent, tu comprends? Peut-être que ta seule présence en ces lieux suffira à calmer les esprits, mais j'aimerais que tu penses à frapper un grand coup. Il ne faut pas que les gens oublient qui est le puissant Osiris-Path, ils doivent continuer à vanter tes exploits. Plus le peuple parlera de toi, plus nos ennemis te craindront. La peur est notre meilleure arme pour préserver la paix.

Le Râjâ avait bien compris et son pharaon ne serait pas déçu. L'Égypte ne devait pas sombrer dans le chaos et, pour cela, il trouverait une façon rapide et radicale de mettre à genoux ces esclaves. Osiris-Path prouverait à tous qu'il devait être craint et respecté.

— De combien de soldats estimes-tu avoir besoin pour rétablir le calme dans le Goshen? lui demanda un peu nonchalamment Mérenptah.

Osiris-Path montra deux doigts.

— Eh bien, qu'il en soit ainsi. Tu partiras avec deux cents hommes dès l'aube! Est-ce un délai raisonnable?

Le jeune homme sourit en caressant d'excitation les poils de son visage. Enfin, il avait un travail à sa juste valeur. Une tâche importante à accomplir.

— Je compte sur toi... Va!

Le Râjâ quitta les rives du Nil et se rendit au palais. Déjà, les ordres du pharaon avaient été transmis aux casernes et les hommes commençaient à se préparer.

Dans la nature, la morale n'existe pas. Le monde y est construit de façon hiérarchique. Puisque c'est la chaîne alimentaire qui dicte la préséance d'une espèce sur une autre, la loi est simple. Manger ou être mangé, voilà à quoi se résume la seule règle qui gouverne la vie. Depuis les premiers pharaons, c'était sur cette base que s'était construite l'Égypte de Mérenptah, et c'était encore sur ce principe qu'elle se tenait tout en haut de l'échelle du pouvoir. Pour garder sa place, elle se devait de conquérir plutôt que d'être conquise, d'annexer des territoires ou des peuples au lieu de partager les richesses, puis, finalement, de s'établir comme une force inaltérable. Osiris-Path était devenu l'une des pierres angulaires du maintien de la stabilité du royaume.

Bien qu'il y eût des dizaines de façons possibles de mater les esclaves et de rétablir la paix, le Râjâ se devait de frapper durement et sans merci. Là où le fouet et les punitions traditionnelles avaient échoué, il était nécessaire d'envoyer un message clair et sans équivoque aux insurgés. Ceux-ci devaient comprendre rapidement le sérieux de ce geste et rentrer dans le rang en quémandant la grâce du souverain.

Seulement, les hommes qui refusent de se soumettre ne craignent pas la souffrance physique et sont souvent prêts à mourir en martyrs pour défendre leur cause. Alors, comment les faire fléchir, sinon par la pire punition d'entre toutes, c'est-à-dire le meurtre de leurs enfants? L'infanticide est la méthode, animale et bestiale, que choisit Osiris-Path pour venir à bout des troubles dans la province du Goshen. Il ordonna à ses soldats d'investir les maisons d'esclaves et d'assassiner impérativement tous les enfants de moins de quatorze ans.

Le carnage se déroula par un soir de pleine lune. Une douce lumière caressait les modestes habitations de la province. L'armée passa de village en village ne laissant derrière elle qu'une indélébile trace de sang. Non content de ce stratagème, le Râjâ étendit aussi son ordre aux populations civiles afin que nul ne puisse cacher les enfants d'esclaves dans les habitations. Il participa lui-même au massacre et, lorsque la tâche fut achevée, lorsque les familles en détresse furent en pleurs sur les corps encore chauds de leurs bambins, il éprouva la satisfaction du travail accompli. La révolution qui mijotait sous le couvercle était maintenant terminée. Les esclaves récalcitrants avaient été blessés dans leur âme, et ils n'envisageraient jamais plus de rêver à la liberté. Eux qui avaient cru qu'ils rejoindraient les lointaines terres du pays de Canaan pour s'y établir, hurlaient maintenant leur détresse en suppliant leur dieu. Du haut de ses vingt ans, la puce d'Osiris n'entendait pas à rire.

Ceux qui eurent la malchance d'être les témoins de ces terribles événements racontèrent qu'ils avaient vu en Osiris-Path un animal horrible marchant sur deux pattes. Aux commandes d'une armée d'hommes assoiffés de sang, il semblait se régaler du spectacle. N'hésitant pas à tuer les mères qui refusaient de donner leurs enfants, la bête assassinait avec une rapidité et un aplomb déconcertants. La puce d'Osiris et ses hommes entraient dans une maison, puis en ressortaient quelques instants plus tard en abandonnant les corps inertes de leurs petites victimes devant la porte qu'ils marquaient ensuite du sang des enfants. Le travail était exécuté rapidement, systématiquement, et sans émotion. Osiris-Path s'occupait lui-même des hommes qui voulaient défendre leur famille et, grâce à ses fabuleux talents, il en venait facilement à bout. Ce fut ainsi qu'en une nuit, l'une des plus terribles qu'eut vécue l'Égypte, le Goshen fut nettoyé de toute idée d'insurrection.

De tous les gamins condamnés à mourir cette nuit-là, un seul survécut. Ses parents l'ayant abandonné sur le Nil dans un panier d'osier, il fut recueilli par Osiris-Path lui-même qui décida de lui épargner la vie. À son retour à Memphis, comme Bithiah et Izzi ne pouvaient pas avoir d'enfants, il leur fit cadeau du poupon, et ceux-ci le nommèrent Moshé, qui signifie « tiré des eaux ».

Content de sa mission, Osiris-Path fut reçu par le pharaon. Il lui confirma que le problème était bel et bien réglé dans le Goshen. Confiant dans les capacités du combattant, Mérenpath ne le questionna pas sur les moyens qu'il avait employés pour venir à bout de la grogne des esclaves et ne s'en soucia plus.

Quelques jours plus tard, toutefois, ses fonctionnaires, par le biais de messages, voulurent savoir pourquoi il avait ordonné l'application d'une méthode aussi brutale. Ce fut alors que le pharaon s'inquiéta. Refusant de croire qu'Osiris-Path avait pu agir de façon aussi barbare, il eut besoin de se faire raconter en détail, par plusieurs témoins, les événements qui s'étaient réellement produits.

– Mais qu'as-tu fait, pauvre fou ? demanda-t-il au Râjâ qui ne semblait pas comprendre. J'ai des témoins de confiance, dont une de mes proches relations, qui m'assurent que tu as fait tuer tous les enfants âgés de moins de quatorze ans ! Est-ce là l'unique moyen que tu as trouvé pour rétablir la paix dans cette région ?

Osiris-Path acquiesça avec un sourire.

– Je rêve ! C'est impossible, je rêve ! Mais comment as-tu pu agir de la sorte ? Tu es un monstre… Voilà ce que tu es, un monstre !

Le Râjâ haussa les épaules en signe d'incompréhension. Ces esclaves étaient des êtres inférieurs et leurs enfants aussi, pourquoi aurait-il fallu qu'il s'en soucie ? Ce n'était pas lui qui les maintenait en captivité et qui les forçait à travailler tous les jours jusqu'au bout de leurs forces. Qu'y avait-il de monstrueux à tuer leurs enfants, puisqu'ils étaient des êtres sans valeur et sans avenir et qu'on les traitait comme des bêtes de somme ?

– Tu as fait couler le sang d'innocents enfants et tu ne manifestes aucun remords ? ! s'écria Mérenptah. Mais de quel droit t'es-tu permis d'accomplir, en mon nom, une chose pareille ? Des enfants… sans défense !

Si Osiris-Path avait pu parler, il aurait demandé à son souverain la raison de cette fixation sur les enfants. Bébé ou non, lorsqu'une proie se présente, les loups la mangent. Il n'y avait rien de plus normal. N'était-ce pas ce qui lui était arrivé, dans la forêt, alors qu'il protégeait Misis de l'attaque d'une meute affamée ? S'il ne s'était interposé devant la proie, les bêtes auraient dévoré la fillette ! Pour lui, il n'y avait aucun mal à tuer des enfants si leur mort devait servir des intérêts supérieurs. Et puis, Misis… Misis… cela faisait si longtemps qu'il n'avait pas pensé à elle.

– Tu es un monstre, Osiris-Path, et tu devras payer pour tes crimes ! s'emballa le pharaon. J'interdirai, dès demain, toute représentation de toi et ferai retirer ton nom de tous les documents officiels du royaume. Tu n'appartiens plus à ce royaume, et ton service à mes côtés se termine dès maintenant !

Incapable de comprendre pourquoi le pharaon réagissait avec tant de férocité à la disparition de quelques milliers d'enfants, le Râjâ fit un bond en arrière et dégaina son épée. Il était hors de question qu'on le jetât en prison, et encore moins acceptable qu'on l'expulsât d'Égypte. Aussitôt, une dizaine de gardes armés de longues lances se placèrent devant Mérenptah pour le protéger.

– Tu veux t'en prendre à moi, maintenant ? gloussa le pharaon. Ton comportement à mon endroit est inexcusable et mérite une mort immédiate. Envoyé des dieux, je n'ai plus besoin de toi. Ta mission à mes côtés se termine aujourd'hui. Par contre, je ne suis pas celui qui contrariera Horus et qui te renverra là d'où tu viens. Laisse tomber ton épée et j'ordonnerai à mes gardes de ne pas te transpercer… Pose ton arme, tout de suite !

Toute fuite était impossible. Osiris-Path le savait trop bien. Il posa alors son arme, et des gardes lui passèrent des chaînes aux pieds et aux mains, comme à un esclave.

– Tu quitteras Memphis demain en direction de la Haute-Égypte, le somma Mérenptah. Tu seras reconduit sur les terres du pays de D'mt. De là, tu feras ce que tu désires et tu iras où bon te semble. Seulement, mes terres te seront à jamais interdites. S'il advenait que tu reviennes dans ce royaume, je veillerai à ce que tu sois taillé en pièces et à ce que ton corps soit lancé de l'île de Pharos à la mer. Est-ce bien clair?

Osiris-Path, le cœur déchiré et l'âme en morceaux, fit un mouvement affirmatif de tête. Lui, si fier de faire partie de ce royaume et si heureux de servir le pharaon avec dévotion, était maintenant *persona non grata* chez son souverain. Il se doutait bien qu'affublé ainsi de fers, on ne lui permettrait pas de dire adieu à Izzi et à Bithiah. Il ne reverrait pas non plus le petit Moshé.

– Sache, Osiris-Path, conclut le pharaon, que je suis aussi déchiré que toi, mais que c'est la meilleure décision pour assurer mon règne et pour te protéger. Jamais je n'oublierai ce que tu as fait pour moi, mais jamais je ne te pardonnerai ce que tu as fait en mon nom… Va.

Les gardes disparurent, emportant avec eux le Râjâ.

IX

Le royaume de D'mt était une terre que les Égyptiens évitaient de fouler. Les troupes de Ramsès II qui s'y étaient aventurées dans l'espoir d'annexer ce vaste territoire de montagnes, de lacs et de jungles n'étaient jamais revenues de leurs missions. Des centaines d'hommes, lourdement armés et bien entraînés, avaient tout simplement disparu sans laisser de traces. Une fois entrés dans cette jungle, ils se volatilisaient sans un cri, comme si l'épais feuillage les avalait un à un.

Ainsi, des histoires commencèrent à circuler et bientôt tous les Égyptiens furent convaincus que le royaume de D'mt était peuplé de djinns. Cette croyance fut renforcée par le fait que, parfois, à la tombée de la nuit ou les soirs de pleine lune, on pouvait même entendre, s'élevant de la jungle, le son de tambours. Souvent accompagnée de cris de bêtes ou de hurlements à glacer le sang, cette musique primitive envoûtait toute la vallée et faisait même taire les oiseaux. Entouré de hautes montagnes toujours fouettées par le vent ou brûlées par le soleil, le royaume de D'mt n'inspirait que la peur.

– Les djinns sont des créatures invisibles, avait dit un jour Sénosiris au Râjâ, et ils possèdent la capacité de prendre différentes formes physiques. Ainsi, on peut trouver des djinns d'aspect animal ou végétal, ou encore humain. On m'a raconté qu'ils ont l'extraordinaire capacité de s'emparer de l'âme des mortels et d'en prendre le contrôle. De cette façon, les djinns peuvent forcer de bons amis à se battre l'un contre l'autre, ou se servir de cet avantage pour ensorceler un roi et le contraindre à donner ses richesses. Mais, heureusement, ils n'existent pas en Égypte.

Cependant, le pays de D'mt en était peuplé, et c'était dans cet endroit maudit que le pharaon avait décidé d'exiler Osiris-Path. Les quelques semaines pendant lesquelles les meilleurs guerriers de Mérenptah accompagnèrent le prisonnier furent les plus longues qu'eut vécues le Râjâ. Enchaîné dans un char servant au transport des fauves, il fut à peine nourri et on ne lui concéda que quelques gorgées d'eau par jour. Rendu faible à dessein, le Râjâ crut à quelques reprises que sa dernière heure était venue. Dans l'étouffante chaleur de sa geôle, qu'on avait recouverte de voiles afin que personne ne le reconnaisse, il cuisait comme une volaille dans un four de glaise. L'air se trouvant ainsi raréfié, il lui arriva souvent de s'évanouir. Chaque fois, il revenait à lui avec le sentiment que la prochaine fois serait la bonne.

Dans les moments de grande confusion, le Râjâ revoyait en rêve les vastes forêts tout autour de Veliko Tarnovo et s'imaginait en train d'y chasser le lapin. Parfois, il lui arrivait même de sentir le vent froid de l'hiver lui caresser les poils du nez. Lorsque la chaleur devenait insupportable, il se voyait nager dans l'eau glacée des rivières de son pays. Lui qui avait presque oublié ses origines pour se fondre dans la culture de l'Égypte retrouvait maintenant les images de son enfance, de sa terre et de ses gens. Le visage de Misis lui revint aussi à l'esprit, ainsi que ses longues courses pour aller la rejoindre près d'Odessos. Et puis, il y avait Sénosiris, probablement mort en mer avec son escorte de guerriers et de loups. Curieusement, le Râjâ se remémora aussi sa grosse gouvernante avec regret. Malgré ses différends avec lui et son attirance démesurée pour tous les mâles de Veliko Tarnovo, celle-ci avait toujours été gentille. Mais tout cela était maintenant bien loin, et jamais il ne reverrait son pays.

Alors que le Râjâ soupirait, désespérant de ne plus revoir les grandes forêts humides de sa terre natale, le convoi s'arrêta et les soldats de Mérenptah dévoilèrent la cage. Un puissant rayon de soleil aveugla Osiris-Path. Malgré ce brutal retour à la réalité, ses narines s'emplirent d'une forte odeur de feuilles mortes. Une légère brise lui caressa aussi les poils.

– C'est ici que nous devons te laisser, Osiris-Path, selon les ordres du pharaon, dit une voix grave en ouvrant la porte de la cage. Nous voici à la frontière du royaume de D'mt !

Le Râjâ s'extirpa de sa prison avec difficulté. Trop faible pour tenir sur ses jambes, il tomba devant le soldat qui en profita pour lui retirer les fers qu'il portait aux mains et aux pieds. Une fois qu'il fut libre de ses chaînes, deux hommes l'empoignèrent sous les bras et le propulsèrent violemment en bas d'une colline. Après une longue chute sur une pente abrupte qui lui parut durer des heures, le Râjâ termina sa descente, la figure dans les racines d'un grand arbre au feuillage abondant.

Le corps meurtri et la bouche aussi sèche que le désert, Osiris-Path essaya de nouveau de se lever, mais ce fut peine perdue. Une douleur atroce lui traversait le pied. Il avait sans aucun doute une cheville cassée. Il ferma les yeux sur la douleur de sa blessure, souhaitant ne plus jamais les rouvrir.

Ce ne fut cependant pas le cas. Au rythme incessant des tambours, il reprit connaissance.

La nuit était tombée.

Le bruissement distinct de l'eau attira soudainement son attention. Malgré le son des percussions qui rythmaient la forêt, il lui fut possible de se guider vers le clapotis et de ramper jusqu'à une petite source qui coulait tout près de là. Le Râjâ se colla la langue sur le mince filet d'eau et il but goulûment. Lentement, il commença à recouvrer des forces. Si bien qu'en quelques heures il avait repris ses esprits et put examiner sa cheville déformée par l'enflure.

La blessure était grave et le condamnait à rester assis dans la jungle jusqu'à son dernier souffle, à moins qu'il ne trouvât une branche pour s'en faire une béquille. Heureusement, ce n'était pas cela qui manquait autour de lui. Il mit rapidement la main sur un morceau de bois capable de supporter son poids. Non sans peine, le Râjâ réussit à se lever.

La forêt était épaisse, et de nombreux animaux s'y promenaient. Grâce à sa vision capable de percer les ténèbres, il mit la main sur quelques grenouilles et sur de gigantesques mille-pattes qu'il avala en une bouchée. Puis, il réussit à attraper quelques petits rongeurs nonchalants qui rôdaient entre les fougères, et termina son repas par des œufs d'oiseau crus qu'il trouva dans le tronc d'un vieil arbre mort. Rassasié pour le moment, il s'installa sur une souche pour réfléchir un peu.

Que faire maintenant qu'il était seul, blessé et loin de son pays d'adoption? S'il revenait sur ses pas, le pharaon le ferait encore une fois chasser ou enverrait ses meilleurs hommes pour le tuer. Pas question non plus d'entreprendre le long voyage de retour vers Veliko Tarnovo, car il ne savait même pas dans quelle direction se trouvait sa terre natale. Sénosiris avait tracé l'itinéraire et, sans lui, le chemin du retour était impossible à trouver. Alors, que faire? Suivre le son des tambours et espérer trouver les habitants du pays de D'mt? Établir sa maison dans cette forêt et y finir ses jours? Attendre que les djinns le trouvent et s'emparent de son âme?

Le Râjâ rota en se grattant la tête. Son repas, quoique frugal, avait été suffisant pour lui redonner de l'énergie. Allait-il la gaspiller en boitant dans la jungle vers le son lointain des tambours? Sans doute, car à moins d'un sauvetage miraculeux de la part des soldats repentants de Mérenptah, c'était ce qu'il y avait de mieux à faire. Décidé à ne pas se laisser aller au découragement, le Râjâ glissa sa béquille de fortune sous son bras et claudiqua en espérant trouver du secours.

Son difficile périple dans la jungle dura de longues heures, et ce ne fut qu'au lever du jour qu'il s'arrêta pour se reposer. Les tambours s'étaient tus depuis l'apparition du soleil. Ne pouvant plus se fier à leurs roulements pour le guider, Osiris-Path choisit d'attendre et s'installa tout près d'un magnifique petit lac regorgeant de poissons. Fatigué de sa nuit et désireux de faire un peu de pêche, il se glissa dans l'eau en poussant un soupir de soulagement.

À la seule force de ses bras, le Râjâ nagea jusqu'à une petite chute et s'installa dessous. Enivré par le mouvement de l'eau qui s'écoulait en lui massant la tête, les épaules et le cou, il ne porta pas attention à l'arrivée de quatre jeunes femmes à la peau très noire qui vinrent s'installer sur la rive. Lorsqu'il ouvrit les yeux, elles étaient en train de retirer leurs vêtements et d'entrer dans l'eau en s'aspergeant comme des gamines. Devant le spectacle, le Râjâ crut bon de ne pas bouger afin d'éviter de les effrayer. C'était la deuxième fois qu'il voyait une femme complètement nue, et cette vision le ravit. Les corps de ces baigneuses aux fesses rebondies et aux seins fermes lui rappelèrent les courbes affriolantes de quelques-unes des concubines nubiennes de Mérenptah. Mais ces femmes désirables étaient d'un rang supérieur et l'avaient toujours regardé avec dédain. D'ailleurs, toutes les femelles de Memphis en quête d'un mâle le considéraient davantage comme un animal que comme un homme et, pour cette raison, ne lui adressaient jamais la parole. Difficile dans ces conditions de se faire une petite amie, ou encore de se trouver une épouse.

Ce fut alors qu'une des jeunes femmes remarqua qu'il y avait quelque chose d'étrange sous la cascade. Visiblement, une forme humaine les regardait. Lentement, la jeune femme sortit de l'eau et s'habilla, puis elle déguerpit dans la forêt. Les trois autres demeurèrent dans le lac, mais se rapprochèrent prudemment de la berge. Le Râjâ, trop occupé à éviter de bouger et à combattre le poids de l'eau qui s'abattait toujours ses épaules, ne se douta pas qu'il avait été repéré. Ce ne fut que dans les minutes qui suivirent qu'il réalisa qu'on avait découvert sa présence. Des centaines de guerriers armés de longs boucliers et de lances entouraient maintenant le lac. Ces hommes portaient des pagnes de paille et de superbes masques colorés représentant des animaux de la forêt. Malgré leur allure menaçante, ils étaient magnifiques à regarder.

L'un d'eux se détacha du groupe et fit quelques pas dans l'eau. Toujours sous la chute, le Râjâ comprit qu'il ne pourrait pas s'enfuir. Lui qui avait marché toute la nuit pour trouver d'où provenait le son des tambours, il aurait dû se réjouir d'avoir découvert cet endroit et ces gens, mais ce n'était pas le cas.

– Sors de là, génie de l'eau, nous ne te ferons pas de mal…, dit l'homme dans une langue incompréhensible pour le Râjâ. Grand W'rn, cela fait des lunes que nous attendons ta venue !

Au ton doux et à l'allure pacifique de l'homme qui lui adressait la parole, le Râjâ comprit qu'il ne serait pas transpercé de lances. Lentement, il sortit de sa cachette et nagea vers la rive. Dès qu'ils l'aperçurent, tous les guerriers tombèrent à genoux, face contre terre.

– W'rn ! W'rn ! W'rn ! répétèrent-ils en chœur comme s'il s'agissait d'une prière.

– Sois le bienvenu parmi les tiens, grand W'rn ! s'exclama celui qui l'avait invité à sortir de sa cachette. Le peuple attendait ta renaissance, W'rn, et tu es revenu pour nous. Sois loué, puissant esprit… Sois loué, toi qui sais vaincre la mort…

Comme le Râjâ ne pouvait sortir complètement de l'eau sans aide, il tendit les bras vers l'homme. Ce mouvement fut considéré comme un signe d'amitié et le peuple du royaume de D'mt bondit sur ses pieds en hurlant de joie. Tous se précipitèrent à l'eau pour le toucher et caresser les poils de son corps. Une étrange sensation de puissance s'empara du Râjâ qui comprit que ces gens à la peau noire et aux lèvres charnues le prenaient pour une divinité.

Rapidement, les guerriers masqués l'extirpèrent de l'eau et le conduisirent, en le portant au-dessus de leurs têtes, jusqu'à un village construit à même les ruines d'une gigantesque forteresse. Là, des femmes au visage peint en blanc et des enfants nus accueillirent à grands cris W'rn, l'esprit du lac. On déposa le Râjâ au centre du village, juste en face d'une hutte dont le toit laissait échapper de la fumée. Une très vieille femme aux seins nus, couverte de la tête aux pieds de tatouages rituels, sortit de la cabane. Elle portait autour du cou un large collier de crânes d'enfants, et ses longs cheveux étaient tressés de lanières de fourrure. Lorsqu'elle parut devant son peuple, le village s'agenouilla.

— Ainsi, tu es W'rn et tu es venu me remplacer, murmura-t-elle en mâchouillant ses mots. Ainsi, tu es celui que tous les habitants de ce royaume attendent depuis l'aube des temps… Eh bien, moi, je ne crois pas en toi.

Le Râjâ, qui ne comprenait rien au discours de la vieille femme, saisit rapidement qu'elle ne voulait pas de lui dans ce village. L'odeur âcre de sa peau et ses yeux mi-clos en disaient long sur ses intentions. Elle l'observait comme un fauve qui protège son territoire. Sa respiration était haletante et elle expirait fortement par le nez, signe indubitable de son intention d'attaquer sous peu.

— Si tu es le véritable W'rn, pourquoi ne me tues-tu pas? lui demanda la vieille en ricanant.

Elle tenait, cachée entre ses mains, une pointe de lance qu'elle retournait sans cesse derrière son dos. Attendant le bon moment pour frapper, elle s'adressa à son peuple.

– Ce n'est pas celui que nous attendons ! lança-t-elle avec force. Celui-ci est un mauvais djinn ! Vos yeux vous ont trompés, ce n'est pas W'rn.

– Mais il est apparu sous la chute, dit le chef des guerriers en se redressant. Il est l'esprit que nous attendions… Il est l'avenir de notre peuple.

– Il n'est rien du tout ! se fâcha la vieille. Je suis celle dont vous avez besoin…

Le Râjâ sentit que l'attaque de la femme était imminente. Celle-ci avait remarqué sa cheville blessée et elle s'en approchait pour pouvoir la frapper. Sa stratégie était transparente. Une fois qu'il serait accablé par la douleur, elle en profiterait pour lui assener un coup avec l'arme dissimulée derrière son dos.

– Je vous prouverai qu'il n'est pas celui que nous attendons, cria la vieille femme en s'approchant de W'rn. S'il l'était, il aurait compris depuis longtemps que…

À ce moment, rapide comme l'éclair, le Râjâ assena un coup de poing à la femme et lui déchira la moitié du visage avec ses griffes. D'un habile mouvement, il saisit ensuite d'une main la lance du chef et la planta dans le cou de la vieille, juste sous son menton. Celle-ci s'affaissa mollement sur le sol. Son sang, coulant de sa blessure, se répandit rapidement autour d'elle.

– W'rn ! W'rn ! W'rn ! scanda aussitôt le peuple.

Le chef indiqua à W'rn la hutte de la vieille et le Râjâ s'y rendit en claudiquant. Deux des jeunes femmes qu'il avait vues se baigner dans le lac vinrent aussitôt à son aide et l'accompagnèrent à l'intérieur. Aussitôt qu'il respira l'odeur qui émanait du bois qui brûlait, le Râjâ fut complètement enivré. Jamais il n'avait humé quoi que ce fût d'aussi doux et apaisant. Sans savoir qu'il respirait l'odeur de la résine de l'arbre à myrrhe, il ressentit une douce euphorie ainsi qu'une agréable sensation d'extase l'envahir.

Les deux jeunes femmes installèrent W'rn sur une couche faite de feuilles de palmier fraîches et entreprirent de lui masser les bras, la tête et le dos. Emporté par cette tendresse à son égard, mais surtout grisé par la myrrhe, le Râjâ se laissa glisser dans la volupté du moment et s'accoupla avec elles.

C'était la première fois qu'il faisait l'amour.

X

Pendant de longues semaines, W'rn demeura dans la hutte de la vieille femme. Incapable de marcher sur sa cheville, il attendit patiemment que le temps fasse son œuvre. De toute façon, il n'avait aucune raison de sortir. Chaque jour, ses jolies concubines lui apportaient à manger, s'occupaient de le laver et de brosser ses poils et alimentaient le feu de branches de myrrhe. Bien étendu sur un lit de feuilles que l'on changeait tous les jours, le Râjâ jouissait pleinement de sa convalescence. Celui-ci dormait de longues heures et rêvait, de jour comme de nuit, qu'il était devenu un pharaon encore plus puissant que Mérenptah. Il était constamment euphorique, et le moindre insecte volant dans la hutte le faisait rire aux éclats. Sexuellement disponible en tout temps, il arrivait parfois que ses habituelles concubines fussent remplacées par d'autres. Il leur faisait l'amour sans poser de questions et retombait bien vite dans les limbes. La myrrhe lui enlevait toute volonté, toute forme d'agressivité et le rendait aussi passif qu'un lion repu dans la savane.

Il y en avait bien une, plus petite et plus mignonne que les autres, qui semblait jalouse lorsque d'autres femmes s'approchaient de lui. Bien qu'elle fût sa préférée, il n'avait pas la force de repousser les autres pour ne se donner qu'à elle. Cette petite femme au corps ferme, qui se peignait toujours la moitié du visage en blanc, ne quittait le Râjâ que lorsque le chef l'exigeait. Celui-ci devait entrer dans la hutte et la sortir de force. Remplacée par d'autres femmes auprès de W'rn, elle rageait en silence. Elle faisait ensuite longuement la moue, mais cela ne dérangeait pas le Râjâ. Aussitôt qu'elle le pouvait, elle retournait se coller contre le corps de son amant. Contrairement aux autres jeunes femmes du village qui s'accouplaient avec W'rn dans l'espoir de devenir rapidement enceinte, la petite Sumuhu'alay, qui était la fille du chef, était tombée amoureuse de cet esprit sorti miraculeusement du lac.

Ce fut elle qui fut chargée de rendre W'rn présentable pour la grande cérémonie de la pleine lune. Pendant toute la journée, elle le prépara à apparaître devant son peuple. Patiemment, elle tressa tous les poils de son corps en de petites nattes dans lesquelles elle inséra des pierres brillantes et des sculptures de bois miniatures. Elle lui passa ensuite un pagne de couleur vive et décora son cou et ses épaules d'une large couronne de fleurs. Le Râjâ, toujours aussi drogué par la myrrhe, se laissa faire sans rouspéter. Il trouva même très amusant de se voir orné de pétales.

– W'rn? Tu m'écoutes? lui demanda la jeune femme dans sa langue. Ce sera le moment d'annoncer à mon père que tu ne désires que moi. Si tu le lui dis, il sera bien obligé de t'écouter. Je m'occuperai bien de toi et tu ne seras pas déçu. Je sais qu'il a d'autres plans pour toi, mais sois ferme et nous aurons la hutte à nous seuls. Tu me comprends?

Le Râjâ ne saisit pas un seul mot de ce que lui raconta Sumuhu'alay. Il se contenta de sourire et de balbutier quelques borborygmes incompréhensibles pour l'imiter. La jeune femme insista.

– Écoute-moi, W'rn! Comme tu fais l'amour avec toutes les jeunes femmes de la tribu, les autres mâles sont jaloux. Tu comprends? Tu ne peux pas toutes les avoir! Je sais que pour mon père, cela fait peu de différence, car ta semence est sacrée et de grands guerriers naîtront de tes accouplements. Mais les autres hommes digèrent mal que tu engrosses leurs femmes! Si ça continue, ils te le feront payer… Tu comprends, W'rn?

Encore une fois, le message tomba à plat et le Râjâ se mit à rire. Comme il tentait d'enlever les vêtements de paille de Sumuhu'alay pour lui faire l'amour, le chef entra dans la hutte. Il fit signe à sa fille et à W'rn de le suivre.

Ce ne fut qu'après de longues minutes que le Râjâ réussit à se mettre sur ses pieds et, aidé par Sumuhu'alay, il sortit de ses quartiers en boitant. Ensemble, ils marchèrent lentement

jusqu'au centre du village où des joueurs de percussions commencèrent à battre le rythme. Le soleil venait à peine de se
coucher et une belle lune ronde éclairait le ciel.

L'air frais de la soirée lui fit grand bien. Pour la première fois
depuis le début de sa convalescence, le Râjâ avait l'impression
d'avoir les idées plus claires. Ses pensées étaient de moins en moins
embrouillées, et il constata avec stupéfaction qu'il se trouvait
au beau milieu d'une danse rituelle. Sur un autel de pierre était
étendu un homme à la peau brune, ligoté et bâillonné. Autour, des
sorciers, habillés de vêtements de cérémonie, suivaient le rythme
des tambours en poussant des cris stridents. De toute évidence,
l'homme allait être sacrifié à la lune.

Au grand déplaisir de Sumuhu'alay, quelques femmes vinrent
chercher W'rn afin qu'il danse avec elles. Le Râjâ s'exécuta sans
trop d'ardeur. Sa cheville était aussi raide qu'une branche d'arbre
et le faisait encore souffrir. Alors qu'il commençait à peine à se
réchauffer, le chef fit taire les tambours et demanda à trois des
partenaires sexuelles de W'rn de le rejoindre. Gênées, les jeunes
femmes s'avancèrent timidement vers lui. Fier comme un paon,
l'homme annonça à toute la tribu qu'elles étaient enceintes et
que, bientôt, elles donneraient naissance aux fils et aux filles du
djinn des eaux du lac. Sans comprendre les mots de ce discours,
le Râjâ sut de quoi il était question. À ses côtés, Sumuhu'alay
bouillait de rage.

Une fois l'annonce terminée, le rythme des tambours reprit
de plus belle. Pour la première fois depuis son arrivée dans ce
village, le Râjâ comprit qu'il avait été drogué et abusé. Non pas
que l'expérience lui eut déplu, mais les conséquences de ses
aventures à répétition étaient bien tangibles. Bientôt, il allait être
le père d'enfants provenant de trois femmes différentes. Et ce
n'était qu'un début, puisqu'il avait certainement copulé avec une
vingtaine d'entre elles.

– C'est trop tard pour nous, dit Sumuhu'alay au Râjâ. Je
voulais être la seule à porter tes enfants et voilà que ces idiotes
sont enceintes de toi. Il ne me reste plus qu'une chose à faire !

La jeune femme quitta le Râjâ et disparut, honteuse, dans la
foule. Celui-ci s'en soucia peu et continua à se questionner sur
sa présence dans la tribu. Qui était-il pour ces gens, et pourquoi

l'avaient-ils accueilli de cette manière? Dans quel but l'avait-on accouplé à plusieurs femmes et que devrait-il faire lors de cette cérémonie pour laquelle, de toute évidence, sa présence était requise?

L'instant suivant, W'rn comprit ce qu'on attendait de lui. Le chef lui tendit un grand couteau taillé dans une pierre verte et l'invita à se rendre près de l'autel. Manifestement, il devait accomplir le sacrifice.

Armé, le Râjâ s'approcha de la victime. Il s'agissait d'un homme d'une trentaine d'années dont le visage présentait des traits égyptiens tout à fait communs. Une petite barbe et des cheveux courts trahissaient ses origines nobles. Ce n'était pas un guerrier, encore moins un aventurier. Peut-être était-il scribe. Comment s'était-il retrouvé entre les griffes de cette tribu du pays de D'mt? Difficile à dire. Une chose était sûre, c'était qu'il allait bientôt mourir des mains du grand W'rn.

Comme le lui demandait le chef, le Râjâ leva le couteau sacrificiel au-dessus de la poitrine du condamné. Il regarda une dernière fois son visage et, comme il allait s'exécuter, son attention fut attirée par les yeux et le nez de cet homme. Cette figure lui était familière.

Au grand dam du chef qui réclamait tout de suite le sacrifice, W'rn baissa les bras et débâillonna le scribe. Celui-ci, heureux de pouvoir enfin s'exprimer, grogna dans la langue des Thraces.

— Tu allais m'égorger, petit morveux!

Le Râjâ fit un pas en arrière et regarda l'homme comme s'il s'agissait d'un revenant. Il reconnut Sénosiris, ligoté devant ses yeux sur l'autel.

Les tambours se turent.

— Sors-moi de là! Tu entends? fit l'Égyptien en colère. Trouve quelque chose à dire ou à faire, mais détache-moi au plus vite!

La langue des Thraces était si douce aux oreilles du Râjâ qu'il lui fallut encore quelques secondes avant de bouger. Aussi confus que content de revoir son ami, il approcha le couteau de l'Égyptien et coupa la corde qui le retenait attaché à l'autel.

À ce moment, un grand cri, suivi d'un deuxième, puis d'un troisième, vinrent troubler la scène. Sumuhu'alay venait d'égorger les trois jeunes femmes enceintes de W'rn. La meurtrière commença alors à menacer de son arme les autres partenaires sexuelles de son amant, ce qui causa un désordre considérable au sein de la tribu. Le chef, désirant rétablir l'ordre, s'approcha de sa fille en la menaçant, mais celle-ci en profita pour le transpercer de son poignard. Hurlant comme une bête en furie, Sumuhu'alay cria que W'rn était à elle et que personne ne le lui prendrait.

– Et si nous en profitions pour leur fausser compagnie ? suggéra Sénosiris au Râjâ.

– Oui – partir, répondit celui-ci en deux mouvements.

Aussitôt, Sénosiris descendit de l'autel, et les deux amis quittèrent la grande place du village et déguerpirent dans la forêt. Malgré sa cheville endolorie, le Râjâ n'eut aucun mal à suivre l'Égyptien entre les arbres. Ce ne fut qu'après une bonne heure de marche dans la jungle qu'ils s'arrêtèrent afin de s'assurer qu'ils n'étaient pas suivis. Sénosiris serra alors le jeune homme entre ses bras.

– Il y a si longtemps que je te cherche, dit-il avec émotion. Si tu savais par où je suis passé pour essayer de te retrouver… Comme tu as grandi ! Tu es un homme maintenant ! C'est si bon de te voir.

– Moi – croire – toi – mort, lui dit le Râjâ qui avait les larmes aux yeux. Pourquoi – toi – abandonner – moi ?

– Mais cesse de dire des âneries, je ne t'ai pas abandonné ! s'exclama Sénosiris, contrarié. Nous étions sur le bateau, tu te rappelles ? C'était la tempête, et les vagues étaient aussi hautes que des montagnes. Je t'ai tendu une corde en te demandant de la passer autour de tes hanches. Puis, une vague a surgi de nulle part et elle t'a soulevé ! Je t'ai vu tomber dans la mer… Tu étais à quelques coudées de moi et j'ai essayé de te rattraper. Mais c'était peine perdue… Déjà, l'onde t'éloignait du bateau… tu te rappelles ? Dis-moi que tu n'as pas tout oublié ? !

Des images, aussi claires que si l'événement s'était déroulé la veille, émergèrent de la mémoire endormie du Râjâ.

– Oui. Moi – rappeler.

– Moi aussi, je t'ai cru mort, et j'ai navigué de longues heures en espérant retrouver ton corps, mais les étoiles m'ont clairement indiqué que ton destin n'était pas de mourir en mer. Mais je te raconterai tout cela plus tard. Pour l'instant, il vaut mieux quitter cet endroit.

– Eux – penser – moi – être – créature – lac.

– Peu m'importe ce qu'ils pensent de toi, mon ami! lança Sénosiris. Le royaume de D'mt est peuplé de mangeurs d'hommes. Ils allaient me sacrifier pour ensuite me découper en morceaux. Ce ne sont pas des êtres humains, ce sont des animaux! Nous devons quitter rapidement cette vallée... à moins que tu aies pris goût à la chair humaine et que tu désires les rejoindre?

Troublé par cette insinuation, le Râjâ repensa au corps de la vieille femme qu'il avait tuée et passa en revue les événements qui avaient suivi sa mort. Tandis que la myrrhe commençait à faire son effet, il avait vu, par l'entrée de la hutte, les habitants du village se lancer sur le cadavre encore chaud de la femme et le dévorer tout cru. Il se souvint de la bataille autour de la dépouille; chacun se bousculait pour lui arracher un morceau de peau ou encore un bout de doigt. À ce moment, il avait ri en admirant le macabre spectacle. La drogue faisait son effet.

Puis il se rappela avec dégoût que Sumuhu'alay lui avait apporté une pièce de viande gorgée de sang qu'ils avaient mangée blottis l'un contre l'autre avant de faire l'amour. Il s'agissait peut-être du foie de la vieille femme, ou encore de son cœur. Cette seule idée le fit régurgiter aux pieds de Sénosiris.

– Je viens de t'apprendre une nouvelle? À ce que je vois, tu ne savais pas pourquoi les aventuriers qui se perdent dans ce royaume n'en reviennent jamais! Eh bien, maintenant, tu sais que c'est parce qu'ils finissent tous dans le ventre de tes nouveaux amis...

– Moi – désolé.

– Marchons vite avant qu'ils retrouvent notre trace...

Mais il était trop tard. Le Râjâ perçut une forte odeur de sueur et sut immédiatement qu'on les avait rejoints. Sans dire un mot, il mit la main sur l'épaule de l'Égyptien.

– Derrière – nous – les – D'mt, dit-il en quatre signes distincts. Huit – hommes – armés. Toi – au – sol – moi – attaquer.

– Ne fais pas l'imbécile, murmura Sénosiris aux yeux de qui les ténèbres voilaient la présence des ennemis. Tu ne peux pas venir à bout de ces guerriers à toi seul...

Le Râjâ sourit et se retourna vers les guerriers de D'mt. Se sachant pointé par leurs lances et leurs flèches, il bondit comme un fauve sur le tronc d'un arbre et l'escalada en un battement de paupières. Les hommes le perdirent alors de vue en se demandant s'il ne s'était pas envolé. Grâce à sa vision qui pouvait percer le voile de la nuit, le Râjâ repéra la position de ses ennemis et bondit sur le premier. Le guerrier eut à peine le temps de comprendre qu'il était attaqué qu'il s'affaissait, le cou broyé, sur le sol.

– Sept.

En saisissant la lance de sa victime, le Râjâ transperça un second guerrier qui s'avançait vers lui. L'arme lui traversa le ventre.

– Six.

Rapide comme l'éclair, le Râjâ fonça alors à toute vitesse vers quatre archers qu'il désarma sans peine. Ceux-ci n'eurent pas plus de chance que leurs compagnons et furent égorgés par les puissantes griffes de la créature.

– Deux.

Toutes ses années d'entraînement au combat en compagnie des maîtres d'armes de Mérenptah avaient eu du bon. Même sans épée, le Râjâ savait exactement où frapper un adversaire afin de l'éliminer efficacement. De plus, avec sa force surhumaine et sa rapidité animale, il savait qu'aucun homme ne pouvait lui tenir tête bien longtemps. Ce fut ainsi que le Râjâ s'avança tout près de ses deux derniers adversaires ; il défonça le crâne du premier d'un seul coup de poing. Comme il allait terminer son massacre, ses yeux tombèrent sur Sumuhu'alay.

Dans un rayon de lune, le Râjâ vit deux grosses larmes couler sur les joues de la jeune femme. Troublé, il baissa sa garde et demeura immobile devant elle. Longtemps, les deux amants se regardèrent sans savoir comment réagir. Ce fut alors que Sumuhu'alay tendit la main vers W'rn, l'invitant à regagner le village avec elle.

– Viens, W'rn ! lui dit-elle, émue, d'une voix douce, rentre avec moi dans la hutte. Je serai à toi seul maintenant, et plus aucune autre femme ne viendra troubler notre paix. Je t'aime de tout mon cœur et je ne veux pas te perdre. Tu comprends, W'rn, tu es ce qu'il y a de plus important pour moi… Viens avec moi, W'rn, rentrons chez nous…

Bien que le Râjâ n'eût aucune idée de ce que Sumuhu'alay lui disait, il en comprit l'essentiel. Même si cette jeune femme était anthropophage, elle l'avait toujours traité avec une tendresse infinie. Elle avait dans les yeux une telle sincérité et un tel amour que le Râjâ envisagea sérieusement de revenir avec elle au village. Après tout, la tribu le considérait comme un dieu et s'occupait merveilleusement bien de lui. Il n'y avait que des avantages à vivre dans cette hutte, euphorisé par la drogue et dorloté par une femme. Et puis, Sumuhu'alay était jolie, avec ses étranges maquillages et son dialecte incompréhensible. Ils auraient ensemble de beaux enfants…

Se laissant glisser dans ce songe éveillé, le Râjâ commença à sourire, puis à rire. Devant cette réaction, Sumuhu'alay fit de même. Son plan fonctionnait à merveille ; dans sa main, au bout de son bras tendu affectueusement vers W'rn, la jeune femme tenait de la myrrhe entre ses doigts.

Ce fut à ce moment que Sénosiris intervint et qu'il assomma d'un coup de branche la jeune maîtresse de son protégé. Celle-ci tomba face contre terre en échappant la drogue.

– Allez, vite ! fit l'Égyptien en empoignant le Râjâ par le bras. Il faut quitter cette jungle maudite… Bouge ! Allez, bouge-toi un peu !

Lentement, la marche rapide aidant, les vapeurs de myrrhe se dissipèrent.

– On dirait que ça va mieux ! Je me trompe ? s'enquit Sénosiris qui avançait d'un pas rapide en poussant le Râjâ devant lui.

– Oui. Mieux…, répondit celui-ci en quelques signes. L'odeur – cette – fille – si – bon. Doux.

– Je comprends, elle puait la myrrhe à plein nez ! Tu trouves vraiment ce parfum agréable ?

– Oui. Merveilleux.

– Moi, je le trouve agressant, surtout lorsqu'il y en a trop…

– Non. Merveilleux.

– Chacun ses goûts ! Mais dis-moi, c'était ta petite amie, ça ?

– Oui.

– Je suis vraiment désolé de l'avoir assommée, mais je ne voyais pas d'autre solution pour que…

– Ça va. Elle – aimer – moi. Mais – moi – pas. Moi – aimer – seulement – odeur.

– Tant mieux…, rigola Sénosiris. C'est toujours un peu embêtant d'avoir une épouse anthropophage. On ne sait jamais lequel de tes copains ou des membres de ta famille elle va découper en morceaux !

– Pas – drôle.

– Tu as raison, ce n'est vraiment pas drôle ! lança Sénosiris dans un éclat de rire. Il n'y a vraiment rien de drôle là-dedans ! Je te perds en mer et je te retrouve dans les bras d'une mangeuse d'hommes… Attends que je raconte ça à Électra ! Elle va vouloir me tuer !

En s'imaginant la scène, le Râjâ eut un léger sourire.

– Alors, comment s'est déroulé votre voyage en Égypte ? continua l'Égyptien en imitant la reine. Très bien, chère Électra. Votre fils a dû s'exiler du pays et le pharaon ne veut plus jamais le revoir ! Mais heureusement, tout n'est pas négatif. Il s'est fait une jolie copine au pays de D'mt… Je suis certain qu'elle va vous adorer, en sauce avec des champignons !

Le Râjâ commença à rire de bon cœur.

– Et que nous rapportez-vous de ce voyage ? fit Sénosiris en personnifiant toujours Électra. Euh, finalement, rien ! Nous avons fait tout ce chemin pour… rien !

Devant ce constat peu reluisant, l'Égyptien et le Râjâ eurent un fou rire explosif. Entre la joie de se retrouver après toutes ces années et l'absurdité de leur voyage qui s'éternisait sans raison, ils rigolèrent comme deux gamins coupables d'une gigantesque bévue. Devant l'échec complet de l'aventure égyptienne, ils ne pouvaient que s'amuser.

Ce fut ainsi qu'ils réussirent à marcher jusqu'aux limites de la jungle et qu'ils abandonnèrent derrière eux le peuple du royaume de D'mt.

Cette nuit-là, tandis que W'rn quittait à tout jamais Sumuhu'alay, la jeune fille rentra seule au village. En larmes, elle pleura toute la nuit dans la hutte de son amant et pria tous les dieux pour qu'il revienne rapidement vers elle. Le lendemain, elle passa la journée tout près de la chute où il était apparu des semaines plus tôt, mais l'esprit du lac demeura invisible.

Ce ne fut que quelques semaines plus tard que Sumuhu'alay recouvra son sourire. Son ventre s'était arrondi. La semence de W'rn grandissait en elle. Comme la jeune femme l'avait souhaité, elle mettrait au monde le fruit de leur union sacrée. W'rn n'était plus là pour la serrer dans ses bras, mais sa progéniture, elle, le remplacerait bientôt. Sumuhu'alay garderait à tout jamais le souvenir de ses nuits avec lui et des moments heureux qu'ils avaient vécus ensemble. Ils avaient eu des instants bénis et des fous rires intenses. Malgré ses allures sauvages et animales, W'rn avait été d'une tendresse infinie avec elle. Beaucoup plus que ses anciens amants, des garçons de la tribu qui ne désiraient la prendre que pour assouvir leurs instincts.

Quelques mois plus tard, au terme d'une grossesse accélérée, les habitants du royaume de D'mt virent naître trois petits W'rn poilus. Ceux-ci allaient être élevés comme des membres à part entière de la tribu et, sous les attentions particulières de leur mère, ils deviendraient de véritables petits anthropophages constamment en quête de chair et de sang humains.

XI

Sénosiris, assis tout près du feu de camp, regardait vaciller les flammes. À ses côtés, le Râjâ terminait son repas du soir. Il rongeait les os d'un gros phacochère égaré qui avait eu l'imprudence de quitter sa savane. Son aventure solitaire venait de se terminer dans le ventre des deux voyageurs affamés.

– Toi – penser – quoi? demanda le Râjâ à son mentor.

– Je pense à rentrer chez nous, mais je ne vois pas comment nous pouvons faire…, répondit Sénosiris, le regard perdu dans les mouvements du feu. Nous sommes si loin au sud et… sans argent, sans moyen de transport, mais surtout sans carte, nous voilà condamnés à vivre comme des mendiants. De plus, tu ne peux pas retourner en Égypte… Vraiment, je ne sais plus quoi faire.

Le Râjâ se contenta de baisser la tête, honteux. S'il n'avait pas ordonné le massacre des enfants du Goshen, les choses auraient pu être bien différentes.

– Désolé, fit-il d'un geste en soupirant.

– Mais non, ce n'est pas entièrement ta faute, ce qui nous arrive. J'ai aussi ma part de responsabilité… Si je ne t'avais pas perdu dans la tempête, les choses se seraient passées différemment. Tu sais ce que l'on dit de toi dans le Goshen? Avant de me lancer à ta poursuite dans le pays de D'mt et d'être capturé pour le banquet de la pleine lune, j'ai entendu des gens te décrire comme une bête assoiffée de sang! Certains croient même que tu es un monstre envoyé par Seth. Le peuple parle de toi en te nommant non plus Osiris-Path, mais plutôt Sekhmet-mâ.

– Fils – de – Sekhmet?

– Oui, exactement ! confirma Sénosiris. Tu es devenu, dans l'esprit de plusieurs, le fils de la déesse dont Râ se sert pour punir les insurgés.

– Déesse – tête – lion ?

– Précisément, fit Sénosiris. C'est de sa bouche que sortent les vents brûlants du désert…

– Pas bon.

– En effet, ce n'est pas une très belle image…, soupira l'Égyptien. Si j'avais su, jamais je n'aurais entrepris ce voyage. Nous serions demeurés bien tranquilles dans le froid et l'humidité de Veliko Tarnovo. Je m'en veux tellement…

Sénosiris se tut et plongea dans ses souvenirs.

– Tu sais, dit-il avec angoisse, je meurs d'inquiétude pour Électra… Je n'ai cessé de penser à elle. Même lorsque nous avons fait naufrage sur l'île des Mycéniens, quelques jours après que nous t'ayons perdu en mer, je ne pouvais m'empêcher de penser à la peine qu'elle aurait de te savoir seul…

– Équipage – mort ?

– Je ne sais pas… sûrement. Les récifs ont envoyé notre embarcation par le fond, et puis… j'ai vu les loups nager entre les vagues… Il y avait tellement de vent, de bruit, de cris que je ne sais plus trop comment j'ai abouti sur cette plage, entouré de Mycéniens.

– Eux – reconduire – toi – Égypte ?

– Oh ! non, ils m'ont plutôt envoyé directement en prison ! À leurs yeux, j'étais un espion égyptien, et ces sauvages m'ont longuement torturé pour que j'avoue que le nouveau pharaon désirait envahir leur île. Après trois mois de coups de fouet, de privation de nourriture et de travaux forcés, j'ai cessé de dire la vérité. Je leur ai dit exactement ce qu'ils voulaient entendre… Ensuite, ils m'ont laissé tranquille et j'ai croupi dans le fond d'un cachot pendant des mois.

– Comment – libérer ?

– Il semble bien que les dieux étaient avec moi ! s'exclama Sénosiris. Par un soir de tempête, alors qu'un vent puissant balayait l'île, mon geôlier, après m'avoir apporté à manger, a refermé la porte de ma prison, mais il a oublié de glisser le loquet. J'ai profité de cette maladresse pour filer. Dans la nuit, j'ai volé une barque et je me suis enfui sur une mer en furie. Encore une fois, j'ai bien failli y laisser ma peau. Après des jours en mer, j'ai réussi à atteindre les côtes de l'Égypte et je me suis fait passer pour un pêcheur, un métier que j'ai ensuite exercé durant de longues années pour survivre. J'ai sillonné toute la côte du pays et celles des contrées voisines pour te retrouver. Ce fut au moment où j'allais perdre espoir que la nouvelle du passage d'Osiris-Path près de la ville où je me trouvais est arrivée jusqu'à moi. Curieux, je me suis déplacé et je t'ai vu ! C'était toi ! Tu étais debout à l'arrière d'un char de guerre et entouré d'une fabuleuse armée, tu saluais le peuple comme un roi. Je n'en croyais pas mes yeux ! C'était bien toi et je t'avais enfin retrouvé...

– Ensuite ? fit le Râjâ, curieux.

– Ensuite, j'ai vendu ma barque et je suis parti pour Memphis ! Seulement, j'ai vite compris que le grand Osiris-Path était inaccessible pour un simple mortel comme moi. Je me suis donc fait engager comme scribe dans la grande bibliothèque et j'ai commencé à rédiger une seconde fois ton histoire, la première version ayant coulé avec notre navire. Dans ces rouleaux, j'ai tenté de décrire qui était en réalité Osiris-Path et comment il était arrivé en Égypte. J'ai longuement écrit sur Veliko Tarnovo et sur mes aventures. Tout en essayant de te rencontrer, j'ai poursuivi mon travail. Même si plusieurs années s'étaient écoulées, je savais que le destin nous réunirait un jour. Et puis... les événements du Goshen sont arrivés.

Sénosiris fit une pause et se racla la gorge. Le Râjâ baissa les yeux.

– J'ai appris de la bouche d'un autre scribe, un ami de l'ancien sculpteur Izzi, que Mérenptah t'avait condamné à l'exil et que tu serais conduit au royaume de D'mt. J'ai tout abandonné et j'ai suivi de loin les hommes chargés de t'escorter. Mes rouleaux sont demeurés dans la grande bibliothèque...

– Toi – regretter – avoir – sauvé – moi ?

– Non, je ne regrette rien..., le rassura Sénosiris. Je suis seulement déçu de savoir que tu t'es conduit comme un véritable tyran. Je croyais t'avoir insufflé plus d'humanité et plus de respect pour la vie que tu n'en as manifesté. On ne gagne pas des guerres en tuant des enfants! Cette tache indélébile de sauvagerie te suivra jusqu'à la fin de tes jours. J'espère seulement que tu pourras te racheter auprès des dieux.

Très embarrassé, le Râjâ soupira en poussant un petit cri de découragement. Comme à son habitude, Sénosiris avait raison; cet acte de barbarie allait le hanter jusqu'à son dernier souffle.

– Désolé.

– Mais ce qui est fait est fait, et j'espère que toutes ces vies perdues serviront à quelque chose, dit philosophiquement l'Égyptien. Mais pour l'instant, nous sommes dans le pétrin et nos chances de regagner le pays des Thraces sont bien minces. Tu vois une solution, toi?

– Marcher – nord.

– Oui, mais il nous faudra contourner l'Égypte, puis traverser la mer. Sans équipement et sans argent, nous n'y arriverons jamais. Si, au moins, j'avais gardé mon petit bateau de pêche, nous aurions eu une embarcation. À moins de voler un bateau, je ne vois pas…

– Pays d'Axoum – peut-être?

– Tu crois que les Axoumites pourraient nous aider? Mais comment vas-tu faire pour les convaincre de nous porter secours?

– Moi – connaître – beaucoup – Égypte – militaire.

– Et alors?

– Vendre – informations.

– Attends! Ai-je bien compris ce que tu proposes? Tu veux vendre de l'information stratégique à ces traîtres? Tu veux trahir l'Égypte en livrant des secrets militaires? Mais tu n'es pas sérieux! Pas aux Axoumites!

– Égypte – plus – vouloir – moi; moi – plus – vouloir – Égypte.

– Mais c'est mon pays! Je ne vais pas le trahir, c'est hors de question!

– Ton – pays – être – Thrace. Pas – Égypte. Ton – amour – Électra – être – Thrace, pas – Égypte. Ton – peuple – être – Thrace. Moi – être – ton – roi, pas – Pharaon.

Sénosiris réfléchit quelques instants. Lui qui s'était toujours vu comme un Égyptien se rendait maintenant compte qu'il n'avait de hâte, depuis son départ de la Thrace, que de rentrer à Veliko Tarnovo. De plus, le Râjâ avait raison. Depuis le jour de sa naissance dans les flammes de Byzance, il était son souverain. C'était pour lui que Sénosiris avait tant travaillé à son éducation, pour lui qu'il avait modernisé la capitale et finalement pour lui qu'il avait entrepris cet interminable voyage en Égypte.

– Thrace – notre – maison, insista le Râjâ.

– Mais de là à vendre des secrets aux armées d'Axoum…, murmura Sénosiris. N'y a-t-il aucune autre solution?

Le Râjâ prit quelques secondes de réflexion, puis il sourit à pleines dents.

– Tu as une idée?

– Oui – princesse – Bakhtan.

– Qui?

– Demain – nous – marcher – Nubie.

Troisième partie

Misis

I

La nuit était avancée lorsque la petite Misis ouvrit les yeux. Du fond de sa prison, elle entendit dans le couloir le pas lourd de son geôlier qui se traînait jusque devant sa porte. La jeune fille soupira en essuyant une larme sur sa joue. Elle savait à quoi s'attendre. Depuis des mois, Misis était devenue sa préférée.

Chaque fois qu'il avait bu, le même scénario se reproduisait. L'homme claudiquait dans le corridor menant au cachot où croupissait sa victime en chantonnant à voix basse des comptines grivoises. Savourant d'avance le bonheur qu'il tirerait de son crime, il s'efforçait toujours de ne pas faire trop de bruit. Le vicieux préférait commettre ses infamies dans le silence.

Le violeur procédait toujours de la même façon. Il entrait sans faire de bruit dans la geôle de Misis et déposait par terre de la viande et des gâteaux sucrés. Après tout, c'était la moindre des choses de laisser à la petite quelques aliments plus fortifiants que la bouillie qu'elle avalait tous les jours. Cette nourriture lui permettait de demeurer forte et en santé. Pour assouvir ses bas instincts, le geôlier préférait les enfants plus dodus. Les rachitiques ne lui inspiraient que de la pitié. Tant qu'il aurait envie d'elle, Misis n'allait pas mourir de faim.

Une fois la porte refermée derrière lui, il s'approchait lentement de sa jeune proie et lui susurrait des obscénités. Ensuite, les mains tremblantes, il la caressait en prenant bien soin de lui retirer ses haillons. Pendant ce temps, Misis fermait les yeux et priait Pan pour qu'il lui vienne en aide, mais celui-ci était trop loin pour l'entendre.

Puis, une fois enflammé par la soumission de sa jeune victime, le geôlier enlevait son pantalon.

– Chut…, murmurait-il chaque fois à l'oreille de la fillette en la serrant contre lui. Tu me reconnais, non ? Je ne te ferai pas de mal, ma petite. Tu es si douce et si fragile… Fais-moi confiance, je te donnerai un peu de plaisir… Que du plaisir… Tu aimes ça, n'est-ce pas ?

Après son monologue, il la pénétrait avec vigueur. Une fois repu de ce jeune corps, il se retirait en essuyant son sexe avec sa robe, puis, satisfait, il la regardait avec un air dégoûté et quittait la cellule en l'insultant.

– Jeune traînée…, lâchait-il avec mépris. Tu es comme toutes celles que j'ai connues, une racoleuse… voilà ce que tu es, petite dévergondée. Je reviendrai te voir… Tu n'en as pas terminé avec moi…

Lors des premières agressions, Misis avait bien essayé de se défendre, mais son opposition ne faisait qu'attiser davantage le désir du violeur. À douze ans, seule dans une prison froide sans personne pour se soucier d'elle, il était impossible pour Misis de résister à cette brute assoiffée de sexe. Une fois, l'homme l'avait presque étouffée en essayant de la calmer. C'était à ce moment-là qu'elle avait décidé de faire la morte. Maintenant qu'elle se laissait prendre sans offrir la moindre résistance, l'agresseur revenait moins souvent et, surtout, il restait moins longtemps auprès d'elle.

Outre ce geôlier pervers qui venait plusieurs fois par semaine étancher sa soif de chair fraîche, Misis recevait aussi la visite surprise de nombreux rats. Affamés, les rongeurs lui mordaient souvent les orteils durant la nuit et réussissaient parfois à lui voler un bout de peau. De jour, elle passait son temps à compter les cafards ou à chantonner à voix basse les mélodies mélancoliques de quelques chansons thraces. Ces berceuses que lui chantait souvent sa mère lorsqu'elle était toute petite l'aidaient à passer le temps. Ses journées, toutes pareilles, étaient d'un ennui mortel.

– Un jour, Pan viendra me chercher…, répétait-elle sans cesse, refusant de perdre espoir. Il a été retardé, c'est tout ! Je sais qu'il viendra… Lorsque le moment sera venu, j'entendrai le son de sa flûte et je saurai que c'est lui. Je dirai : voilà que j'entends la flûte de Pan ! Et il apparaîtra, avec ses longues dents, ses grands yeux et son air moqueur. À ce moment, mon calvaire sera terminé et, ensemble, nous nous établirons dans la forêt. Nous aurons une belle maison dans les arbres et…

Un bruit de pas se fit brusquement entendre dans le couloir. « Ce doit être lui qui revient, pensa la jeune fille en retirant sa jupe et en écartant ses jambes. Il en veut encore, le gros porc ? Eh bien, qu'il en prenne, du plaisir. Pan le lui fera payer. »

Mais cette fois, le geôlier ouvrit la porte de la cellule et ordonna à Misis de se rhabiller et de le suivre. Surprise, elle se leva de sa paillasse et obéit. Lui qui n'avait pas l'habitude de la violer le jour avait peut-être un nouveau plan en tête. Qu'importe ! Sortir de cette cellule lui ferait le plus grand bien, même si elle devait le payer chèrement.

– Je crois bien que nous nous voyons pour la dernière fois, petite hétaïre ! lui révéla le geôlier en lui tâtant les fesses. Ton petit cul me manquera… J'espère que tu penseras à moi. Allez, avance ! Si un jour tu veux te faire un peu d'argent, tu sais où me trouver ! Je te présenterai de bons copains qui paieraient cher pour s'amuser avec toi.

Honteuse, Misis baissa la tête et marcha droit devant elle. Cet homme était un animal encore plus infect que le pire des porcs. Et encore, les cochons avaient un peu de dignité, alors que lui était abject et vulgaire. Il avait abusé de sa faiblesse pour satisfaire ses bas instincts et, pour cette raison, Pan serait impitoyable avec lui. Aucun animal vivant dans la nature n'agissait avec autant de bassesse que ce violeur d'enfants.

– Pan sera bientôt là et il te le fera payer, murmura Misis, en colère. Tu crieras grâce pour que s'arrête la torture ! Tu prieras les dieux pour qu'ils t'achèvent ! Pour chacune de tes agressions, tu hurleras mille fois et tu…

– Qu'est-ce que tu dis, petite fille des rues ? l'apostropha le geôlier. Tu parles seule maintenant ? Tu parleras moins lorsqu'ils te mettront la corde au cou ! Ou ce sera peut-être le fouet, qui sait ? Parfois, je trouve les juges et le mystagogue un peu bonasses…

« La corde au cou ? ! Mais de quoi parle-t-il ? se demanda Misis, angoissée. Je n'ai pourtant rien fait pour mériter une telle punition… »

Après quelques détours par les couloirs étroits de la prison, Misis et son tortionnaire débouchèrent dans une salle où le mystagogue et ses disciples attendaient leur arrivée. Sans préavis, un bourreau la saisit violemment par les cheveux et lui arracha sa robe d'un geste brusque. Paniquée, la jeune fille hurla, mais personne ne lui vint en aide. Les spectateurs se contentèrent plutôt de sourire.

En quelques secondes, Misis se retrouva fermement attachée à un poteau et une douleur atroce lui brûla le dos. Le fouet du bourreau venait pour une première fois de lacérer sa chair. La jeune fille, hurlant et suppliant, ignorait encore que la torture ne faisait que commencer.

Pendant un moment qui sembla durer une éternité, Misis reçut coup de fouet sur coup de fouet. Ni ses pleurs, ni ses cris, ni ses lamentations ne firent cesser la torture. Constant comme les vagues de la mer qui se brisent sur la plage, le bourreau frappa la condamnée à intervalles réguliers. Sous les regards réjouis des disciples du mystagogue, il fut même applaudi quelques fois pour la vigueur de ses coups. Ces hommes, occupés à boire du vin et à manger des fruits, s'amusaient même à commenter son travail.

– Quelle dextérité! s'exclama l'un d'eux en suçant un raisin. C'est presque de l'art! Regardez comme la peau se détache, c'est fascinant!

– Un ouvrage de professionnel! commenta un autre. Chaque coup la fait terriblement souffrir. Voyez son faciès déformé par la douleur…

– Si elle continue à saigner comme cela, rigola un autre, nous n'arriverons jamais au bout de ces trente coups de fouet! Ce serait bien dommage qu'elle meure avant la fin de sa punition. Mais enfin, si les dieux jugent qu'elle mérite de mourir au bout de son sang, qui sommes-nous pour en décider autrement?

Soudain, Misis cria si fort de douleur que l'auditoire en frissonna d'émotion. Ce spectacle déclencha une salve d'applaudissements chez les disciples du mystagogue.

– Elle est drôlement bien formée pour une enfant de douze ans, ne croyez-vous pas, cher mystagogue? demanda le plus vieux des spectateurs. Quelques années de plus, et je l'aurais achetée à cette assemblée pour en faire mon esclave!

— Taisez-vous donc, vieux pervers ! répondit son maître, en colère. Et vous, bande de corbeaux, soyez plus respectueux de la souffrance de cette jeune fille ! J'espère que vous serez aussi courageux qu'elle lorsque nos armées s'abattront sur Veliko Tarnovo et que vous devrez les accompagner !

Le silence tomba sur l'assemblée qui demeura coite jusqu'à ce que la punition de Misis soit terminée. Les trente coups de fouet avaient transformé son corps en une fontaine de sang. La jeune fille, pendue par les bras, croyait sa dernière heure venue. Jamais elle n'avait pensé mourir dans d'aussi horribles souffrances. Mais qu'importe, à présent. Le pire était passé, et il ne lui restait plus qu'à faire un premier pas dans l'autre monde.

La peau du dos, des fesses et de l'arrière des cuisses en feu, la jeune fille, à moitié inconsciente, ne réussit cependant pas à glisser lentement dans la mort. Elle se réveilla plutôt brusquement lorsque le bourreau l'aspergea d'eau glacée. Les muscles de son corps se ressaisirent, et la somnolence provoquée par l'épuisement et la douleur se dissipa aussitôt.

— Jeune Misis d'Odessos, dit le mystagogue d'une voix forte, tu as été reconnue coupable de trahison envers ton peuple. Malgré ta jeunesse et ton innocence, ce crime est trop grave pour être traité avec légèreté. Voilà pourquoi tu subiras le même sort que tous les traîtres qui ont essayé de vendre leur nation à l'ennemi ! Le supplice du fouet n'était que la première partie de ta peine. Tu es aujourd'hui condamnée à l'exil. Sous peine de mort, plus jamais tu ne remettras les pieds à Odessos ! Faites maintenant entrer le père de la jeune fille !

Accompagné de gardes, le père de Misis, nerveux, fut emmené dans la pièce. Lorsqu'il posa les yeux sur sa fille, il faillit défaillir. Pleurant à chaudes larmes, l'homme s'avança jusqu'à l'assemblée des juges.

— Fier citoyen d'Odessos, dit le mystagogue en regardant droit dans les yeux le père déchiré, reconnais-tu cette jeune fille ? Reconnais-tu cette traîtresse qui se trouve attachée au socle des punitions ?

— Oui, je la reconnais…, répondit-il, la voix tremblante. C'est Misis, ma fille…

— Sais-tu qu'elle est accusée de déloyauté envers son peuple ?

– Oui, c'est ce que vous m'avez dit… Elle aurait comploté avec des espions du royaume voisin, c'est bien cela ?

– Oui, c'est exactement cela. Pour cette raison, elle a été punie en recevant trente coups de fouet, répondit solennellement le mystagogue. Afin que l'ignominie de son acte ne salisse pas ta réputation et celle de ta famille, renies-tu cette enfant pour le crime dont elle s'est rendue coupable ? Pour le bien de la communauté, pour l'harmonie de notre société et pour la paix d'Odessos, nous te demandons de la répudier afin qu'elle puisse être bannie de nos frontières.

Devant ce simulacre de justice, le père de Misis était acculé au pied du mur. S'il défendait sa fille, il serait, lui aussi, tout comme sa femme et son fils, accusé d'avoir collaboré avec l'ennemi. Le culte d'Orphée avait étendu son pouvoir sur la ville et les disciples du mystagogue n'avaient pas besoin de preuves pour faire accuser des innocents. Un simple doute justifiait qu'ils tuent, expulsent ou torturent des citadins. Si le père de Misis ne la reniait pas, toute sa famille aurait droit à la brûlure du fouet et serait jetée, comme une bande de chiens galeux, hors de l'enceinte de la ville.

– PÈRE !! hurla la jeune fille. Ne fais pas cela, ne me laisse pas ! Je t'en supplie… père, ne me laisse pas…

– Oui… je la répudie…, abdiqua l'homme en sanglotant. Je la renie haut et fort devant vous. Je ne connais plus… cette enfant, et je vous laisse le choix de décider de son sort.

– NOOON ! Je t'en prie… je t'en supplie… père ! Ne fais pas cela ! Ils vont me tuer ! Va dans la forêt et trouve Pan ! Il t'expliquera, lui ! Ne me laisse pas !

L'air contrit, l'homme tourna les talons et quitta la salle du conseil sans jeter un seul regard à sa fille. Le sort de Misis était scellé.

– Par les lois qui régissent ce royaume et ses habitants, je te condamne, jeune Misis, à l'exil, prononça le mystagogue. Si tu tentes de revenir sur les terres d'Odessos, tu seras immédiatement exécutée sur place, sans aucune forme de procès. Aussi, en vertu des accords qui lient les peuples de la Thrace entre eux, tu seras aussi réprouvée sur tous les territoires environnants. Dès la fin de ce verdict, tu seras conduite à la frontière, où tu recevras quelques vêtements et une gourde d'eau. Qu'il soit fait selon la volonté du conseil ! Adieu.

Aussitôt la sentence prononcée, des gardes armés détachèrent la jeune fille et lui enfilèrent une vieille robe trop grande pour elle.

À sa sortie de la salle, Misis s'étonna de voir qu'on l'attendait comme la pire des meurtrières. Les citoyens de la ville, hargneux, enragés, lui lancèrent des tomates pourries ainsi que d'autres légumes avariés. Rapidement, les gardes la hissèrent dans une charrette et, sous les injures de la foule, on la conduisit loin dans les bois. Accablée, Misis pleura tout le long du chemin. Les jours heureux qu'elle avait vécus à Odessos n'étaient maintenant qu'un souvenir. Devant elle, il n'y avait plus que l'inconnu, la peur et possiblement la mort.

Comme l'avait ordonné le mystagogue, Misis reçut de la main d'un garde une gourde d'eau, tandis qu'un autre lui présenta des vêtements chauds. Un des soldats tira ensuite son épée de son fourreau et traça une ligne sur le sol, juste devant la jeune fille. Ce trait symbolique marquait son expulsion définitive. Par signes, il lui ordonna de marcher droit devant, sans se retourner.

Brisée, meurtrie et terrifiée, la petite obéit. Elle baissa la tête et marcha lentement entre les arbres. Dans le fond de son cœur, elle souhaitait ardemment l'apparition de son ami Pan, mais sa peine de ne plus jamais revoir sa famille était insurmontable. Son père l'avait clairement reniée, et cet acte de rejet était d'une lourdeur infinie à porter.

Après une courte marche qui termina de l'épuiser complètement, Misis s'assit par terre pour prendre du repos et boire un peu d'eau. Alors qu'elle buvait, elle entendit le son distinctif de pas derrière elle. Craintive, elle se retourna, mais ne vit personne.

«C'est peut-être Pan qui vient enfin me chercher», se dit-elle.

– Pan ? C'est toi ? appela-t-elle à voix haute. Ce serait vraiment trop bien de te revoir maintenant, Pan… J'ai tellement besoin d'un ami.

– *Nôn, es* Nosor… pas Pan ! Pa-ra-pa-pan ! fit la voix éraillée d'un vieil homme caché derrière un arbre.

– Qui est là? demanda Misis, apeurée. C'est toi, Pan? Cesse de me faire peur et montre-toi!

– *Sou es* Nosor! *Ço mi MAGICO* Nosooooor! s'exclama le vieillard aux dents dorées en émergeant de sa cachette. Pan! Pas Pan! Pa-ra-pa-pan!

Malgré son grand sourire qui le rendait un peu sympathique, cet homme était répugnant. Appuyé sur un grand bâton, il faisait signe à la jeune fille de s'approcher de lui. Devant sa laideur repoussante, Misis recula d'un pas.

– Mais qui êtes-vous? Et que faites-vous là?

– *Ten ho pômade pôr ton do…*, lui dit le vieil homme en lui présentant un pot de grès rempli d'une substance jaune.

– Vous avez de…

– *Pômade pôr ton do!*

– De la pommade pour mon dos, c'est ça?! Mais qui êtes-vous? Et qui vous a dit que j'étais ici? Comment savez-vous pour…

– *SOH! Que étrella, mas que étrella!*

– Désolée, je n'ai pas compris…, fit Misis, qui était de moins en moins effrayée. Allez-vous-en et laissez-moi! Je n'ai pas besoin de vous…

– Oh!

Le vieil homme s'approcha de Misis et s'assit à ses côtés. De son grand sac, il sortit quelques fruits, des noix, du pain et du miel qu'il déposa devant elle. Affamée, la jeune fille bondit sur la nourriture et s'en gava goulûment. Amusé, l'homme prit le temps de faire un petit feu et mit une théière à bouillir. Une fois l'eau chaude, il y plongea de larges feuilles vertes et ajouta une énorme quantité de miel. Il versa ensuite dans un bol le mélange qu'il goûta avant de l'offrir à la jeune fille. Misis accepta volontiers la mixture, qu'elle trouva exquise. En silence, ils apprécièrent ensuite le calme et la paix de la forêt. Le vent agitait lentement les feuilles et l'air humide avait quelque chose d'apaisant.

– Vous disiez avoir de la pommade pour mon dos? demanda Misis, brisant le silence. Je ne sais pas qui vous êtes, ni comment vous avez fait pour me trouver, mais… mais j'ai si mal que…

Le vieillard sourit et lui tendit le pot de terre cuite rempli d'une vase jaune particulièrement gluante.

– *SOH !* s'exclama le vieux en lui offrant la pommade. *Quer res a jud ?*

– « *Quer res a jud ?!* » répéta la jeune fille. Euh, désolée… je ne comprends pas.

– *A jud !* répéta l'homme. *Ajider-tô… ô, com… aidèr-*toi.

– Vous voulez m'aider avec la pommade ?

– *SOH ! SOH !* lança-t-il en frappant des mains.

– Très bien, mais je vous en prie, faites bien attention…

Sans aucune gêne, Misis releva sa robe tachée de sang et tourna le dos au vieil homme. Elle n'avait maintenant plus rien à perdre ni à cacher. Elle, qui avait été violée pendant des mois, se moquait complètement d'être vue nue par le vieillard ou encore d'être prise par lui, juste là, comme un animal. Ces mois d'emprisonnement lui avaient enlevé toute pudeur et toute estime d'elle-même. Tant mieux si la pommade fonctionnait, tant pis si cet homme était un violeur ou un meurtrier. Rien ne pouvait être pire que la prison.

Heureusement, le vieil homme se montra attentionné et soigneux, et Misis poussa un long soupir d'aise. Comme une douce caresse venue du ciel, la pommade coula lentement sur son dos, soulageant instantanément sa douleur. La main du vieil homme, habile comme celle d'une fée, étendit délicatement le médicament sur sa peau. Sans geste indélicat ou déplacé, il appliqua aussi de la pommade sur ses fesses et ses cuisses meurtries, puis il y déposa des feuilles d'arbres en compresse. Toujours aussi délicatement, il la rhabilla.

– Ça fait tellement de bien…, soupira Misis, apaisée. Je ne ressens plus la brûlure des coups de fouet. En fait, je ne ressens plus rien… Mais comment saviez-vous que…

– Chuuuut ! fit l'homme en lui adressant un clin d'œil. *Soy* Nosor… NOSOR.

– Votre nom est Nosor, c'est ça ?

– *Soh, é ti es* Misis ! MISIS !

– Oui, je suis Misis… *Soy* Misis ! dit la jeune fille, reprenant les mots de son bienfaiteur.

Nosor lui tendit la main, et elle y déposa tout naturellement la sienne. D'un geste de la tête, il l'invita ensuite à le suivre. Ce à quoi Misis, rassurée, consentit avec plaisir.

Sans dire un mot, les deux nouveaux amis disparurent entre les branches, comme s'ils avaient été avalés par la nature.

II

Nosor et Misis marchèrent main dans la main jusqu'à l'entrée bien camouflée d'une grotte humide d'où émanait une odeur âcre de putréfaction. Le vieillard saisit une torche et l'alluma à une chandelle qui baignait dans un récipient contenant de la graisse animale. En invitant, d'un geste amical, sa jeune invitée à le suivre, il s'avança dans l'obscurité avec confiance, prenant bien soin d'allumer sur son passage les flambeaux fixés aux parois rocheuses, afin que Misis ne tombe pas.

Celle-ci découvrit alors avec stupéfaction qu'elle marchait dans les couloirs étroits d'une nécropole recelant des centaines, voire des milliers de cadavres. Cordés à la verticale les uns aux autres dans des niches creusées de façon rudimentaire, les morts étaient couverts d'insectes et d'asticots. Les cadavres reposaient tous dans la même position, sur le dos, les bras soigneusement croisés sur la poitrine. Des objets personnels se trouvaient auprès de chaque dépouille, mais ces possessions ne touchaient pas les corps. Elles étaient réparties tout autour, majoritairement disposées près de la tête. Le spectacle était aussi horrifiant que dégoûtant.

Apeurée, Misis s'arrêta net et faillit détaler vers la sortie. Cet homme qu'elle ne connaissait pas était peut-être un meurtrier, et cette grotte était peut-être sa maison… Chez lui, elle se décomposerait donc aux côtés de tous ces cadavres !

« Je vais mourir ici…, pensa-t-elle en tremblant comme une feuille. Je n'ai jamais rien vu d'aussi monstrueux… C'est certain, il va me tuer… Je vais finir comme ces gens. »

N'entendant plus derrière lui le son des pas de sa jeune amie, Nosor se retourna et comprit que la petite était terrorisée.

Comme un bon père de famille, il s'approcha d'elle et l'invita à s'asseoir à ses côtés. Misis s'exécuta avec crainte. L'homme baragouina quelques mots, mais se rendit vite compte qu'elle ne le comprenait pas. Il prit alors une éclisse de bois de sa torche, en brûla le bout, puis dessina avec la suie, sur le mur de la grotte, un homme avec de grandes dents. Misis le reconnut tout de suite : il s'agissait d'un autoportrait de Nosor. En quelques traits, il la dessina ensuite, elle, puis il encadra les deux figures dans un même rectangle.

– Qu'est-ce que cela veut dire ? demanda la jeune fille. Je ne comprends pas… Pourquoi es-tu avec moi dans ce carré ?

Tout autour du rectangle, Nosor esquissa rapidement des symboles de guerre, des armes et des épées, puis un roi en colère.

– Oh ! je vois…, fit Misis. Dans ce carré, toi et moi, nous sommes en sécurité… C'est cela que tu souhaites me dire ?

– *Soh !* lança le vieil homme, content.

L'ancien nomade, motivé par la vivacité d'esprit de Misis, continua à dessiner sur la paroi. La jeune fille tenta de décoder les traits que dessinait Nosor.

– Tu veux me dire qu'il ne faut pas avoir peur des morts, mais plutôt des vivants… qu'ici, nous ne risquons rien, c'est bien cela ? Et que je n'ai rien à craindre de toi. Et puis que tous ces morts… Non, que tu es l'ami de ces morts. Demain, je… Non, plutôt hier… Mais cesse de gesticuler, je ne comprends rien… Tu me dis que je… je verrai bientôt… mais voir quoi ?

D'un geste, Nosor lui demanda d'être patiente. Il lui fit signe de le suivre, et ils s'engouffrèrent encore un peu plus dans les profondeurs de la terre. Bien que le spectacle de ces morts ait été de prime abord terrifiant pour Misis, elle ressentait maintenant la paix et la sérénité qui se dégageaient de l'endroit. Tout était si calme et silencieux.

Au fur et à mesure de leur descente sous terre, Misis vit que les cadavres ne venaient pas tous du même endroit et n'étaient pas tous du même peuple. Il y avait bien sûr des hommes et des femmes d'Odessos, mais aussi des Thraces du Nord et bon nombre de guerriers appartenant à des clans qu'elle n'avait jamais vus.

Nosor et Misis débouchèrent sur une grande pièce éclairée par des centaines de chandelles et de lampes à huile. Grâce à la chaleur de ces nombreuses flammes, l'endroit était sec et parfaitement habitable. Tout juste à côté des couloirs humides et froids où s'entassaient les morts, cette grotte avait l'allure d'une véritable casbah. Les murs étaient richement décorés de masques de cérémonie, d'armes et de tapisseries fines. Tout était en or massif, aussi bien la vaisselle que les coupes à vin. Dans ce refuge au centre de la terre, une petite source approvisionnait Nosor en eau pure, avant de reprendre son voyage plus loin entre les rochers. Au centre de la pièce, une grande table ronde était ceinturée de confortables divans couverts de coussins, invitant à la sieste et au repos. Dans un coin, une petite forge et une enclume attendaient patiemment de servir ; dans l'autre, il y avait une grande table de bois et des étagères regorgeant d'ingrédients tous plus étranges les uns que les autres.

Le vieil homme invita Misis à s'asseoir et lui offrit une boisson chaude. Tout en se demandant ce qu'il allait lui servir, la jeune fille accepta avec plaisir. Dans une théière au long bec verseur, il déposa une poignée de feuilles de menthe fraîches et y ajouta quelques tiges d'une plante que Misis ne connaissait pas. Après avoir attendu quelques minutes pour que l'infusion soit parfaite, il en versa un verre à sa jeune invitée en prenant bien soin d'aérer le liquide chaud en faisant de grands mouvements.

– Hummm ! c'est très bon…, dit-elle après sa première gorgée. Mais c'est très chaud… C'est la première fois que je goûte une boisson aussi parfumée. J'adore ça.

Ravi, Nosor sourit.

– Bonjour, Misis, dit soudain une voix juste derrière la jeune fille. Nosor et moi t'attendions…

Misis se retourna et ne vit personne. Par contre, elle ressentit très clairement une présence dans la pièce.

Nosor baissa les yeux et but une gorgée de son thé.

– *Yé op da matri l'hok*, Séléné.

– Nosor pense que tu as peur, murmura la voix aux oreilles de Misis. Pour ma part, je sais que tu es très courageuse…

La jeune fille, dont le cœur s'était mis à battre aussi fort qu'un tambour, essaya de retrouver son sang-froid. Il n'y avait pourtant qu'elle et Nosor dans la pièce.

— *Yé op da matri l'hok... matri l'hok*, Séléné..., répéta Nosor en se versant du thé comme si tout était normal.

Toujours inquiète, Misis regarda tout autour d'elle et vit, non loin de la source, le corps vaporeux d'une femme magnifique aux longs cheveux roux. La vision ne dura que quelques secondes, puis elle s'estompa comme elle était venue.

— Je suis Séléné, ma belle Misis, se présenta la femme, et j'habite ici avec Nosor. Nous désirons que cette maison devienne la tienne.

— Pourquoi? se risqua à demander la jeune fille, inquiète. Je ne vois vraiment pas ce que je pourrais faire pour vous... Si vous le voulez bien, j'aimerais mieux partir...

— Attends! Calme-toi et écoute ce que j'ai à te dire. Nous voulons que tu habites ici parce que nous désirons t'enseigner des choses, et nous croyons que tu peux être une excellente élève, répondit la voix dans un chuchotement.

— Est-ce que vous êtes... vous êtes une morte? demanda Misis.

— Oui... et non, fit Séléné, amusée. Il y a plusieurs types de mort... Disons que la mienne est simplement différente. Je ne suis pas comme tous les cadavres que tu as croisés dans les couloirs de la grotte. Ceux-là dorment en paix, dans un sommeil agréable, et attendent le jour où la grande lumière viendra les chercher. Moi, j'existe entre les deux mondes. Je me promène entre la réalité des vivants et le sommeil des morts, tu comprends?

— Euh... je crois bien que oui... Vous êtes un fantôme, n'est-ce pas?

— Encore une fois, dit Séléné, je te répondrai par oui et par non. Souvent, les fantômes n'ont pas conscience de l'état dans lequel ils se trouvent, alors que moi, oui. C'est difficile à expliquer... même pour moi.

À ce moment, Nosor se leva. Son brusque mouvement eut pour effet d'interrompre la conversation entre Misis et Séléné. Le vieil homme se rendit près d'une armoire pour y prendre des biscuits qu'il rapporta ensuite nonchalamment à sa place. Heureux, il en déposa quelques-uns devant Misis et lui fit signe de se servir. Manifestement, la présence d'un spectre dans la grotte ne le dérangeait pas le moins du monde. Au contraire, il y semblait parfaitement habitué.

– Merci, je… je n'ai pas très faim, répondit la jeune fille en repoussant la nourriture.

– Mange ce qu'il t'offre, intervint de nouveau la voix de Séléné, c'est une coutume dans son pays. Si tu refuses, il deviendra très bougon et nous aurons à endurer sa mauvaise humeur.

Misis s'exécuta et croqua à pleines dents dans un biscuit. Elle exprima ensuite sa reconnaissance à Nosor.

Le vieil homme sourit, puis s'installa confortablement entre deux coussins pour dormir.

– Quel drôle de type, ce Nosor…, murmura la voix de Séléné aux oreilles de Misis. C'est grâce à lui que nous sommes ici… C'est grâce à sa grande débrouillardise que j'habite cet endroit. Il m'a sauvée de l'errance et du désespoir, et il a vengé ma mort…

– J'aimerais partir… Je suis très mal à l'aise ici, dit Misis, que la voix surnaturelle terrorisait. Je veux m'en aller… Je peux ?

– Oui, tu peux partir. Personne ne te retient de force ici. Cette décision t'appartient…

La jeune fille, heureuse, se leva et se dirigea rapidement vers le couloir humide. L'idée de devoir remonter à la surface en croisant tous les cadavres de la nécropole la fit hésiter un instant.

– Donne-moi une chance… une chance de rendre ta vie meilleure, l'implora Séléné dans un ultime effort pour la convaincre. Je sais que tu es seule, que tu n'as plus de maison et que ta vie en prison fut très difficile. Je peux sentir ces choses… Tu es blessée et meurtrie. Tu as besoin d'un endroit pour recouvrer tes forces et grandir en sécurité. Mais aussi, il faut que tu sois prête lorsque le Râjâ sera de retour… C'est toi qui devras l'accueillir.

– Le Râjâ ? ! fit Misis, un peu confuse. Je n'ai jamais entendu parler de lui !

– Pan, si tu préfères. C'est le nom que tu lui as donné, je me trompe ?

– Vous connaissez Pan ? ! s'étonna Misis.

– Oui… je sais qui est Pan, et je sais aussi qu'il est parti pour un très long voyage…

– Oh! Je vois…

– Tu te demandais pourquoi Pan n'est pas venu te porter secours lorsque tu as eu besoin de lui. Eh bien, tu as ta réponse. Il ne t'a pas abandonnée… je te l'assure. Pan ne sait rien des atrocités que tu as vécues. Il était déjà sur la route lorsqu'on t'a jetée en prison, et sois certaine qu'il serait revenu pour toi s'il avait su qu'on te faisait du mal. Son voyage durera encore de nombreuses années, car il doit accomplir un certain nombre de choses avant de revenir. Mais lorsqu'il sera de retour, c'est toi qui devras lui souhaiter la bienvenue. Et pour cela, tu te dois d'être prête…

– Vous êtes… un esprit de la forêt, c'est ça?

– Exactement, Misis, tu peux le voir ainsi… Je fais comme Pan. Je surveille, à ma façon, les créatures de la forêt. Celles que j'aime particulièrement sont les loups, car elles sont favorisées par les dieux. As-tu moins peur de moi maintenant? Resteras-tu ici afin que je t'enseigne un peu de mon savoir? Tu sais, je ne serai pas toujours là, et il est important que je communique à quelqu'un les secrets de la nature et des animaux.

– Je sais que Pan ne me ferait jamais de mal, alors… si vous êtes son amie, je peux avoir confiance en vous. De toute façon, je n'ai pas d'autre endroit où aller… Je ne peux plus retourner à Odessos et je ne connais personne qui vive dans les alentours. J'espérais retrouver Pan dans la forêt, mais si vous dites qu'il est en voyage, aussi bien l'attendre ici.

– C'est très bien, ma belle Misis, tu es très sage et très intelligente… Je crois que tu fais le bon choix! Alors, te voilà chez toi, dans ta nouvelle maison. Dès son réveil, Nosor t'aménagera un coin bien à toi. Il te trouvera aussi des vêtements, ainsi qu'une arme.

– Une arme? Je n'ai pas besoin de…

– Oh oui, tu en auras besoin. Une jeune fille aussi jolie que toi doit apprendre à se défendre dans la vie. Si tu avais su le faire, le geôlier de la prison n'aurait sûrement pas profité de toi comme il l'a fait. Nosor te montrera comment te servir correctement de poignards et de dagues. Tu verras, il est très doué…

– Même s'il a été très gentil avec moi, j'ai un peu peur de lui, dit Misis en regardant l'ancien nomade dormir la bouche grande ouverte. Je n'aime pas ses longues dents jaunes…

– Tu ne dois pas être effrayée, la rassura la voix de Séléné. C'est un homme de confiance. Tu vois, Nosor Al Shaytan – c'est son nom complet – est arrivé au pays des Thraces un peu avant le siège de Byzance et sa chute aux mains des Perses. Tu as entendu parler de cet événement?

– Non, jamais. Je ne sais même pas où se trouve Byzasse…

– On dit By-zan-ce… C'est une très grande ville au sud d'ici…

– C'est la ville de Nosor?

– Non, il arrive de beaucoup plus loin. Nosor a longtemps été le chef d'une tribu d'Anatolie, très loin dans les contrées rocheuses de l'Est. Il était aussi philosophe et conteur, mais avant tout, il était assassin de métier. C'est-à-dire que les gens avaient recours à ses services pour éliminer une ou des personnes qu'ils voulaient voir disparaître. Il t'enseignera l'art de tuer, mais surtout, la fabrication des poisons… Avec Nosor pour maître, tu deviendras une redoutable jeune femme!

– Ah oui?! fit Misis, séduite par l'idée. Je pourrai tuer qui je veux ensuite?

– On verra bien.

– Et pourquoi Nosor a-t-il quitté son pays?

– Il a marché jusqu'à Veliko Tarnovo dans l'espoir d'y retrouver un ancien esclave et de lui faire payer sa tentative de meurtre à son égard. C'est à ce moment que nous nous sommes rencontrés. Mon cadavre gisait sur le sol, transpercé par les flèches de l'homme que j'aimais… Heureusement, de mon vivant j'étais une puissante sorcière, mon âme est donc restée chez les mortels. Avant de quitter ce monde, je dois terminer ma mission…

– Oh oui? Laquelle?

– Celle de te voir vivre heureuse aux côtés de Pan!

– Vraiment?

– Oui, car je sais que tu seras la femme qui lui conviendra et qu'ensemble vous aurez de nombreux enfants. De plus, il aura besoin de quelqu'un pour veiller sur lui, et ce sera à toi qu'incombera cette tâche. Tu devras le protéger et lui assurer un long règne.

Se sentant tout à coup investie d'une nouvelle mission, la jeune fille bomba le torse et demeura pensive. C'était un privilège exceptionnel d'avoir été choisie pour partager la vie de Pan.

La dactyle sut dès ce moment que le destin du Râjâ s'accomplirait, et que sa propre vie auprès des mortels avait été une réussite.

Cependant, le spectre de Séléné n'avait pas été tout à fait honnête avec Misis dans ses explications concernant Nosor. Elle s'était bien gardée de lui dire qu'elle avait en son pouvoir l'âme du nomade et qu'elle le contrôlait comme s'il s'agissait d'une marionnette. Elle avait évité de lui répéter les paroles exactes qu'elle avait prononcées lors de leur première rencontre.

– Venge-moi et je te donnerai ce qu'aucun mortel n'a jamais reçu, lui avait-elle susurré. Venge-moi du roi de Veliko Tarnovo, mon meurtrier, et j'ouvrirai ton esprit à la connaissance et aux savoirs mystérieux du monde. Tu connaîtras les pouvoirs secrets des éléments ainsi que la façon de les utiliser à ton avantage… De plus, les mystères de la nature et ceux des animaux te seront révélés. Plus jamais tu ne verras le monde du même œil… Il te sera possible d'interroger les dieux et de recevoir des réponses à tes questions… Tu deviendras l'un des plus grands magiciens de la terre…

Elle ne fit pas non plus état que Nosor, appâté par les promesses du spectre, avait tout de suite accepté la proposition et qu'il avait réussi, avec un peu d'adresse et beaucoup de chance, à assassiner le roi. Comme elle le lui avait demandé, il s'était ensuite emparé du pendentif de sa victime, mais, incapable de fuir la ville sans risquer de se faire prendre, l'assassin avait dû se résoudre à sauter dans le vide du haut de la forteresse. Sans les eaux en crue de la rivière, ce qui était exceptionnel pour la saison, sa chute aurait été fatale.

Séléné tut également le récit du plongeon formidable de l'assassin. Elle se garda de raconter que lorsque Nosor heurta la surface de l'eau, le choc fut si violent qu'il pensa que sa dernière heure était venue. L'homme crut s'être brisé les deux bras et enfoncé la cage thoracique. Malgré la douleur, il parvint à maintenir la tête hors de l'eau. Se laissant porter par le courant, il ne toucha la rive qu'à plusieurs lieues de Veliko Tarnovo. De là, il réussit dans un effort surhumain à s'extirper de la rivière et à rejoindre l'esprit de la femme rousse. Tel que promis, il déposa devant le spectre le pendentif du roi de Veliko Tarnovo, mais n'eut pas le temps de recevoir sa récompense. Épuisé par son aventure, il sombra dans un coma qui dura plusieurs jours.

À son réveil, Nosor n'était plus lui-même et entendait constamment des voix dans sa tête. Séléné avait alors profité de sa faiblesse pour le posséder et se servait maintenant de son énergie vitale pour subsister. C'était grâce à lui que la dactyle pouvait vivre et exister dans le monde des vivants. La femme avait promis à Nosor qu'il ne verrait plus jamais le monde de la même façon et, d'une certaine manière, elle avait tenu sa promesse. Grâce à l'incursion du spectre dans son corps, le nomade connaissait maintenant tous les mystères de la nature, et même ceux des animaux. Seulement, il n'était plus tout à fait maître de lui-même et se voyait obligé d'obéir à la voix qui jacassait dans son esprit. Avec le temps, Nosor avait cessé de la combattre pour l'en chasser et il lui obéissait maintenant sans poser de questions.

– Et que dois-je faire pour devenir la protectrice de Pan? demanda Misis, curieuse. Par quoi dois-je commencer?

– Tu dois d'abord trouver un travail auprès de la reine de Veliko Tarnovo, répondit Séléné, contente d'entendre la question. Ainsi, tu pourras surveiller sa grossesse…

– Elle est enceinte?

– Oui, et elle attend un enfant que j'aimerais bien posséder!

– Vous désirez des enfants?

– Non, je veux seulement celui-là!

– Et comment vais-je faire pour le lui soutirer? Je ne sais même pas qui est cette femme!

– Chaque chose en son temps, ma belle Misis… Patience.

III

La jeune Misis demeura plusieurs mois dans la nécropole avant d'être envoyée à Veliko Tarnovo pour accomplir sa première mission. Pendant son séjour avec Nosor et Séléné, elle apprit les rudiments du métier d'assassin. Initiée à la furtivité et à la fabrication des poisons, elle fut également formée aux arts occultes de la science des morts. Elle apprit, entre autres, à entrer en communication avec l'esprit des défunts et à fabriquer, à partir de leur corps en décomposition, des onguents et des potions. En utilisant l'essence de mort qui décompose la vie pour la faire dévier vers un autre organisme, elle réussit ses premières guérisons. Grâce à ces techniques, Misis fut rapidement capable d'invoquer des barrières de protection contre la maladie aussi bien que de jeter des malédictions diverses. La jeune fille, fort douée pour apprendre des formules et les retenir, devint une apprentie redoutable.

Elle fut aussi d'une aide précieuse pour le vieux Nosor avec qui elle partait régulièrement errer en forêt et sur les champs de bataille, à la recherche de dépouilles à rapporter à la grotte. C'était grâce à l'énergie des corps en décomposition que Séléné pouvait pratiquer et enseigner son art. En plus d'exister à travers Nosor, celle-ci recueillait la force résiduelle des cadavres afin de se maintenir dans le monde des vivants. C'était là la principale raison pour laquelle le spectre vivait dans une nécropole. Tous les jours, elle envoyait le vieux Nosor en quête de nouveaux pensionnaires.

— Réveille-toi, Misis ! fit un jour une voix dans l'oreille de la jeune fille. Aujourd'hui, tu devras mettre en pratique ce que tu as appris…

— Très bien, fit la jeune fille, encore tout endormie. Je me prépare, Séléné.

La petite se leva et remarqua une robe toute neuve posée sur son lit. Il y avait aussi un tout petit flacon qui ressemblait à s'y méprendre à un pendentif au bout d'un cordon de cuir. Sans poser de questions sur leur provenance, elle enfila le vêtement, puis passa le collier autour de son cou. Elle se rendit ensuite à l'atelier de poisons. Quelques semaines auparavant, Séléné lui avait parlé de cette journée où elle aurait, pour la première fois, à prendre une vie. Misis était prête. Elle savait exactement ce qu'elle devait faire.

Dans un petit pot de terre, la jeune apprentie jeta quelques pétales de fleurs dont elle fabriqua une poudre. À ce premier ingrédient, elle ajouta des résidus de pieds de champignons et le corps séché d'une grosse araignée aux longues pattes. Elle saisit ensuite un pilon et, à l'aide d'un peu d'eau de pluie, fit une mixture épaisse qu'elle déversa dans une petite fiole d'or.

– C'est fait, dit-elle ensuite à voix basse, je suis prête…

Aussitôt, Nosor entra dans l'atelier, son bâton de marche à la main, et fit signe à Misis de le suivre. Ensemble, ils remontèrent vers la surface. Le printemps était arrivé, et de gros bourgeons parsemaient les branches. L'air frais du matin revigora Misis qui cueillit quelques plantes comestibles.

– Tu en veux, Nosor? C'est excellent le matin! Surtout celle-là. Goûte comme elle est sucrée!

Le vieil homme sourit en refusant poliment l'offre de sa jeune amie. Depuis que cette fillette était auprès de lui, la vie lui semblait plus douce. Misis avait toujours de gentilles attentions pour lui. Son rire cristallin avait égayé la nécropole durant tout l'hiver, ce qui avait rendu la saison froide plus facile à supporter. Si Nosor avait eu la possibilité d'élever une enfant, c'était assurément elle qu'il aurait choisie.

Par amour pour Misis, Nosor s'était même rendu à Odessos afin de capturer le geôlier qui avait abusé d'elle. Ensemble, en tant que père et fille, ils l'avaient torturé pendant des mois, le gardant captif au fond d'une grotte sombre et humide de la nécropole. Lentement, ils l'avaient soigneusement découpé en morceaux, en prenant bien soin de le faire souffrir le plus possible. Un à un, ils lui avaient sectionné le bout des doigts, puis les orteils. La langue et les organes génitaux y étaient aussi passés. En utilisant des tiges de fer chauffées à blanc, ils avaient tracé sur sa peau de jolis dessins ressemblant à des fleurs et à des papillons. Que d'expériences firent-ils grâce à lui! Le violeur, rendu fou par la souffrance, avait complètement perdu la tête lorsqu'il fut relâché dans la forêt. L'homme regagna Odessos en hurlant comme un goret qu'on égorge et fut jeté en prison. Toutes les nuits, l'ancien geôlier eut de terribles cauchemars, jusqu'à ce qu'il meure de malnutrition, quelques semaines après son enfermement. Grâce à Nosor, Misis était vengée.

– Il faut que tu manges, Nosor, sinon tu auras une mauvaise journée! insista la jeune fille.

– *Soh! Soh!* acquiesça l'homme en portant à sa bouche le fruit de la cueillette de Misis.

– Bon, j'aime mieux ça!

Sous les chauds rayons de cette belle matinée d'été, ils marchèrent longuement avant de s'arrêter près d'une plantation de poires. Les arbres regorgeaient de bourgeons. La jeune Misis aurait bien aimé se mettre quelques fruits sous la dent, mais la saison ne faisait que commencer. En s'imaginant croquer dans une belle poire bien juteuse, elle fit un petit feu et prépara du thé. Ensuite, bien cachée sous le couvert des arbres, elle attendit patiemment aux côtés de Nosor, sirotant sa boisson.

Ils n'eurent pas à attendre très longtemps. Bientôt, une grosse femme accompagnée de deux hommes, des jumeaux, s'avança entre les arbres de la plantation.

– C'est tellement gentil de m'accompagner pour cette promenade! s'exclama-t-elle avec une certaine excitation dans la voix. Vous savez, messieurs, depuis que la reine est enceinte de cette crapule de Sénosiris qui l'a abandonnée, elle est d'une humeur massacrante! Ce n'est plus vivable au palais! Enfin, il y a au moins un bon côté à ces malheurs, car ma vie est redevenue un peu plus normale depuis que je n'ai plus à m'occuper de son vaurien de fils poilu.

– Nous te comprenons, ma belle Phoebe…, dit l'un des hommes en lui caressant une fesse. Nous te donnerons du bon temps, tu vas voir! Ça te fera oublier tes problèmes!

– Oui, ajouta l'autre qui, déjà, retirait sa chemise, tu ne nous oublieras pas de sitôt! Tu te souviendras longtemps de cette balade!

— Mais attention, messieurs, s'indigna faussement Phoebe.
Je ne suis pas une femme facile et je n'ai nullement l'intention
de faire l'amour avec deux hommes à la fois. Ce serait vraiment
inconvenant… Si j'ai accepté de vous accompagner, ce n'était
que pour prendre un peu l'air ! Rien d'autre, je vous assure !

— Allez, Phoebe ! Enlève-moi cette robe que je te besogne
un peu ! Ta réputation a fait le tour de Veliko Tarnovo, et il
paraît que tu es une sacrée baiseuse !

— Oui, ma grosse truie, tu peux être certain qu'on va te
faire couiner !

— Ah ! Mais quelle vulgarité ! s'exclama la grosse gouvernante,
trop heureuse. Vous êtes terribles, vous deux ! Vite, je chauffe !
Montrez-moi ce que vous avez dans le pantalon !

Comme les deux hommes excités allaient s'exécuter, ils
remarquèrent la présence d'une jeune fille qui les dévisageait.
Un peu gênés, il se reculottèrent en reculant de quelques pas.

— Mais que se passe-t-il ?! demanda Phoebe. Je ne vous plais
plus ? Vous désirez que je sois plus…

Un des jumeaux l'interrompit d'un mouvement de main et
lui fit signe de jeter un œil derrière elle. Phoebe tourna la tête
et vit la jeune fille, debout près d'un poirier, qui tenait dans ses
mains un récipient rempli d'une boisson chaude. La vapeur du
liquide chaud embaumait l'air d'un parfum de menthe. Avec sa
jolie robe et son air étonné, elle était d'une innocente beauté.

— Mais ?! Mais que fais-tu là, toi ? demanda la grosse femme,
ahurie. Tu ne devrais pas être là… Enfin ! Ce n'est pas bien
d'épier ainsi les gens ! Va-t'en ! Ces messieurs et moi avons du
travail à faire !

— Je m'appelle Guertrud, mentit Misis, et ce verger appartient
à ma famille. Je surveille les poiriers pour être certaine que les
gros corbeaux ne cassent pas les branches. Ma mère m'a envoyée
ici pour que je les effraie. Si je fais bien mon travail, elle fera
une purée ce soir et…

— Oh ! ça va ! Je comprends… J'ignorais que ce verger était
à ta famille ! s'exclama Phoebe, contrariée. Pas besoin d'avertir
tes parents… Je suis vraiment désolée… Je ne faisais que… que
m'amuser avec mes deux amis. Nous ne savions pas que… enfin,
que tu serais là !

– Mais vous pouvez continuer, c'est très instructif…, fit Misis pour les embarrasser un peu plus. Je n'avais encore jamais vu personne faire l'amour. Sont-ce toujours les hommes qui doivent insulter les femmes, ou ont-elles parfois le droit de le faire, elles aussi ? Je vous demande ça parce que mon père, il dit souvent à ma mère qu'elle est une vraie…

– Tais-toi, petite ! fit Phoebe, gênée. Nous n'avons pas besoin de l'entendre.

Un lourd silence tomba sur le verger. Misis en profita pour faire semblant de prendre une gorgée de sa boisson.

Les deux hommes soupirèrent alors en remettant leur chemise. Avec l'arrivée de la petite, l'excitation avait fait place au malaise et le plaisir était passé. Dans les circonstances, la grosse Phoebe ne les intéressait plus. Sans la saluer, ils tournèrent les talons et s'éloignèrent en discutant à voix basse.

– À plus tard, messieurs ! leur cria Phoebe, un soupçon de séduction dans la voix. Nous reprendrons cette promenade une autre fois, n'est-ce pas ? On se reverra, n'est-ce pas ?

Seuls quelques grognements émanèrent des hommes qui, frustrés, ne prirent pas la peine de lui répondre.

– C'est moi qui vous dérange, je le vois bien, fit innocemment Misis. Je peux partir si vous le désirez !

– Non, non… ça va ! C'est à moi de partir. Après tout, tu es ici chez toi…

– Vous désirez un peu de ma boisson ? Elle est vraiment excellente ! C'est fait avec des trognons de poires séchées et de la menthe fraîche. Le truc, c'est de la boire en y ajoutant beaucoup de miel. C'est vraiment très bon.

– Oh, c'est gentil, mais je n'ai pas très soif, soupira la grosse femme en pensant à ce qu'elle venait de perdre. Je crois que je vais y aller, je suis attendue au palais et…

– Ce serait la moindre des choses d'accepter mon offre, insista Misis, surtout qu'il s'agit d'une de mes inventions. Les pépins des fruits sont particulièrement délicieux et donnent un petit goût acidulé. Nous cultivons ici une variété très spéciale de ces fruits ! Ils sont la fierté de ma famille.

Phoebe hésita. Après tout, elle n'avait rien à perdre en acceptant de boire un peu de la mixture de la petite, ne serait-ce que pour l'encourager. Et puis, pourquoi ne pas faire plaisir à cette gentille petite fille qui se donnait autant de mal à expliquer son mélange ?

– Très bien, ça va ! dit-elle. Donne-moi ton bol, je vais y goûter. J'espère qu'il est aussi savoureux que tu le dis !

– Je vous jure que vous ne serez pas déçue… Ce sera une très agréable sensation, vous verrez !

La grosse gouvernante porta la mixture à sa bouche et elle en avala une longue gorgée. Puis, charmée par le goût sucré du mélange, la grosse femme en prit une deuxième fois. Misis lui adressa alors son plus beau sourire. Il y avait de quoi être fière ; Phoebe venait, sans s'en rendre compte, d'ingurgiter un poison mortel.

– Tu es contente maintenant, ma petite ? lui demanda la grosse gouvernante. Cette boisson est délicieuse. Tu as beaucoup de talent ! Je ne reconnais pas le goût de la poire, mais la menthe, elle, est très présente. Il y a aussi un petit goût piquant, qu'est-ce que c'est ?

– Oui… je suis très contente que vous l'appréciiez, répondit la jeune fille. Le petit goût… eh bien, c'est du foie de chauve-souris ! Lorsqu'il est préparé de la bonne façon, il se transforme en un poison mortel. Personnellement, je n'y ai jamais goûté, sûrement parce qu'il n'existe aucun antidote.

– Ah ! bon…, fit Phoebe, croyant que la fillette lui faisait une mauvaise plaisanterie. Ce ne sont pas des blagues très drôles à faire à une étrangère ! Peut-être ne le sais-tu pas, mais je suis moi-même une très… très vilaine sorcière.

– Peut-être bien, fit Misis, mais une sorcière pas très futée !

Phoebe toussota pour s'éclaircir la voix. Le poison commençait à faire effet.

– Je te trouve bien… bien impolie, petite peste ! s'exclama la grosse femme, qui avait de plus en plus de mal à respirer. Pourquoi une si gentille petite fille voudrait me tuer ? C'est… c'est complètement ridicule… tu ne crois pas ?

– À moins de vouloir prendre votre place auprès de la reine, répondit Misis, je ne vois vraiment pas pourquoi je voudrais vous empoisonner !

– Tu veux… tu veux prendre ma…, balbutia-t-elle. Mais tu dis vrai… tu m'as… Petite vermine ! Tu m'as…

– Pas très futée, en effet ! lança Misis.

Phoebe eut un violent étourdissement qui faillit la faire tomber, puis quelques spasmes eurent raison de son équilibre. Elle tomba alors face contre terre en poussant de petits cris étouffés. Chaque seconde qui s'écoulait voyait se paralyser un peu plus les muscles de ses poumons, enfler sa gorge et épaissir sa langue. Elle était incapable de respirer. On aurait dit qu'elle se noyait dans l'air.

En voyant les effets drastiques de son poison, la jeune assassine sourit. Elle avait bien réussi son travail. Phoebe avait les veines gonflées, la figure vermeille et les yeux révulsés. Au coin de sa bouche, on pouvait voir de l'écume blanche, comme la mousse qui recouvre la bière, lui envahir le menton.

– Je… Fais… quelque… va… reine… je…, balbutia Phoebe, avant de fermer les yeux pour de bon.

– C'est vraiment violent, ce truc ! s'exclama Misis, debout devant le corps inerte de la gouvernante. Il ne faudrait pas que j'en boive par erreur.

Nosor s'approcha de sa jeune élève et la félicita d'une amicale caresse sur l'épaule. Ensemble, ils contemplèrent avec fierté la première victime de Misis.

– Tu as vu, Nosor ? Mon mélange a été foudroyant ! Elle n'a presque pas eu le temps de souffrir. C'est la première fois que je vois mourir quelqu'un et ça me fait un peu drôle dans l'estomac. C'est bizarre, on dirait que… que j'ai des remords.

– *Soy, soy*…, répondit le vieil homme, lui aussi tout sourire.

Du mieux qu'il put, Nosor tenta d'expliquer à Misis que ces sentiments étaient normaux, et que de voir la mort deviendrait rapidement une habitude pour elle. Il lui raconta qu'il avait éprouvé cette même émotion le jour où il avait assassiné son père et sa mère à coups de couteau. La violence de son geste l'avait hanté pendant des mois, mais avec le temps, les images s'étaient dissipées dans son esprit pour ne faire place qu'aux bons souvenirs qu'ils avaient partagés, tous ensemble. La première victime était spéciale dans la vie d'un assassin, et il ne fallait pas essayer de fuir les images du premier meurtre. Il lui expliqua que la vie et la mort n'ont de sens que si elles visent un but, que si elles atteignent un objectif. Autrement, l'existence ne serait plus que chaos. Pour établir un ordre nouveau, il faut parfois se débarrasser de certaines personnes gênantes afin que d'autres puissent prendre leur place. Le meurtre de Phoebe n'avait pas été un acte gratuit, mais bien un mal nécessaire afin que se réalise le règne du Râjâ. Éliminer les faibles pour faire place aux forts, voilà ce qu'était la véritable mission d'un assassin.

— Je comprends, dit Misis. C'est rassurant de savoir que cette grosse femme n'est pas morte pour rien. De toute façon, à voir sa taille et son appétit pour les hommes, elle semble avoir bien profité de la vie, non?! Et puis, Séléné sera contente lorsqu'elle verra que nous lui ramenons un nouveau cadavre…

— *Sem, mas y hai nécros… ir tu* Veliko Tarnovo!

— Qu'est-ce que tu dis? fit vivement Misis, très inquiète. Tu retournes seul à la nécropole et moi je vais à Veliko Tarnovo? Tout de suite, là, comme ça? Je ne peux pas me préparer un peu avant?

— *Noy. Ir tu* Veliko Tarnovo, *jà!*

— On exécute le plan de Séléné?! Déjà?! Euh… je ne sais pas si j'en serai capable… Je veux bien faire les choses et…

— *Soy, soy!* l'interrompit le vieil homme. *Jà-a!*

— Bon, si tu insistes… Alors, j'y vais… Je ne sais pas quand je serai de retour… Si ça tourne mal, je…

Nosor fronça les sourcils.

— Non, se reprit la jeune fille. Tout ira bien, je le sais. Alors, à la prochaine, Nosor! On se revoit bientôt, n'est-ce pas?

— *Soy. Poss-aine* Misis!

Pour la première fois depuis qu'elle avait quitté Odessos, Misis se retrouva seule. Dans sa tête, elle se répéta une dizaine de fois le plan que Séléné avait élaboré pour elle. Dans sa poche, il y avait une petite carte des principales rues et bâtiments de Veliko Tarnovo, et un petit flacon d'huile. Elle était prête pour sa mission.

Exactement comme le lui avait indiqué le spectre de la nécropole, Misis marcha jusqu'à la ville et n'eut aucun mal à en passer les grandes portes. Lorsque les soldats lui demandèrent qui elle était et ce qu'elle faisait hors des murs, la jeune fille pleurnicha en balbutiant une histoire abracadabrante sur son père et sa famille qui l'auraient apparemment oubliée dans un champ à proximité.

Elle joua si bien son rôle que l'homme n'y vit que du feu et goba ses mensonges sans poser de questions. Démuni devant cette petite fille inoffensive qui larmoyait en essayant d'expliquer ses malheurs, le garde la laissa entrer dans la cité en lui rappelant de bien suivre ses parents la prochaine fois qu'elle irait aux champs. Contente, Misis lui fit la bise et s'enfuit en courant dans les rues comme une gamine enjouée. Exactement comme Séléné l'avait prévu, sa jeune envoyée était passée sans le moindre problème.

Pour bien exécuter son travail, Misis devait maintenant vivre quelques jours en ville et observer les allées et venues autour du palais royal. Nosor lui avait enseigné qu'une préparation adéquate était toujours garante du succès d'une mission. Un bon assassin, tout comme un bon espion, se devait d'avoir l'œil vif et l'oreille fine afin de saisir les occasions qui s'offraient à lui. Tuer quelqu'un, d'un coup de couteau ou à l'aide du poison, était facile à faire. Le véritable art du meurtre était dans l'approche discrète de la victime et dans la furtivité de la fuite une fois le coup porté.

Et ce fut ainsi que la jeune Misis se prépara avant de passer à l'action. Pendant les jours qui suivirent son entrée dans la ville, elle subsista en volant de la nourriture au marché et trouva une bonne cachette derrière la maison d'un commerçant de tissus. De là, elle profitait du couvert de la nuit pour sortir et se familiariser avec la ville, mais surtout pour examiner les alentours du palais. Lorsqu'elle fut plus familiarisée avec la disposition des rues, elle débuta ses observations de jour et commença à élaborer un plan. Plusieurs fois, Misis eut la chance d'assister, en regardant entre les barreaux d'une grille, à la promenade quotidienne de la reine qui, le ventre bien rond, prenait l'air en respirant le parfum des rosiers sauvages. Chaque fois, elle se promenait seule, et bien qu'elle fût toujours bien en vue de sa garde, elle semblait à ces moments-là particulièrement vulnérable. Ce fut l'un de ces instants que la jeune fille choisit pour attirer l'attention d'Électra.

Juste avant de grimper à un gros arbre dont les solides branches passaient au-dessus des murs de protection du palais, Misis ouvrit le petit flacon en forme de pendentif que Séléné lui avait confié et déposa une goutte du précieux liquide sur son front. Un parfum fort et envoûtant répandit autour d'elle l'odeur caractéristique de la myrrhe.

— La reine est un être très spécial, lui avait chuchoté Séléné à l'oreille. Ne t'approche jamais d'elle sans t'enduire le front d'une goutte de ce liquide. Sinon, elle pourra lire en toi, et notre projet sera vite découvert. Rappelle-toi toujours, Misis, que cette femme est comme une louve et qu'elle peut sentir en toi la peur, la confusion et le mensonge. Lorsque tu lui parleras, ne la regarde jamais dans les yeux, elle prendrait cela pour une provocation… Ta seule protection contre la force de son charisme est cette huile de myrrhe. Ne la gaspille pas, elle vaut plus cher que de l'or.

Ce fut en se remémorant ces recommandations que Misis grimpa à l'arbre et s'avança prudemment jusqu'au bout d'une branche surplombant le mur. Lorsque Électra fut tout près, la jeune fille se donna un élan, provoquant ainsi sa propre chute, et atterrit violemment sur le sol. La reine, surprise, fit d'abord un bond en arrière. Les sens en alerte, elle commença à grogner en montrant les dents. Prête au combat, Électra mit un moment à se rendre compte que l'ennemi qu'elle croyait avoir vu bondir de l'arbre n'était en fait qu'une simple fillette. La reine se précipita alors vers elle pour lui venir en aide.

Lorsque Misis, feignant une blessure, le visage inondé de larmes, se retourna vers la souveraine, celle-ci la trouva tout à fait charmante. L'enfant respirait la paix et la confiance. Elle avait au fond des yeux une charmante naïveté qui lui donnait un air fragile et pur. Tout de suite, Électra en tomba presque amoureuse, comme si cette inconnue avait été sa propre fille.

— Pauvre petite ! s'exclama la reine. Mais que faisais-tu là ? Oh ! Tu sembles blessée à la jambe ! Pauvre enfant. Ne crains rien, tu es entre bonnes mains. Attends et ne bouge plus, j'appelle tout de suite mes médecins…

— Non, ne faites pas cela… Ce ne sera pas nécessaire, ô ma reine ! répondit Misis en baissant les yeux. Je me suis fait un peu mal, mais votre seule présence est le réconfort dont j'ai besoin.

— Tu n'as rien de cassé ? Tu en es certaine ? Il vaut mieux ne pas prendre de risque ! Tu ne voudrais pas boiter toute ta vie à cause de cette mauvaise chute, non ?

— Je vous remercie, mais vraiment, ce ne sera pas nécessaire. Déjà, ma jambe ne me fait plus mal. J'aurai quelques bonnes ecchymoses, c'est tout… Merci de votre sollicitude. Vous êtes aussi charmante que je me l'étais imaginé.

Quelques gardes, qui de loin avaient vu la scène, arrivèrent auprès de la reine qui s'empressa de les renseigner ; la petite n'avait rien de cassé et ne représentait pas une menace pour sa vie. Les hommes, rassurés, reprirent leur position près des portes du palais.

– Charmante, moi ? ! Mais c'est toi qui es tout à fait adorable ! Comment t'appelles-tu, belle déesse tombée du ciel ?

– Je m'appelle Misis et j'ai bien peur de vous décevoir, car je ne viens pas des nuages, blagua la jeune fille. J'arrive plutôt de cette branche, juste au-dessus de vous !

– Tu as de la répartie, toi ! rigola la reine. Et que faisais-tu dans cet arbre, Misis ? Tu m'espionnais ?

– Oui… Je l'avoue et j'en ai maintenant honte. Je vous observais comme je le fais tous les jours… Je vous admire tant… Vous êtes un modèle de grâce et d'élégance, de force et courage et… et depuis que vous portez un enfant, je vous trouve aussi radieuse que le soleil. Vous êtes la plus belle des reines que la terre a portées !

– Oh, c'est si gentil à toi de me dire ces belles choses, s'exclama la reine, soudain pleine d'admiration pour la jeune intruse. Je n'en reviens tout simplement pas ! Comme tu es volubile et articulée pour ton jeune âge ! Tu es de Veliko Tarnovo ? Qui sont tes parents ?

– Non, je ne suis pas de la ville…, mentit Misis. J'habite dans un village plus loin, et chaque jour je fais un long trajet à pied rien que pour avoir la chance de vous apercevoir quelques minutes du haut de cet arbre. Mes parents sont de simples éleveurs de moutons, belle reine. Et moi, je deviendrai bergère un jour ! J'aurai mon propre troupeau que je ferai marcher jusqu'à vos portes afin que mes bêtes aussi admirent votre beauté.

La myrrhe faisait son effet. Électra était sous le charme de Misis. Elle la trouvait si belle et si intelligente, drôle aussi, avec ses expressions de petite fille sage. À l'exception de Sénosiris, jamais elle n'avait ressenti une aussi forte attirance pour quelqu'un, pas même pour son propre fils.

– Mais tu es vraiment tombée du ciel, toi ! s'exclama-t-elle, complètement séduite. Tu m'as dit que tu désirais devenir bergère et je respecte ce choix, mais j'aurais peut-être autre chose à te proposer. Il faudra par contre que tes parents soient d'accord, car je ne voudrais pas leur enlever une si extraordinaire jeune fille ! Dis-moi, petite Misis, aimerais-tu me côtoyer régulièrement et vivre ici, dans ce palais, avec tous les gens de ma cour ?

– Euh… oui, vraiment beaucoup ! fit Misis, mimant un étonnement ému. Ce serait un grand honneur pour moi, mais aussi pour mes parents, de savoir que je peux vivre ici afin de vous servir. Demandez-moi tout ce que vous désirez et je me ferai un plaisir d'obéir…

– Alors, dans ce cas, allez ! Accompagne-moi au palais, Misis, l'invita la reine. Je t'expliquerai ce que j'attends de toi…

La jeune fille accepta avec plaisir et passa la porte de la tour. Sous les ordres d'Électra, quelques servantes nettoyèrent le visage de Misis et lui offrirent de l'eau fraîche à boire. La reine et sa jeune invitée se retirèrent ensuite sur une grande terrasse donnant sur le jardin.

– Qu'est-ce que je disais tout à l'heure ? demanda alors la souveraine en observant Misis des pieds à la tête.

Électra était brusquement devenue plus froide et beaucoup moins amicale. On la sentait troublée et un peu embarrassée par la présence auprès d'elle de cette jeune campagnarde.

– Vous disiez que j'étais tombée du ciel et que vous aviez quelque chose à me proposer, dit Misis, inquiétée par le brusque changement de ton de la reine.

– Dis-moi, jeune fille, que faisais-tu réellement dans cet arbre ? s'enquit la souveraine en la fixant intensément. Je trouve l'histoire de cette chute un peu bizarre et…

« La myrrhe, pensa soudainement Misis. Les servantes qui m'ont lavé le visage ont aussi nettoyé mon front. Si je ne réussis pas à y appliquer discrètement une autre goutte de myrrhe, la reine se doutera de quelque chose… »

– Réponds-moi quand je te parle, jeune fille ! grogna Électra en constatant le trouble de la fillette. À bien y penser, je trouve ton histoire un peu farfelue.

Misis lui tourna le dos, ouvrit la fiole pendue à son cou et fit couler un peu de liquide sur son doigt. Elle fit ensuite mine de replacer ses cheveux et s'enduisit le front d'une goutte de myrrhe.

– Mais que fais-tu? Regarde-moi quand je te parle, petite impertinente! On ne se détourne pas ainsi de la reine!

– Pardon, grande Électra… Je vous ai pourtant dit la vérité, toute la vérité… Mes parents m'ont enseigné à ne jamais mentir. Et je ne vois pas pourquoi j'aurais inventé une telle histoire. Si j'étais un homme éperdument amoureux de vous, sans doute auriez-vous raison de vous questionner sur mes intentions… mais moi, je ne suis qu'une jeune fille en admiration devant sa reine. Il n'y a rien de mal à ça, n'est-ce pas?

Tout aussi brusquement, Électra perdit son ton inquisiteur et se pencha vers son invitée. Cette jeune Misis était vraiment trop mignonne pour que ses intentions eussent été belliqueuses. Et puis, si elle était investie d'une mission secrète, que pouvait-elle faire vraiment contre le royaume?

– Tu as raison, ma belle Misis, je suis tout à fait grossière et tu ne mérites pas que l'on te parle sur ce ton. Au premier coup d'œil, on voit bien que tu n'as aucune malice et que tu ne sais pas mentir. Toi aussi, tu es belle comme le jour, et ton âme est aussi pure qu'un ruisseau cristallin.

La petite Misis poussa un soupir de soulagement. Son imprudence avait bien failli faire tout échouer. Séléné l'avait prévenue des exceptionnelles capacités d'Électra. Mais, pour une raison inconnue, l'odeur de la myrrhe provoquait chez elle une réaction de sympathie et de confiance. Ce parfum avait un pouvoir enivrant si fort qu'il transformait la féroce louve en biche.

– En vérité, ma belle Misis, je suis un peu indisposée ces temps-ci. Je suis même en colère. Une femme que je croyais être mon amie m'a beaucoup déçue. Je parle de ma gouvernante Phoebe qui a disparu depuis quelques jours. Elle a quitté le palais sans laisser de note et personne ne sait où elle se trouve. Enceinte comme je le suis, il est clair que le bébé se présentera dans les prochaines semaines, et j'aurais aimé qu'elle soit là, à mes côtés, pour m'assister à l'accouchement. Je ne comprends pas… Je ne comprends vraiment pas ce qui lui est passé par la tête!

– J'espère qu'il ne lui est rien arrivé de fâcheux, répondit Misis d'un ton rempli de sollicitude. Il est difficile de perdre des gens que l'on aime… surtout lorsqu'on croyait pouvoir compter sur eux dans des moments difficiles.

– Je prie tous les jours Artémis afin qu'elle la protège… Elle est à mes côtés depuis que je suis toute petite. Je l'ai mieux connue que ma propre mère, et encore beaucoup mieux que mon père. Il faut dire que je n'ai pas toujours été très gentille avec elle ! Plus jeune, j'étais une véritable petite peste ! Tout le contraire de toi ! Mais toujours elle est restée auprès de moi…

– Peut-être a-t-elle simplement décidé de vous quitter pour se faire une nouvelle vie ailleurs ? Vous savez, ma reine, ce ne sont pas tous les gens qui savent comment dire adieu. Elle aura pensé à elle avant de penser à vous… pour une fois.

– Oui, c'est sans doute cela…, acquiesça Électra. Elle qui aime tant les hommes en aura enfin trouvé un pour la rendre heureuse. Enfin, si les soldats que j'ai envoyés en patrouille ne la retrouvent pas d'ici quelques jours, nous abandonnerons les recherches. J'aurai fait ce que j'avais à faire, et je lui souhaiterai alors la plus heureuse des vies.

– C'est sage de votre part, dit Misis avec son air le plus innocent. J'ai eu un ami une fois, un très bon ami qui, du jour au lendemain, ne m'a plus donné de nouvelles. Ce n'est qu'après de longs mois que j'ai appris qu'il était en voyage… Phoebe aussi est peut-être partie explorer d'autres continents ?

Électra se mit à rigoler.

– Si tu connaissais Phoebe, tu ne dirais pas cela ! Elle est plutôt casanière et n'est pas aventurière le moins du monde. Par contre, mon fils et mon… et mon conseiller Sénosiris ont quitté le confort de ce palais pour entreprendre un long voyage vers le sud.

– Et où vont-ils ?

– Vers l'Égypte… un pays de sable et de magie.

– Je n'ai jamais entendu parler de cet endroit.

– C'est apparemment une contrée tout à fait formidable ! Enfin… j'espère qu'ils seront vite de retour.

Électra, la gorge serrée, ne put empêcher une larme de couler sur sa joue. Misis fit semblant de ne rien remarquer.

— Quant à toi, Misis, si tu veux remplacer Phoebe auprès de moi, je te raconterai tout ce que je sais de l'Égypte et tu en apprendras aussi beaucoup sur la vie de palais, proposa la reine. J'ai besoin de quelqu'un pour m'aider durant les dernières semaines de ma grossesse. Tu seras ma première servante et, ensuite, la gouvernante particulière de mon enfant. Tu exerceras cette fonction jusqu'à ce que Phoebe revienne… enfin, si elle revient un jour. Pour cela, tu devras t'installer dans le confort de ce château, et je te gratifierai d'un honorable salaire. Ainsi, tu pourras aider ta famille à mieux vivre en attendant de devenir toi-même la meilleure des bergères. Est-ce que ma proposition te plaît?

— Je devrai en parler à mes parents, mais comme je les connais, je suis certaine qu'ils seront très heureux pour moi. Quand désirez-vous que je commence mon service auprès de vous?

— Dès que tu le pourras!

— Bien que je sois très heureuse de l'offre que vous me faites, ajouta Misis, j'espère quand même que Phoebe reviendra auprès de vous.

— L'avenir nous le dira, conclut Électra en faisait signe à un garde d'escorter son invitée à l'extérieur. Reviens-moi vite avec une réponse… Pendant ce temps, je ferai tout de suite préparer ta chambre au cas où. Allez! À bientôt, j'espère…

— Au revoir, ma reine.

Misis fut reconduite aux portes du palais et, en sautillant, quitta Veliko Tarnovo en se glissant sous la bâche d'une charrette vide servant à transporter le foin des écuries royales. Une fois dans les champs, elle bondit du véhicule, puis s'enfonça dans la forêt. Après une longue marche de quelques heures, elle atteignit enfin la nécropole où elle fut chaudement accueillie par Nosor.

Ensemble, ils descendirent dans la grotte à la rencontre de Séléné.

— Alors? chuchota le spectre aux oreilles de la jeune fille. M'apportes-tu de bonnes ou de mauvaises nouvelles?

Misis sourit.

— Une bonne et une mauvaise, dit-elle.

— Commence par la mauvaise.

– Je vais devoir vous quitter !

– Et la bonne ?

– Comme vous l'aviez prévu, j'entre au service de la reine de Veliko Tarnovo… Je suis sa nouvelle gouvernante.

– Excellent, murmura Séléné. Tu viendras quand même nous rendre visite ?

– Souvent, répondit Misis, car notre travail ne fait que commencer !

IV

Quand les catapultes thraces commencèrent à bombarder Veliko Tarnovo, Électra eut très peu de temps pour réagir. La reine, sur le point d'accoucher, ordonna à sa garde personnelle de la faire rapidement sortir du palais. Accompagnée de Misis, sa nouvelle gouvernante en qui elle avait pleine confiance, elle réussit à fuir en empruntant un passage secret, puis un ancien chemin de bûcherons qui sillonnait à travers les troupes ennemies. Toutes deux marchèrent ensuite en forêt durant de longues heures, avant d'arriver enfin au sanctuaire du lac sacré, en haut de la montagne. Une fois en sécurité, la souveraine mandata des éclaireurs afin de lui rapporter des nouvelles du front. Celui qui revint, un seul parmi une dizaine, en avait de bien mauvaises.

Selon lui, Veliko Tarnovo était tombée et avait été annexée de force à la Thrace. La ville était maintenant la possession des trois royaumes voisins, et l'intendant responsable était nul autre que le mystagogue d'Odessos. C'était à lui qu'on avait temporairement confié la ville en attendant qu'on y installe une famille royale de sang noble. L'attaque avait été soudaine, violente, et les troupes de la reine n'avaient pas eu le temps de réagir adéquatement. S'ils avaient pu se plonger dans le lac du sanctuaire, ils auraient pu riposter sous leur forme animale et, ainsi, donner du fil à retordre aux envahisseurs. Mais ceux-ci s'étaient postés trop loin des eaux sacrées, et les soldats de Veliko Tarnovo étaient trop occupés à organiser la défense pour avoir le temps de se rendre au lac.

— Et où sont mes guerriers maintenant? demanda la reine à son éclaireur. Ils se sont sûrement retranchés dans la forêt!

Trouvez-les et dites-leur de nous rejoindre ici, nous lancerons une contre-attaque !

L'éclaireur demeura silencieux.

– Mais allez ! Ne perdez pas de temps ! grogna la reine. Nous devons nous organiser et reprendre notre ville !

– Je suis… je suis désolé, ma souveraine, mais il ne reste… personne.

Électra eut soudain un malaise. Une forte nausée accompagnée d'une déchirante douleur au ventre la fit grimacer. Les contractions avaient débuté, et la reine allait bientôt accoucher. Tout en essayant d'encaisser dignement le choc de sa déconfiture face aux Thraces, elle plongea ses yeux inquisiteurs dans ceux de l'éclaireur.

– Que me dis-tu ? souffla-t-elle. Ai-je bien compris ce que tu viens de me dire ?

– Je vous dis qu'il ne reste plus personne…, répéta l'éclaireur. Le mystagogue a décidé de purifier la cité et il a fait exécuter toute la population. Tous vos soldats ainsi que les meilleurs artisans de la cité ont eu la tête tranchée. Femmes et enfants aussi y sont passés. Il ne reste personne… Ce fut un massacre général. Une purification par le sang…

– Si tu dis vrai, tout ce qui reste de mon peuple se trouve alors ici, entre les murs de ce sanctuaire ?!

– Oui, ma reine…

– Moi qui avais jadis une armée complète, je ne dispose plus maintenant que d'une poignée d'hommes ?!

– Tout à fait…

– Mais dis-moi, lança gravement la reine en scrutant son éclaireur dans le fond des yeux, comment expliques-tu que tu sois là, dans ce cas ? J'ai envoyé dix éclaireurs et tu es le seul à être revenu ! Ne trouves-tu pas cela un peu bizarre ?

À ce moment, de grosses gouttes de sueur coulèrent du front de l'homme.

– Je vous rapporte ce que j'ai vu, ma reine, c'est tout… J'ai eu plus de chance que les autres et…

– Non, sale traître, tu nous as vendus pour avoir la vie sauve ! pesta Électra. N'essaie pas de le cacher, je le vois dans ton regard de vipère… Une fois ta mission auprès de moi terminée, tu as prévu retourner à Veliko Tarnovo pour indiquer à ton nouveau maître l'endroit où nous nous cachons, n'est-ce pas ? Il t'a laissé la vie sauve afin que tu me trahisses ! Avoue !

– Non, je le jure ! mentit l'homme en cherchant du regard un endroit où fuir. Ce n'est pas ce qui est…

L'éclaireur se tut brusquement et demeura immobile quelques secondes, frappé de stupeur. Un mince filet de sang apparut aux commissures de ses lèvres avant qu'il ne tombe lourdement face contre terre. Derrière lui, la jeune Misis se tenait debout et arborait un sourire satisfait. La petite venait de le poignarder dans le dos.

– Désolée, ma reine, dit-elle ensuite, mais je n'aime pas les hypocrites. Et cet homme en était un.

Électra sourit.

– Moi non plus, ma belle Misis, je ne les aime pas… C'est bon de savoir que je peux compter sur toi. Tu veux bien m'aider maintenant ? Je crois qu'il est temps pour moi de mettre l'enfant de Sénosiris au monde.

– Très bien, je vous accompagne…

– D'accord, mais avant, demande à mes hommes de se baigner dans le lac et de veiller à la sécurité du sanctuaire. Pour ma part, je monte à l'étage et t'y attendrai… Apporte aussi de l'eau chaude.

– Tout sera fait selon vos désirs, répondit Misis.

La jeune fille exécuta les ordres de la souveraine, mais ne monta pas tout de suite la rejoindre. Elle profita de ce moment de solitude pour verser dans une gourde des extraits de sucs vénéneux de champignons. Elle devait se préparer à exécuter la mission que Séléné lui avait confiée. La mère, tout comme l'enfant, ne devaient pas survivre à l'accouchement. Il n'y avait de place que pour un seul et unique roi, le Râjâ. Celui-ci régnerait en maître et ne devrait partager le trône avec personne. Tout avait été prévu par des générations de dactyles, et le roi des rois ne pouvait en aucune façon avoir de frères ou de sœurs. L'aventure d'Électra avec Sénosiris était un malencontreux accident dont il valait mieux effacer toute trace.

– Buvez, ma reine ! dit Misis en s'approchant d'Électra.

– Merci, Misis, tu es gentille, lui répondit la femme en avalant une grande gorgée de la gourde. Place-toi en face de moi et attends le bébé… Lorsque tu verras sa tête, tire lentement pour le dégager.

Je viens de perdre mes eaux et je… et je commence à avoir de fortes contractions… je…

– Calmez-vous, Électra, lui dit Misis, tout se passera bien. Poussez… Concentrez-vous uniquement sur l'enfant.

– Heureusement que tu es là…

La jeune fille sourit. Le plan de Séléné fonctionnait à merveille. Dans quelques heures, la reine s'éteindrait pour de bon. Le trône serait prêt pour le retour du Râjâ, et son règne pourrait enfin débuter. Dans le sanctuaire dédié à Börte Tchinö, construit sous la supervision de Sénosiris, une nouvelle ère allait commencer.

Une fois l'accouchement terminé, Misis présenta le bébé à sa mère qui le serra contre elle.

– N'est-ce pas qu'il est beau ? Il s'appellera…, hésita la reine. Euh, je ne sais plus… je me sens si lasse. Tiens, Misis, prends-le quelques secondes… et trouve quelque chose qui pourra lui servir… de… de berceau. J'ai dû perdre beaucoup de sang… car je… je…

– Ne vous inquiétez pas, votre enfant est entre bonnes mains, la rassura Misis. Dormez… je m'occupe de tout.

Confiante, Électra ferma les yeux et, quelques minutes plus tard, elle cessa de respirer.

Sans s'attendrir davantage, Misis emmaillota le jeune prince et quitta discrètement le sanctuaire du lac. Dans la forêt, Nosor attendait l'enfant afin de le sacrifier.

– Prends cet enfant, mon bon ami, mais ne le tue pas ! l'enjoignit Misis. Va vers le sud et libère-toi de l'emprise de Séléné. Tant que tu demeureras près de la nécropole, le spectre de la dactyle aura une influence sur toi. J'ai l'intuition que cet enfant ne doit pas mourir… Peux-tu faire cela pour moi ?

– *Soh*, Misis… *soh*…, répondit Nosor.

– Va et ne t'inquiète pas, je m'occupe de Séléné. Si chaque assassinat doit servir à changer l'ordre établi, je crois aussi que chaque naissance a son rôle à jouer. Tu me comprends, Nosor ?

Comme s'il émergeait d'un rêve dans lequel il avait vécu pendant des années, Nosor sentit une force nouvelle l'animer. Il serra l'enfant contre lui. Les brumes oniriques se dissipaient lentement.

Le vieil homme plaça le nouveau-né sous son manteau et disparut en courant vers le sud. Misis le regarda partir avec nostalgie, car, au fond d'elle-même, elle savait que c'était la dernière fois qu'elle le voyait. Nosor avait été si bon, si généreux et si amical qu'elle garderait de lui un souvenir impérissable.

Une fois qu'il eut disparu dans la forêt, Misis marcha en direction de la nécropole. Sûre d'elle, la jeune fille descendit jusqu'au fond de la grotte où le spectre de Séléné l'attendait. Contrairement à son habitude, l'esprit de la dactyle semblait plus faible. Seul l'écho lointain de sa voix était perceptible.

– Mais qu'as-tu fait ? hurla Séléné. Tu ne m'as pas écoutée ! Tu as laissé partir Nosor et l'enfant ! Pourquoi n'as-tu pas obéi à mes ordres ?

Misis ne répondit rien. Elle se contenta de jeter de l'huile à lampe partout dans la pièce.

– Tu crois pouvoir te débarrasser de moi aussi facilement, petite ingrate ? cria la voix lointaine. Sache que je suis immortelle et que je te ferai payer chèrement cette mutinerie. Tu ne décideras pas du sort du Râjâ ! Je suis là pour veiller à la juste exécution de la prophétie des dactyles et au retour des hyrcanoï… et ce n'est pas toi qui changeras le cours des choses !

Plus forte que le spectre qui tentait désespérément de l'intimider de la voix, Misis fit un amas de matériau combustible au centre de la pièce.

– Même si tu brûles cet endroit, tu n'arriveras jamais à te débarrasser de moi ! fit Séléné. Je te poursuivrai jusque dans tes rêves et je te rendrai folle ! Tu ne seras plus maîtresse de tes pensées, de tes actes, et tout comme Nosor tu deviendras mon esclave. C'est ta dernière chance de te reprendre et de me rapporter cet enfant !

La jeune Misis prit une torche et, calmement, mit le feu au bûcher.

– Il est temps que l'esprit des morts retourne dans le monde des ténèbres et qu'il laisse aux vivants le soin de choisir leur destinée. Adieu, Séléné, et merci pour tout.

– Ne fais pas cela !!! NON ! Ne me laisse pas !!!

Sans se retourner, la jeune fille quitta la caverne et remonta à toute vitesse vers la surface. Une fois sous les rayons du soleil, elle se retourna et vit monter de la nécropole une épaisse fumée noire. Le temps des dactyles et de leurs occultes pouvoirs était révolu désormais, et c'était au Râjâ de prendre en main la destinée des quelques individus qui formaient maintenant son peuple. Électra morte, il aurait toute la latitude de gouverner selon ses propres désirs, et ce, sans influences extérieures.

Comme les autres survivants de l'attaque des Thraces, Misis se devrait d'être patiente en attendant le retour du nouveau roi. Elle s'installerait, bien cachée dans le sanctuaire du lac sacré, tout en espérant le retour prochain de son ami Pan.

Tandis qu'elle marchait vers le sanctuaire, Misis cueillit quelques fleurs et s'en fit une couronne. Pour la première fois depuis son enfermement à Odessos, elle était remplie de joie. La petite était heureuse... et libre.

V

Lorsque le Râjâ respira l'air des forêts du nord, il comprit que son voyage était terminé. Le long périple qui l'avait mené en Égypte tirait à sa fin et, dans quelques semaines, il recommencerait à chasser le lapin et à jouer paisiblement de la flûte. Sénosiris, toujours à ses côtés, était aussi heureux que le jeune prince de Veliko Tarnovo, car il retrouverait bientôt l'unique amour de sa vie, Électra. De plus, il pourrait prendre pour la première fois son enfant dans ses bras. Tout cela serait possible grâce à l'amabilité des Nubiens.

Devant ces deux bonheurs qui l'attendaient au bout de la route, l'Égyptien eut une pensée pour la princesse de Bakhtan, sans qui leur retour aurait été impossible. Dans son extrême bonté, elle avait convaincu le roi nubien de leur accorder une escorte jusqu'à la grande mer et, en plus, de leur fournir un bateau. Consciente de la dette qu'elle avait envers le Râjâ, la magnifique princesse hittite leur avait même trouvé un guide navigateur afin qu'ils ne se perdent pas en route et qu'ils arrivent sains et saufs chez les Achéens. Là, Sénosiris avait acheté une charrette et des chevaux, et les deux voyageurs avaient pris la route du nord.

Ils étaient maintenant près de Troie et remontaient lentement la côte. Le Râjâ, qui voyageait caché sous le capuchon d'une longue cape, demanda à faire une pause. Les deux hommes n'avaient pas mangé depuis la matinée et le soleil commençait à décliner dans le ciel. Sénosiris vérifia qu'il avait de quoi payer et arrêta la charrette tout près de l'échoppe d'un marchand. Il y avait des pots en terre partout autour du petit bâtiment.

Lorsque le commerçant, un vieil homme, vit Sénosiris s'approcher de sa boutique, il se leva de derrière son comptoir et fit quelques pas en boitant dans sa direction.

– Bien le bonjour, monsieur, dit-il gaiement. J'ai ici les meilleurs pots de toute la région de Troie. Demandez ce que vous voulez, je suis certain de l'avoir! Des amphores, peut-être?

– Non merci, répondit l'Égyptien. Nous sommes des voyageurs et nous aimerions acheter quelque chose à manger et à boire.

– Oh, je vois! Eh bien…, hésita un peu l'homme, je crois bien pouvoir vous dépanner! Laissez-moi demander à ma femme de vous préparer un peu de nourriture. Vous aimez la viande salée?

À la simple évocation du mot viande, les papilles du Râjâ commencèrent à saliver.

– Dites à votre ami de descendre de la charrette, fit le vieux marchand. Je vais vous verser un petit verre de vin rouge qui égaiera votre voyage!

– Merci de cette gentille attention, mais mon ami est un peu timide et il ne boit pas, répondit Sénosiris.

Le vieux potier disparut alors dans l'arrière-boutique et revint avec une carafe de vin et deux verres. Il les remplit tous les deux et en glissa un devant l'Égyptien.

– Allez! Buvez ça en attendant que ma femme arrive avec la nourriture! Vous n'êtes pas comme votre ami, j'espère!

– Non, pas tout à fait… Pour ma part, j'aime bien le vin. Merci de votre générosité.

– C'est bizarre, fit le potier, car vous avez l'allure d'un gars du Sud, mais vous parlez avec un accent de la Thrace! Vous êtes d'en haut ou d'en bas?

– Nous sommes… disons que…, balbutia Sénosiris. Moi, je suis du Sud et mon compagnon est du Nord. Nous revenons d'un long voyage qui ne fut pas aussi fructueux que nous l'aurions cru. Enfin, disons simplement que c'est une très longue histoire!

Le vieil homme comprit que l'Égyptien n'avait pas envie de se confier à un inconnu et se contenta de la réponse.

– Je vois…, fit-il en avalant une gorgée de vin. Je ne sais pas depuis combien de temps vous êtes partis, mais vous serez heureux d'apprendre que la route du nord est maintenant sûre depuis que les Troyens se sont installés à Byzance. Ils ont même signé une alliance avec tous les royaumes thraces! C'est fantastique pour le commerce! Mon fils aîné a ouvert une boutique à

Veliko Tarnovo, l'autre est justement à Byzance où il dirige son propre atelier de poterie…

– Une alliance avec Veliko Tarnovo?! Je croyais que la ville était… complètement fermée?!

– Mais non, mais pas du tout! s'exclama le potier. Depuis que la reine est morte, la ville a complètement changé!

– La reine est… elle est morte, répéta difficilement Sénosiris. Mais comment?

– Dans l'attaque que l'alliance des peuples thraces a lancée contre son royaume! répondit fièrement l'homme. Mais il y a déjà plusieurs années de cela! On racontait des histoires horribles sur cette femme que l'on disait être une sorcière. Y a des gens qui prétendaient qu'elle pouvait transformer des hommes en loups! Et je sais que c'est vrai, parce que moi-même, j'en ai vu un de mes yeux reprendre sa forme humaine.

Sénosiris, glacé par la nouvelle, était incapable de prononcer un mot. Le potier, croyant son visiteur captivé par son histoire, continua son récit.

– Oh oui! De mes yeux, je l'ai vu! Ça doit bien faire vingt ans de cela, mais j'en garde un souvenir aussi clair que si c'était hier! Dans le temps, je faisais le marché de Byzance avec mes garçons et les affaires étaient bonnes. Un matin, j'arrive dans la ville et là, plus rien! Tout le monde était mort! Je me suis retourné et j'ai dit…

L'Égyptien n'écoutait plus. Il voyait défiler devant ses yeux les images de sa bien-aimée. Elle était donc morte? Et c'était ainsi qu'il l'apprenait, de la bouche d'un vieux potier bavard sur une route quelconque?… Il y avait de quoi hurler de douleur.

Dans la charrette, le Râjâ entendit aussi la nouvelle et se contenta de baisser la tête pour pleurer. Après ce long voyage de retour, il était trop fatigué pour se mettre en colère et trop affamé pour trouver la force de s'indigner.

– Comme j'entrais dans la ville, j'ai vu cette masse de poils qui désirait me tuer, continuait le potier. En fait, c'est mon plus jeune fils qui m'avait désobéi, car je lui avais très clairement signifié de demeurer en sécurité…

Debout devant le comptoir où son verre de vin tiédissait lentement, Sénosiris était incapable de bouger. Une partie du monde venait à l'instant de s'écrouler devant lui. Toute la joie qu'il avait ressentie à revenir au pays s'était dissipée pour faire place à une terrible angoisse.

– … et c'est à ce moment que je l'ai vu ! Vous ne me croirez pas, mais il s'agissait bien d'un homme ! Cette bête blessée et agressive s'est transformée en un grand gaillard au physique imposant. Mes fils et moi avions les yeux grands ouverts devant cette métamorphose. Mais je me suis dit, ce n'est pas en cédant à la panique que…

Électra était peut-être morte en emportant avec elle leur enfant, pensa l'Égyptien qui n'écoutait pas un mot de l'histoire du potier. Ou, peut-être, elle avait eu la possibilité de lui donner naissance avant de mourir. Il y avait probablement chez les Thraces un petit garçon ou une toute jeune fille qui avait plus que jamais besoin d'un père.

– … comme dans les contes que mon père me racontait ! C'est à partir de ce jour que nous avons fabriqué une nouvelle collection de pots qui, je suis fier de le dire, est exposée au palais de Troie. C'est un hommage aux habitants de Byzance et à leur courage devant la mort…

– Dites-moi, l'interrompit l'Égyptien, que savez-vous sur l'ancienne reine de Veliko Tarnovo, hormis le fait qu'elle est morte ?

– Bof ! pas grand-chose… Comme je vous l'ai déjà dit, j'ai entendu des gens raconter qu'elle était une sorcière capable de transformer des hommes en loups. Un peu comme dans la légende des hyrcanoï, vous voyez ce que je veux dire ? Mais de toute façon, les Thraces ont fait le ménage là-haut et presque tous les loups ont été chassés et tués. La forêt est tout à fait sûre maintenant !

– Vous a-t-on dit que la reine aurait eu un enfant ? A-t-on parlé de descendance ?

– Non, jamais entendu parler de ça ! rigola l'homme. Tout le monde sait que les sorcières aiment bien les enfants, bouillis ou à la broche, mais de là à accoucher d'un marmot, non, je ne crois pas. Mais pourquoi toutes ces questions ? Vous la connaissiez, cette reine ?

– Peu importe… Disons simplement que je suis curieux.

La femme du potier arriva avec un panier plein de victuailles. Sénosiris paya en offrant au marchand un petit bracelet, tout en or, représentant le dieu Thot. Ravi, l'homme le remercia et lui souhaita un bon voyage vers le nord. Le cœur en morceaux, l'Égyptien prit place dans la charrette aux côtés du Râjâ et, sans dire un mot, fit claquer les rênes sur la croupe de ses chevaux.

Ce ne fut qu'après un long bout de route, parcouru dans le silence le plus complet, que Sénosiris se décida à parler.

– Tu crois que tout ce qu'a dit cet homme est vrai?

Le Râjâ haussa les épaules.

– Électra ne peut pas avoir perdu Veliko Tarnovo, c'est impossible! Pas une si grande ville aussi bien protégée! Non, cet homme a sûrement tort. Il imagine des choses, c'est évident.

Le Râjâ se contenta de soupirer.

– Mais s'il n'y a plus rien, qu'allons-nous faire? Je n'arrive tout simplement pas à croire toute cette histoire.

– Passer – sanctuaire – lac – pour – savoir, dit le Râjâ en exécutant quelques signes.

– Tu crois que c'est mieux de passer au sanctuaire avant d'aller en ville? Oui, pas mal, comme idée! Si l'endroit n'est pas tombé dans des mains ennemies, les hommes qui y vivent pourront nous informer de la situation. Ils pourront nous dire ce qui s'est réellement passé… Électra s'y cache peut-être? C'est l'endroit parfait pour se réfugier en cas de danger.

Pour la première fois de sa vie, le Râjâ voyait Sénosiris nerveux, agité et incertain. L'Égyptien d'habitude si posé, pragmatique et réfléchi n'était plus maintenant que l'ombre de lui-même. Le regard fou et le souffle court, il semblait avoir perdu toute la sagesse qui le caractérisait si bien. L'inquiétude transpirait par tous les pores de sa peau.

– Ce n'est pas possible… pas possible du tout, répétait-il à voix basse pour essayer de se rassurer. Électra est vivante… c'est une évidence! Elle ne peut pas être morte, elle est cachée avec notre enfant. Je la retrouverai, c'est certain…

Les jours qui suivirent furent les pires que vécut le Râjâ. Tandis qu'ils poursuivaient leur lente progression vers le nord, il assista à la longue dégradation de Sénosiris qui n'arrivait plus à dormir. Sans le vouloir, l'Égyptien avait sombré dans une forme de délire où il essayait de se convaincre que tout était normal et que rien n'avait changé durant toutes ces années. La douleur l'avait rendu aveugle à l'élargissement de la route entre Veliko Tarnovo et Byzance, et aux fréquents passages de caravanes de marchands. Le temps avait rapidement fait son œuvre et, comme l'avait dit le potier, le territoire était beaucoup plus sécuritaire. Il n'y avait même plus de traces ou d'odeurs de loups dans la forêt.

Ce ne fut qu'à quelques lieues du sanctuaire du lac, sur une route secondaire en très mauvais état, que le Râjâ sentit tomber sur lui le regard agressif de quelques bêtes sauvages. Tout de suite, il sut qu'il s'agissait des survivants de son peuple, qui les fixaient attentivement. Ce fut à ce moment-là qu'il demanda à Sénosiris de s'arrêter et qu'il descendit du véhicule. Les chevaux, nerveux et méfiants, étaient anormalement agités.

Le Râjâ, toujours voilé par sa cape, fit une trentaine de pas devant la charrette et s'immobilisa. Un gigantesque loup, deux fois de la corpulence d'un homme, sortit d'entre les arbres. Menaçant, il montra les crocs en signe d'avertissement, mais le Râjâ ne broncha pas. Il se contenta de rabattre son capuchon et de regarder la créature directement dans les yeux.

D'abord énervé par cette provocation, le loup grogna et aboya de rage, mais sa colère fut de courte durée. Il reconnut son maître et, cette fois, se mit à hurler de joie. Aussitôt, trois autres loups se dévoilèrent et vinrent entourer le Râjâ.

– Nous voilà à la maison, se dit Sénosiris tout en contemplant ce spectacle. Nous voilà enfin chez nous…

VI

Lorsque le Râjâ entra au sanctuaire, il trouva l'endroit en fort mauvais état. À peine une centaine de personnes, des anciens Thraces de Veliko Tarnovo, s'y cachaient. Son peuple, ou ce qui en restait, avait davantage l'allure d'une bande de clochards que de la fière armée qu'il avait jadis constituée. En quelques années seulement, ces hommes et ces femmes avaient perdu toute dignité et ne s'occupaient même plus d'entretenir le sanctuaire. Les yeux hagards et le ventre creux, ils n'utilisaient plus le lac que pour les gardes qui assuraient la sécurité de l'endroit. Trop apeurés par les chasseurs du nouveau roi de Veliko Tarnovo, ils vivaient dans la crainte d'être à leur tour exécutés. La meute n'avait plus de chef et, de ce fait, elle dépérissait lentement.

Pendant que le Râjâ constatait l'ampleur de la tâche qui l'attendait, Sénosiris demanda à la ronde ce qui était advenu de la reine Électra. Ce fut avec douleur qu'un homme le conduisit dans la cour arrière du sanctuaire où reposait, sous une statue de louve hurlante, le corps de la défunte reine. Sur la sépulture de son aimée, Sénosiris tomba à genoux et se mit à pleurer.

— Vous l'aimiez beaucoup, n'est-ce pas ? dit une jolie jeune femme en s'approchant de lui.

— Oui…, répondit l'Égyptien sans gêne. C'était l'amour de ma vie. Depuis le premier moment où mes yeux ont croisé les siens, j'ai su que je l'aimerais toujours.

— Elle est morte des suites de l'attaque de Veliko Tarnovo… Elle était totalement épuisée. Électra s'est endormie doucement et son cœur a cessé de battre.

— Comment savez-vous cela ? Vous étiez avec elle ? Vous l'avez vue mourir ?

– Oui… j'étais sa nouvelle gouvernante… et je l'ai même aidée à mettre au monde son enfant.

Sénosiris, tremblant d'appréhension, se releva et fit quelques pas en direction de la jeune femme.

– Et qu'est-il arrivé à cet enfant ? demanda-t-il en pesant chacun de ses mots. Il est mort à la naissance ou il est encore vivant ?

– Je crois bien qu'il est vivant, mais il n'est plus ici.

– Où est-il alors ?

– Une fois la reine décédée, je suis sortie du sanctuaire avec l'enfant. Je pleurais tellement que… que j'avais besoin de prendre un peu l'air. Comme je ne voulais pas laisser l'enfant seul, je l'ai emmené avec moi. C'est alors qu'un brigand, sorti de nulle part, m'a sauvagement agressée et me l'a enlevé. C'était un vieil homme un peu fou, aux dents dorées. J'ai su plus tard qu'il vivait dans la forêt. J'ai fait des recherches pour retrouver l'enfant, mais, aux dernières nouvelles, l'homme et le bébé avaient quitté le territoire pour les lointaines contrées de l'Est.

– Je connais cet homme…, fit brusquement Sénosiris. Je dirigeais les opérations pour retrouver le Râjâ… Oui, il parlait une drôle de langue… Avant de disparaître, il s'est même nommé… Comment s'appelait-il ?

– Nosor Al Shaytan, c'est son nom !

– OUI, C'EST EXACTEMENT CELA ! s'excita Sénosiris. Mais comment il se fait que vous le connaissiez ?

– Dans mes recherches pour retrouver l'enfant, j'ai interrogé des gens qui avaient entendu parler de lui, révéla la jeune femme. On disait de cet homme étrange qu'il était un ermite vivant dans la forêt et, selon plusieurs, il avait de grands pouvoirs de magicien. Malheureusement, je n'en connais pas plus à son sujet.

– Pourquoi voulait-il cet enfant ?

– Je ne sais pas… désolée.

– Merci… merci beaucoup ! J'en sais assez pour essayer de retrouver sa trace et remonter jusqu'à lui !

– Oh… j'en déduis que… que vous êtes Sénosiris, le père de cet enfant.

– Oui, c'est moi…

– La reine vous aimait passionnément et elle m'a beaucoup parlé de vous... Peut-être avez-vous connu Phoebe ? C'est moi qui l'ai remplacée dans ses fonctions lorsqu'elle est partie refaire sa vie dans les bras d'un beau soldat. Ce fut un honneur pour moi de mettre au monde votre enfant, votre garçon.

– C'est... c'est un garçon ! s'exclama l'Égyptien, les yeux remplis d'eau. Et il était comment ?

– Gros, joufflu, et il avait votre nez ! Mais ses yeux, c'était ceux d'Électra !

À ces mots, Sénosiris fut transporté de joie.

– J'ai un garçon ! J'ai un FILS ! C'est extraordinaire ! Je pars tout de suite en quête de ce Nosor Al Shaytan... Je dois absolument retrouver mon fils. C'est impératif ! Vous expliquerez la situation au Râjâ, vous voulez bien ? Vous le saluerez et lui direz que je reviendrai bientôt avec mon garçon !

– Mais ne voulez-vous pas vous reposer un peu avant de reprendre la route ?

– Non... Chaque instant est précieux ! Je dois faire vite !

– Dans ce cas, je lui transmettrai votre message avec plaisir, dit la jeune femme. Ne vous inquiétez pas, partez en paix !

– Et comment vous appelez-vous ?

– Je me nomme Misis...

– Alors, au revoir, Misis ! Merci d'avoir pris le temps de m'expliquer toute cette histoire... Les dieux vous le rendront !

Sénosiris prit rapidement quelques affaires dans la charrette, puis il bondit sur un cheval. Au galop, il passa les portes du sanctuaire et disparut dans un nuage de poussière.

Misis le regarda partir en souriant.

La jeune femme regagna ensuite sa petite maison de bois, tout près du cimetière. Elle peigna ses longs cheveux bruns qu'elle tressa en deux nattes et passa sa plus jolie robe. Puis elle sortit de chez elle et marcha lentement en direction de la porte du sanctuaire. Au passage, elle arracha quelques fleurs sauvages qu'elle plaça dans ses cheveux, puis, le cœur battant et les mains moites, elle entra dans le bâtiment.

Au loin, près du bassin, elle le vit.

Il était bien là.

Pan était enfin de retour.

Table des matières